Deutsche Texte

Herausgegeben von Gotthart Wunberg

Die lutherischen Pamphlete gegen Thomas Müntzer

Herausgegeben von
Ludwig Fischer

Deutscher Taschenbuch
Verlag

Max Niemeyer Verlag
Tübingen

CIP-Kurztitelaufnahme der Deutschen Bibliothek

Die lutherischen Pamphlete gegen Thomas Müntzer
hrsg. von Ludwig Fischer. – 1. Aufl. – München : Deutscher Taschenbuch-Verlag; Tübingen : Niemeyer, 1976.
    (Deutsche Texte ; 39)
    ISBN 3-423-04270-2 (dtv)
    ISBN 3-484-19038-8 (Niemeyer)

NE : Fischer , Ludwig [Hrsg.]

© Max Niemeyer Verlag Tübingen 1976
    Satz: Bücherdruck Wenzlaff, Kempten
    Alle Rechte vorbehalten. Ohne ausdrückliche Genehmigung des Verlages ist es auch nicht gestattet, dieses Buch oder Teile daraus auf photomechanischem Wege zu vervielfältigen. Printed in Germany.

    ISBN Niemeyer 3-484-19038-8
    ISBN dtv   3-423-04270-2

Inhalt

Den ersamen vnd weysen her-
ren Burgermeyster/ Rhat vnd gantzer Gemeyn der stadt
Mülhausen/ meynen lieben herrn vñ guten freunden.

GNad vnd frid in Christo Jhesu vnserm heyland.
Ersamen weysen lieben herren/ es haben mich gute
freund gebeten/ nach dem es erschollen ist/ wie sich
eyner/ genannt Magister Thomas Müntzer/ zu
euch in ewr stat zu begeben willens sey/ euch hierinnen treulich
zu raten vñ warne vor seiner lere/ die er auß Christus geist hoch
rhümet/ zu hütten/ welch ich dann als mich Christliche trew vñ
pflicht vermanet/ euch zu gutt/ nicht hab vnterlassen wöllen/
wir auch gar willig vñ geneigt gewest/ weyl ich heraussen bin
in lande selbst personlich euch zu ersuchen. Aber mein geschefft
im truck zu Witteberg mir nit weytter zeit noch raum lest/ Vit
derhalben/ wöllet gar fleyssig euch fürsehen vor disem falschen
geyst vnd propheten/ der in schaffs kleydern daher gehet/ vnd
ist inwendig eyn reyssender wolff. Dann er hat nun an vilen or-
ten/ sonderlich zu Zwickaw/ vnd yetzt zu Alstedt/ wol beweiset
was er für eyn baum ist/ weyll er keyn ander frucht tregt/ dann
mord vnd auffrhür/ vnd blutuergiessen anzurichten/ darzu er
denn zu Alstedt offentlich geprediget/ geschaben vnd gesungen
hat. Der heylig geyst treybt nicht vil rhümens/ sondern richtet
grosse ding zuuor an/ ehe er rümet. Aber diser geyst hat sich nu
bey dreyen jaren trefflich gerhümet vñ auffgeworffen vnd hat
doch biß her nicht eyn theyleyn thon/ noch eynige frucht bewey-
set/ on das er gerne morden wöllt/ wie jr des gutte kuntschafft
beyde von Zwickaw vnd Alstedt haben mügt/ Auch send er
nur landlauffer/ die Gott nicht gesandt hat (dann sie künnens
nicht beweysen) noch durch menschen beruffen sind/ sondern
kumen von jn selbst/ vnd gehen nicht zu der thür hineyn/ Darumb thun sie auch/ wie Christus vor von denselben sagt/ Johannis .10. Alle die vor mir kumen sind/ die sind dieb vnd mör-

*Martin Luther: Ein Sendbrieff an die ersamen und weysen Herrn Burger-
meyster/Rhatt und gantze Gemeyn der stadt Mülhausen. Wittenberg 1524
fol Aᵛ (verkleinert)*

Vorbemerkung

Wenn hier die Flugschriften, Büchlein und Sendbriefe, die Thomas Müntzers theologische und politische Gegner im letzten Jahr seines Lebens und unmittelbar nach seinem Tode veröffentlichten, nach 450 Jahren neu herausgegeben werden, so soll damit nicht das aus guten Gründen erneuerte Interesse an dem so gründlich verleumdeten Mann ein weiteres Mal vermarktet werden. Vielmehr soll endlich eine Aufgabe erfüllt werden, die lange schon gestellt ist: die ersten und entscheidenden Dokumente der Verfemung Müntzers allgemein zugänglich zu machen, an denen sich die Entstellung seines Bildes für die ganze Folgezeit ausgerichtet hat. Daß diese Wirkungsgeschichte heute noch keineswegs beendet ist, sucht die Einleitung aufzuzeigen.

Eine Edition der Kampfschriften, die fast völlig in eine theologische Auseinandersetzung zu gehören scheinen, kann ihren Sinn nur erfüllen, wenn die Texte erläutert werden. Die Verfälschungen Luthers und seiner Freunde kann nicht erkennen, wer nicht genau über historische Einzelheiten und theologische Streitfragen informiert ist. Art und Umfang der Erläuterungen mußten sich nach Zweck und Volumen des Bandes richten. Die Ausgabe ist vor allem als Arbeitsmaterial für Studierende und für die sogenannten interessierten Laien gedacht. Der Kommentar muß Erkenntnisse aus verschiedenen Fachgebieten vereinigen; daher wird mancher Spezialist, sei er Theologe oder Historiker oder Philologe oder Literaturwissenschaftler, die Anmerkungen als unvollständig oder für sich unbefriedigend empfinden. Er möge aber bedenken, daß es hier nicht darum gehen konnte, alle diffizilen Probleme zu entfalten, die sich nach den verschiedensten Richtungen von den Texten aus ergeben, oder alle Fragen vollständig zu lösen. Die Erläuterungen sollen das notwendige Verständnis der Schriften ermöglichen und weitere Arbeit eröffnen. Für Korrekturen, Änderungsvorschläge und ergänzende Hinweise bin ich freilich dankbar.

Alle, die mir bei der Arbeit geholfen haben, hier aufzuführen, ist mir nicht möglich. Der Dank gilt allen gemeinsam. Mit einem besonderen Wort muß ich jedoch Manfred Escherig danken für seine stetige Mithilfe beim Zustandekommen des Bandes.

Berlin, im Juni 1974   L. F.

Der Streit um Geschichte
Zur Beschäftigung mit Thomas Müntzer

> Hoch scheint über die Trümmer und zer-
> brochenen Kultursphären dieser Welt der
> Geist unverstellter Utopie herein ...
>
> Ernst Bloch, Thomas Münzer (1921)

Widerspruch zur Historiographie der ›Hof- und Staatsaktionen‹
wird mit dem Satze angemeldet, Geschichte sei stets von den Siegern
geschrieben worden, oder doch in ihrem Sinne. Er scheint kaum je so
eindeutig bewiesen wie im Falle Müntzer. Sofern mit dem Satz aber
lediglich gemeint wäre, die politisch Siegreichen hätten die Geschichtsschreibung absichtsvoll nach ihren Belangen einfach verfälscht, birgt sich jedoch erneut Idealismus in dem Vorwurf. Denn
nur, wenn unter den Siegern diejenige Klasse verstanden wird, die
in einem historischen Abschnitt schließlich zu einer – noch so zwie-
spältigen – Herrschaft gekommen ist, und wenn die Prägung der
immer neu gefaßten Historiographie nach dem Interesse dieser
Klasse als notwendiger ideologischer Prozeß erkannt wird, enthält
jener Satz realen Grund und historischen Sinn. »Jede neue Klasse
nämlich, die sich an die Stelle einer vor ihr herrschenden setzt, ist
genötigt, schon um ihren Zweck durchzuführen, ihr Interesse als das
gemeinschaftliche Interesse aller Mitglieder der Gesellschaft darzustellen, d. h. ideell ausgedrückt: ihren Gedanken die Form der Allgemeinheit zu geben, sie als die einzig vernünftigen, allgemein gültigen darzustellen.«[1] Der Zusammenhang zwischen gesellschaftlicher
Herrschaft und Geschichtsschreibung ist dabei keineswegs frei von
Widersprüchen, und die Vermittlung kann über ganz abstrakte
Theoreme erfolgen, wie zum Beispiel beim positivistischen Konzept
des vorigen Jahrhunderts. Aber die Aufhebung eines vorherrschen-
den, verzeichnenden Geschichtsbildes ist erst dort vollzogen, wo nicht
nur andere Personen, Ereignisse und Verhältnisse hervorgehoben,
neue Entwicklungslinien gezogen und ein anderes Ursachengefüge
als bisher nachgezeichnet werden, sondern wo die Neufassung im geschichtlichen Detail wie Zusammenhang einhergeht mit einer Kritik

---

[1] Karl Marx / Friedrich Engels: Deutsche Ideologie. Marx/Engels Werke.
  Bd. 3. Berlin (DDR) 1969. S. 47.

des dominierenden Bildes, die dieses einerseits als Verfälschung, andererseits als eine notwendige solche nachweisen kann. Dieses bedeutet zugleich, daß der kritisierende Forscher wiederum reflektieren muß, wie sein Ansatz durch die gesellschaftlichen Auseinandersetzungen seiner Epoche bedingt ist und sich auf sie bezieht.

Nur wenn man die Dialektik in der Ideologiebildung,[2] demnach auch in der bürgerlichen Geschichtsschreibung, mit bedenkt, wird überhaupt erklärlich, wieso eine wissenschaftliche Behandlung der Gestalt Müntzers, seiner Vorstellungen und Handlungen, ernsthaft als Korrektur des lutherischen Zerrbildes gemeint, ohne die gesellschaftlichen Bedingungen dieser Entstellungen und des eigenen Entwurfs zu erörtern, nicht nur bei Theologen offen oder verdeckt, gewollt oder ungewollt oft auf eine Apologie der Lehre Luthers und damit der Grundlage jener Fälschungen hinausläuft.[3] So können inzwischen auch evangelische Theologen, die strikt an Luthers theologischem Ansatz festhalten, über Müntzer formulieren: »Durch drei Jahrhunderte und noch länger sah man in ihm fast ausschließlich den gefährlichen Irrlehrer und dämonischen Schwarmgeist, den demagogischen Verführer des Volkes, den zu Mord und Brand hetzenden Aufrührer. Es ist das Bild, das Luther und Melanchthon in den Grundlinien und bis in die Einzelheiten hinein vorgezeichnet und durch ihre Autorität schlechthin gültig gemacht haben. Ihr Verdammungsurteil wurde im Zeitalter der Orthodoxie wenn möglich noch schärfer akzentuiert und galt noch unbedingter, und auch Pietismus und Aufklärung haben es kaum ernsthaft in Frage gestellt oder modifiziert. Bis in unser Jahrhundert hinein blieb Müntzer weithin

---

2 Der Ideologie-Begriff wird hier in der Bedeutung ›notwendig falsches Bewußtsein‹ verwendet, d. h. mit seinem ›klassischen‹ Gehalt, wie er prononciert z. B. in den späten Engels-Briefen angegeben ist. Auf die weit verzweigte Debatte um das Ideologie-Verständnis kann hier nur summarisch hingewiesen werden; vgl. bes. (Institut für Sozialforschung:) Soziologische Exkurse (Bd. 4). Frankfurt/M. 1956. S. 162–181; Herbert Schnädelbach: Was ist Ideologie? Versuch einer Begriffserklärung. In: Das Argument 50/1969. S. 71–92; Dieter Krause: Noch eineinmal: Was ist Ideologie? In: Das Argument 66/1971. S. 523–55; zur Geschichte der Ideologie-Auffassungen vor allem Kurt Lenk (Hrsg.): Ideologie. Ideologiekritik und Wissenssoziologie. Neuwied/Berlin⁵1971.

3 Franz Lau ist mit seiner Schlußfolgerung, daß sich »einem Ja zu Luther und einem Nein zu Müntzer nicht aus dem Wege gehen läßt« (Die prophetische Apokalyptik, S. 170), sozusagen lediglich ›am ehrlichsten‹.

die leibhaftige Verkörperung satanischen Geistes, der die Seelen mit seinen Lehren vergiftete, die Massen mit seiner Agitation zur Empörung wider alle christliche Ordnung in Kirche, Staat und Gesellschaft trieb.«[4] An der Passage ist nur eines zu kritisieren: Das entstellte Bild Müntzers wurde nicht einfach durch die ›Autorität‹ Luthers und seiner Mitarbeiter derart ›gültig‹ für die Jahrhunderte. Zu erörtern ist eben, weshalb und wie Luthers Theologie im ganzen und in widersprüchlicher Weise den Erfordernissen der bürgerlichen Ideologiebildung entsprach – sie in jeder Einzelheit darauf beziehen zu wollen, hieße historischem Schematismus zu verfallen und die relative Selbständigkeit theologischer, philosophischer Traditionen zu leugnen –, warum also Luther, indirekt auch außerhalb des religiösen Bereichs, solche ›Autorität‹ erhalten konnte.[5] Daß die Geschichte des Müntzer-Bildes ›bis in unser Jahrhundert hinein‹ von der Wiederholung, Variation, erneuernden Anpassung der Auslassungen Luthers und seiner Freunde bestimmt wird, soll an einigen Beispielen aus neuerer Zeit noch nachgewiesen werden.

Die Traditionsgeschichte der Darstellung Thomas Müntzers, wesentlich also Wirkungsgeschichte der Pamphlete Luthers und seines Kreises, im Protestantismus und im Katholizismus, andeutungsweise auch in den Freikirchen und Sekten, ist inzwischen von Max Steinmetz geschrieben; in der Habilitationsschrift reichte die Behandlung bis zur Französischen Revolution,[6] in der Buchausgabe wurde sie fortgeführt bis zur Mitte des 19. Jahrhunderts,[7] ausdrücklich also bis zum Zeitpunkt des Erscheinens von Wilhelm Zimmermanns ›Allgemeiner Geschichte des großen Bauernkrieges‹ und Friedrich Engels' darauf aufbauender Schrift ›Der deutsche Bauernkrieg‹.[8] Die von Steinmetz aufgearbeitete Materialfülle ist geradezu erdrückend; über weite Strecken herrscht, schon wegen der Unzugänglichkeit

---

4 Elliger, Thomas Müntzer (1965), Sp. 9. Unter den Theologen ähnlich schon 1922 Boehmer, Studien, S. 1ff.; in neuerer Zeit etwa Lohse, Auf dem Wege, S. 120f., und auf katholischer Seite Iserloh, Zur Gestalt, S. 248f.

5 Erinnert sei hier – außer an die Versuche Max Webers – nur beispielsweise an Herbert Marcuses ›Studie über Autorität und Familie‹ (1936), in: H. M., Ideen zu einer kritischen Theorie der Gesellschaft. Frankfurt/M. 1969. S. 55–156.

6 Steinmetz, Müntzerbild (1956).

7 Steinmetz, Müntzerbild (1971).

8 1841–43 bzw. 1850.

vieler Dokumente, »eine referierende Behandlung der Quellentexte« vor.[9] Dennoch ist die wichtigste Absicht die »Darstellung der Elemente einer verschütteten revolutionären Tradition der Volksmassen als Nachwirkung der frühbürgerlichen Revolution und des Bauernkrieges«,[10] obwohl sie nur indirekt zu erkennen sei, »greifbar ... überwiegend nur in der Polemik der herrschenden Klassen und ihrer Ideologen«.[11] Um so erstaunlicher ist, daß Steinmetz die behandelten Müntzer-Darstellungen nicht zu den Entwicklungsstadien der sich entfaltenden bürgerlichen Ideologie in Bezug setzt; nur an einigen wenigen historischen Umbrüchen verweist er sehr ungefähr und pauschal auf den Zusammenhang von Wandlungen der Tradition mit den gesellschaftlichen Auseinandersetzungen.[12] Er bietet somit die akribische Überlieferungsgeschichte des Müntzer-Bildes über mehr als drei Jahrhunderte, geleitet vom Interesse, mit den Fälschungen die Dienstbarkeit dieser Historiographie über den verfemten Mann unter die Belange der herrschenden Klasse zu erweisen. Aber inhaltlich deutet er diese Funktion der Präsentationen Müntzers nicht aus. So grundlegend seine Arbeit für die ideengeschichtliche Kenntnis über die Müntzer-Darstellungen ist, zur Klärung des zentralen Problems der Müntzer-Forschung – wie Müntzers Denken und Handeln im historischen Kontext von Reformation und Bauernkrieg zu erklären und auf die großen Klassenantagonismen zu beziehen sei, ob und worin Müntzers Bestrebungen zu Recht als Vorgriff auf eine proletarische Revolution verstanden werden müßten und daher ihre konkrete Einlösung in der Realität einer sozialistischen Gesellschaft modernen, marxistischen Verständnisses finden – leistet Steinmetz die erforderliche ideologiekritische Durchleuchtung der historiographischen Tradition nicht, so daß sozusagen gespiegelt Licht auf die Kernfrage fiele. Das Problem setzt er als gelöst voraus: Nur vom »revolutionären Kern seiner Lehren her« sei Müntzers Stellung in der Geschichte zu begreifen. Das ist ganz realistisch gemeint. »Als Prophet einer zukünftigen Klasse und als revolutionärer Führer der Volksmassen im Bauernkrieg antizipierte er, keimhaft-unreif und für die damalige Zeit undurchführbar, in genialer Weise den Kampf der Arbeiterklasse

[9] Steinmetz, Müntzerbild (1971), S. 13.
[10] A.a.O., S. 11.
[11] A.a.O., S. 12.
[12] Etwa bei der Zäsur am Ende des 18. Jahrhunderts vor dem Hintergrund der Französischen Revolution, a.a.O., S. 347f.

um menschliche Freiheit, Gleichheit und gerechte Gesellschaftsordnung, ahnte er die klassenlose Gesellschaft voraus.«[13] Daraus ergibt sich für den Leipziger Historiker: »In der DDR ist Müntzers Erbe lebendiger Besitz, sind seine bedeutsamsten Gedanken, ist sein leidenschaftliches Streben auf höherer Ebene Wirklichkeit geworden.« Es erweise sich die Erkenntnis, »daß die Gestalter der sozialistischen Menschengemeinschaft in der DDR ... auch die Erben, Fortsetzer und Vollender einer alten revolutionären und echt humanistischen Tradition sind, die zurückreicht bis in die bäuerlichen und städtischen Kämpfe des Mittelalters und die sich besonders eindringlich verkörpert in der Gestalt Thomas Müntzers.«[14] Zu diskutieren ist im Hinblick auf die Deutung Müntzers zunächst noch nicht die auch unter Marxisten höchst kontroverse Frage, ob die DDR Verwirklichung einer sozialistischen Gesellschaft im genauen Sinne sei, beziehungsweise wohin sich der Sozialismus dieser Übergangsgesellschaft entwickelt habe. Die Interpretation von ›Müntzers Erbe‹ in der historischen Entfaltung der Gesellschaftsformationen steht allererst zur Debatte.

Es kann hier nicht der Ort sein, den Streit um Müntzer analysierend nachzuzeichnen. Lediglich einige Hinweise und Anmerkungen lassen sich einleitend geben. Offen wird dieser Streit erst seit etwa fünfzig Jahren ausgetragen, seit den Reaktionen der Kirchenhistoriker auf Ernst Blochs Buch ›Thomas Münzer als Theologe der Revolution‹.[15] Karl Holl hielt seinen Vortrag ›Luther und die Schwärmer‹ 1922 noch unabhängig von Blochs Veröffentlichung[16] – weshalb unter Theologen noch heute die Meinung gilt, die »neuere, ernsthafte Beschäftigung mit Thomas Müntzer« hebe mit Holl an.[17]

---

13 Steinmetz, Müntzerbild (1971), S. 10; wörtliche Übernahme aus: Steinmetz, Das Erbe Thomas Müntzers, S. 1121.

14 Steinmetz, Müntzerbild (1971), S. 438 – ebenfalls wörtlich übernommen aus Steinmetz, Das Erbe Thomas Müntzers, S. 1118.

15 1921; kaum veränderte Neuausgabe Frankfurt/M. 1960.

16 Holl, Luther, S. 425 Anm. 1 (dort der Verweis auf Holls Besprechung von Blochs Buch in Theol. Lit. Ztg. 1922, S. 401ff.).

17 Lohse, Auf dem Wege, S. 121. Allerdings schreibt Lohse im nächsten Satz: »Holl wandte sich hier dagegen, daß man Müntzer vor allem vom Bauernkrieg her deutet.« Damit ist indirekt die Schlußfolgerung nahegelegt, daß Holls Vortrag wohl auch eine Reaktion auf die Tradition der sozialistischen Müntzer-Deutung war, in die sich in gewisser Hinsicht auch Bloch stellte (Thomas Müntzer, S. 11f.), und auf die

Aber schon die im gleichen Jahr erschienenen ›Studien zu Thomas Müntzer‹ von Heinrich Boehmer stellen deutlich auch eine Reaktion auf Blochs Monographie dar.[18] Der Widerspruch zur lutherischen Verteufelung Müntzers, anhebend mit Arnolds Kirchen- und Ketzerhistorie,[19] zögernd und teilweise unwillentlich unterstützt durch die Veröffentlichungen von Georg Theodor Strobel[20] und Johann Karl Seidemann,[21] endlich erklärte Absicht im Rahmen der Bauernkriegs-Darstellungen von Zimmermann, Engels und Karl Kautsky,[22] wurde nun seinerseits zur umstrittenen Sache. Die Theologen vor allem und eine Reihe anti-marxistischer Historiker sagen den materialistisch bestimmten Untersuchungen nach, es werde eine Verfälschung nur gegen eine andere vertauscht: »Man stellte weniger den religiösen Propheten als den sozialen Revolutionär heraus, dessen fortschrittlicher Geist und tatbereites Wollen eine angeblich urchristlich-kommunistische Gesellschaftsordnung in Freiheit und Gleichheit zu verwirklichen trachtete. Im Grunde hat man dabei nur das Vorzeichen vor der großen Klammer verändert: wo vorher ein Minuszeichen stand, das pauschal alles und jedes seiner Worte und Taten negativ bewertete, setzte man nun ein Pluszeichen, das ihn ebenso pauschal zu einem Avantgardisten der Volksbefreiung aus

---

intensive populärwissenschaftliche und literarische Beschäftigung mit Müntzer nach dem Ersten Weltkrieg (vgl. Boehmer, Thomas Müntzer, S. 189ff.).

18 Boehmer, Studien, S. 7; noch direkter polemisch in Boehmer, Thomas Müntzer, S. 193ff. (1927 erschienen, aber offensichtlich – Blochs Buch wird S. 193 als »in den letzten Monaten erschienen« angegeben – als Fortführung des Vortrags von 1922 geplant; damals konnte der »Schluß dieser Abhandlung...« nicht erscheinen, »in Anbetracht der seit dem Vorjahr um mehrere 100 Prozent gestiegenen Unkosten«, Boehmer, Studien, S. 30).

19 1699/1700; dazu Steinmetz, Müntzerbild (1971), S. 286ff.

20 Leben, Schriften und Lehren Thomae Müntzers, des Urhebers des Bauernaufruhrs in Thüringen. Nürnberg und Altdorf 1795. Dazu Steinmetz, Müntzerbild (1971), S. 351ff.; Bloch, Thomas Müntzer, S. 11; Boehmer, Studien, S. 5f.

21 Thomas Müntzer. Eine Biographie, nach den im Kgl. Sächsischen Hauptstaatsarchive zu Dresden vorhandenen Quellen bearbeitet. Dresden u. Leipzig 1842. Dazu Bloch, Thomas Müntzer, S. 11; Boehmer, Studien, S. 6f.

22 Karl Kautsky: Vorläufer des neueren Sozialismus. Bd. 2: Der Kommunismus in der deutschen Reformation. Stuttgart 1895.

geistiger und physischer Knechtschaft machte.« Wohl im Blick auf die dogmen- und kirchengeschichtlichen und die archivarischen Arbeiten seit den zwanziger Jahren läßt sich dann fortfahren: »Erst in den letzten Jahrzehnten gelingt es langsam, in sachlicher Würdigung seiner Person und seines Werkes dem nahezukommen, wer Müntzer war und was er wollte, also ein einigermaßen getreues Bild seiner Strebungen und Leistungen zu gewinnen, das frei ist von den parteiischen Verzerrungen, die Haß und Gunst, theologische Blickverengung wie politische Ideologie hineinzutragen bis heute nicht müde werden.«[23] In ungebrochener bürgerlicher Ideologie ist hier behauptet, daß es eine ›unparteiische‹ Historiographie geben könne, daß die geschichtliche Wahrheit zutage gefördert werde, wo man um ›Sachlichkeit‹ als eine ›unpolitische‹ Haltung bemüht sei. Beweist jedoch schon der oberflächliche Blick, daß bereits scheinbar auf archivarisch abgestützte bloße Faktizität ausgerichtete Untersuchungen offen oder uneingestanden in ›parteiischer‹ Absicht verfaßt sind – am eindeutigsten die Aufsätze Boehmers oder etwa die Veröffentlichungen Reinhard Jordans[24] –, so müssen auch die inzwischen zahlreichen Versuche seit Karl Holl, Müntzer als Theolo-

---

[23] Elliger, Thomas Müntzer (1965), Sp. 8. Ganz ähnlich in der Schematisierung und Wertung bereits Boehmer, Studien, S. 6. Nach Abschluß dieses Manuskripts erschienen zwei Veröffentlichungen Walter Elligers über Thomas Müntzer, die voluminöse Monographie ›Thomas Müntzer. Leben und Werk‹ (Göttingen 1975) und die knapp zusammenfassende Darstellung ›Außenseiter der Reformation: Thomas Müntzer‹ (Göttingen 1975. Kleine Vandenhoeck-Reihe 1409). Leider erbringt Elligers Monumentalwerk kaum etwas für die entscheidende Frage, wie sich konkretes sozialrevolutionäres Handeln und theologische Programmatik bei Müntzer zueinander verhalten, zu oft verfängt sich die Deutung in eifernder Polemik gegen vermeintliche oder tatsächliche marxistische ›Fehlinterpretationen‹, zu sehr wird – wo es zupaß kommt – der Wortlaut der Quellen, auf die Elliger sich emphatisch beruft, für bare Münze genommen, sogar bei den hier herausgegebenen lutherischen Kampfschriften gegen Müntzer. Elliger fällt so gelegentlich selbst hinter Erkenntnisse zurück, die keineswegs nur eine ›vulgärmarxistische‹ Müntzer-Forschung erarbeitet hat, etwa bei der Analyse der Schlacht von Frankenhausen. Eine ausführliche Kritik der Bücher Elligers gedenke ich an anderer Stelle vorzulegen. Für den kurzen Überblick über die Kontroversen bei der Müntzer-Interpretation ändert sich durch Elligers neue Veröffentlichungen nichts Wesentliches.
[24] Bibliographie der wichtigsten Publikationen Jordans (in: Mühlhäuser

gen zu begreifen und seine Lehre in ihrer Eigenart, ihrer geistes-
geschichtlichen Abhängigkeit und ihrer selbständigen Ausformung
zu erfassen, als höchst parteiisch erkannt werden: Selbst wo sie darauf aus sind, den inneren Zusammenhang von theologischem Konzept und sozialrevolutionärer Zielsetzung nachzuweisen, richten sie
sich wenigstens indirekt gegen die marxistische Grundthese, Müntzer
könne nur im Rahmen der aufbrechenden Klassengegensätze seiner
Zeit und als bedeutende Figur der ›frühbürgerlichen Revolution‹
angemessen verstanden werden, indem sie das Problem der Vermittlung seiner Lehre zu den sozio-ökonomischen Verhältnissen der
Reformationszeit und dem historischen Stadium der gesellschaftlichen Bewegungen ausblenden.[25] Die Polemik von marxistischer
Seite läßt denn auch nicht auf sich warten: »Es muß als ein Beweis
für die Erfolge der marxistischen Forschung gewertet werden, wenn
seit etwa zehn Jahren sich bürgerliche Historiker in wachsendem
Maße um Müntzer bemühen, allerdings mit dem Ziel, den einstigen
Ketzer in die christliche Ökumene heimzuholen, ihn den Marxisten
zu entreißen und als homo religiosus zu reklamieren, dessen eigentliche Leistung mit der Revolution des Bauernkrieges wenig zu tun
habe.« Die anvisierten Arbeiten werden im nächsten Satz als neuerliche »Versuche, das Müntzerbild zu verfälschen und Müntzers Erbe
für reaktionäre Zwecke zu mißbrauchen«, bezeichnet.[26] So schleu-
dert man sich von beiden Seiten den pauschalen Vorwurf entgegen,
nach der lutherischen Dämonisierung Müntzers sich nun von neuem
der Entstellung und des Mißbrauchs der geschichtlichen Erscheinung
schuldig zu machen – bei solch undifferenzierter Weise bietet der
Streit ein etwas peinliches Schauspiel, mit soviel Grund man auch
bei den einen aggressives Insistieren auf der ›Objektivität‹ bürgerlicher Ideologie, das Durchsetzen des Klasseninteresses bei Leugnung

Geschichtsblätter 1901ff.) bei Bensing, Thomas Müntzer (1966), S. 276f.
Zu Jordans Absichten vgl. etwa Smirin, Volksreformation, S. 47, 305,
562ff.; Bensing, a.a.O., S. 119f.

[25] Als ein Musterbeispiel kann Nipperdeys Aufsatz ›Theologie und Revolution bei Thomas Müntzer‹ gelten, gerade wenn man ihn im Kontext
der Arbeiten dieses Historikers zum Bauernkrieg sieht (Th. N./Peter
Melcher: Bauernkrieg: Zuletzt in: Rainer Wohlfeil (Hrsg.): Reformation oder frühbürgerliche Revolution? München 1972. S. 287–306;
Th. N.: Die Reformation als Problem der marxistischen Geschichtswissenschaft. Zuletzt in: Wohlfeil, Reformation – s. o. –, S. 205–229).

[26] Steinmetz, Das Erbe Thomas Müntzers, S. 1121.

des Klassenstandpunktes, und bei den anderen die Tendenz zur gewaltsamen, undialektischen Aktualisierung, zur Legitimation einer bestimmten Konkretisation des Sozialismus aus reduzierter Geschichte, mit Fug zu kritisieren hätte. Dazu wäre jeweils der genaue Nachweis erforderlich. Immerhin ist es nicht überall bei der bloßen Konfrontation geblieben. Manfred Bensing erklärte bereits 1966: »Die marxistische Müntzerforschung weiß die großartigen Leistungen der fortschrittlichen bürgerlichen Forschung zu würdigen. Sie registriert und verwertet aufmerksam jede neue Erkenntnis, die mit dem tatsächlichen Sachverhalt übereinstimmt.«[27] Das gilt, wie manche Arbeiten zeigen, auch für eng begrenzte Untersuchungen zu Müntzers Theologie und seiner ›geistigen Entwicklung‹.[28] Wobei natürlich eben die Ermittlung des ›tatsächlichen Sachverhalts‹ überall der eigentlich strittige Punkt bleibt. Mit einiger Verspätung – die realpolitischen Vorgänge bilden sich nur allzu deutlich ab – haben nun auch Theologen und bürgerliche Historiker die marxistische Forschung zu Müntzer und dem Bauernkrieg in ihren wissenschaftlichen Leistungen anzuerkennen sich bequemt und diskutieren die Ergebnisse ernsthaft: »Die von marxistischer Seite vorgelegten Müntzer-Untersuchungen haben die Müntzer-Forschung vor allem in den letzten Jahrzehnten erheblich vorangebracht. Wollte jemand behaupten, daß hier eine weltanschauliche Voreingenommenheit nur ihre Selbstbestätigung suchte, so würde er damit lediglich seine eigene Unkenntnis verraten. So gewiß die neueren Arbeiten hauptsächlich von Historikern in der DDR auf dem Boden des Marxismus stehen, so hat diese weltanschauliche Bindung doch im ganzen nicht zu einer Verzeichnung oder Verkennung der Gestalt Müntzers geführt.«[29] Derartige Versicherungen, sich gegenseitig zu achten und voneinander lernen zu wollen, ändern aber nichts an den grundlegenden Differenzen des Erkenntnisinteresses. Für die marxistischen Wissenschaftler ist dies sozusagen selbstverständlich: Ihr Anatz beruht auf der Identität von Parteilichkeit und Objektivität nach Maßgabe des historischen Materialismus, die Forschung muß daher folgerichtig ihren Stellenwert in der Durchsetzung und Weiterbil-

---

[27] Bensing, Thomas Müntzer (1966), S. 44.
[28] Vgl. die Erörterungen bei Bensing, a.a.O., S. 41ff., oder etwa bei Zschäbitz, Wiedertäuferbewegung, S. 36ff.
[29] Lohse, Thomas Müntzer, S. 70.

dung des Sozialismus gegen die bürgerliche Herrschaft erhalten,[30] so daß es heißen kann, angesichts anti-marxistischer Umdeutungsversuche sei es notwendig, »das revolutionäre Erbe Müntzers wirksam zu verteidigen«.[31] Auf der Gegenseite betont man unter den bürgerlichen Wissenschaftlern zwar, daß die methodologischen Prinzipien aufgrund der erkenntnistheoretischen Prämissen »unüberbrückbare Meinungsunterschiede« zwischen beiden Interpretationsweisen mit sich brächten,[32] man kann jedoch den eigenen Standpunkt nicht als in den gesellschaftlichen Herrschaftsverhältnissen bedingt begreifen, denn dies hieße ja, den ideologischen Charakter der eigenen Aussagen einzugestehen und damit aufzulösen, ihre Rechtfertigungsfunktion offenzulegen.[33] Bei aller mehr oder weniger unausweichlich gewordenen Bereitschaft, die Forschungsergebnisse materialistischer Geschichtswissenschaft anzuerkennen, hält man an axiomatischen Unterschieden fest: »Es bleibt selbstverständlich die gravierende

---

[30] Daß auch der Müntzer-Forschung konsequent eine Funktion bei der Ausbildung ›sozialistischen Bewußtseins‹ – besonders programmatisch in der DDR – zugeschrieben wird, stellen manche bürgerliche Interpreten fest (vgl. etwa Ebert, Theologie, S. 51.94; allgemeiner Otthein Rammstedt: Zum Problem der ›frühbürgerlichen‹ Revolution, in: Wohlfeil – s. o. Anm. 25 –, S. 249ff.), üben aber gerade von da aus prinzipielle Kritik. Es ist jedoch nicht dem zu widersprechen, *daß* Wissenschaft nach dem materialistischen Ansatz eine praktische, eine ›pädagogische‹ Aufgabe hat, innerhalb eines Systems, das den Sozialismus zu verwirklichen beansprucht, auch der historischen ›Legitimation‹ dient, sondern zu erörtern ist, ob sie diese Aufgabe *im konkreten Falle* sowohl im Hinblick auf die Realität eines beanspruchten Sozialismus wie auf die jeweilige Deutung der Geschichte *zu Recht* zu erfüllen behauptet. Dazu reicht in der Frage der Interpretation Müntzers der Nachweis nicht aus, seine Vorstellungen hätten nie »einen revolutionären Charakter« gehabt (Ebert, a.a.O., S. 94).
[31] Steinmetz, Das Erbe Thomas Müntzers, S. 1121.
[32] Lohse, Thomas Müntzer, S. 71.
[33] Lohse bezeichnet daher alle bürgerliche Forschung zu Müntzer als »nicht-marxistisch« (Thomas Müntzer, S. 60f.), so als sei sie nicht von einem eigenen, übergreifenden Erkenntnisinteresse geleitet und damit einer bestimmten, eingrenzbaren Methodologie verpflichtet, im Bezug auf eine dem ›sozialistischen Lager‹ konträre gesellschaftliche Gruppe völlig indifferent, als könne sie daher nur ex negativo zusammengefaßt und gekennzeichnet werden. Das Epitheton ›bürgerlich‹ taucht denn auch nur in deutlicher Zitatform auf (etwa a.a.O., S. 70f.).

Differenz in der Bewertung der wirtschaftlichen und gesellschaftlichen Faktoren. Hinsichtlich der Ableitung von Theologie und Frömmigkeit aus der ökonomischen Basis wird eine Verständigung nicht möglich sein.«[34] Deutlich ist aus einer derartigen Äußerung die Tendenz herauszuhören, die materialistische Geschichtsdeutung ins Ökonomistische abzuschieben, eine versimpelte Basis-Überbau-Theorie anzusetzen, obwohl gerade im gleichen Atemzuge die Genugtuung darüber kundgetan wird, daß ein »Vulgärmarxismus auf marxistischer Seite« abgelehnt werde.[35] Selbst unterstellt man aber, methodologisch beruhe der historische Materialismus darauf, Entwicklungen im politischen, juristischen, wissenschaftlichen, religiösen Bereich jeweils, womöglich noch direkt, aus der ›Ökonomie‹ zu ›erklären‹, also »von vornherein von einem einzigen Faktor her sämtliche anderen abzuleiten«.[36] Über dieses Mißverständnis, zu dem gewiß manche sich auf den historischen Materialismus berufende Darstellung Anlaß gibt, hat bereits Engels in seinen späten Briefen mit manchmal deftigen Worten immer noch gültige Urteile gefällt: »Weil wir den verschiednen ideologischen Sphären, die in der Geschichte eine Rolle spielen, eine selbständige historische Entwicklung absprechen, sprächen wir ihnen auch jede *historische Wirksamkeit* ab. Es liegt hier die ordinäre undialektische Vorstellung von Ursache und Wirkung als starr einander entgegengesetzten Polen zugrunde, die absolute Vergessung der Wechselwirkung. Daß ein historisches Moment, sobald es einmal durch andre, schließlich ökonomische Ursachen, in die Welt gesetzt, nun auch reagiert, auf seine Umgebung zurückwirken kann, vergessen die Herren oft fast absichtlich.«[37] Und über die durch Arbeitsteilung in hohem Maß verselbständigten ideologischen Systeme, wie etwa die Philosophie, die in ihrer Traditionsgeschichte allein innerer Logik zu folgen scheinen: »Die Ökonomie schafft hier nichts a novo, sie bestimmt aber die Art der Abänderung und Fortbildung des vorgefundnen Gedankenstoffs, und auch das meist indirekt, ...«[38] Schließlich: »Je weiter das Ge-

---

[34] Lohse, a.a.O., S. 71.

[35] Ebda. (vgl. zu Basis und Überbau auch S. 62f.); s. a. Ebert, Theologie, S. 13.

[36] Lohse, a.a.O., S. 71.

[37] Brief an F. Mehring, 14. 7. 1893, MEW Bd. 39, Berlin (DDR) 1968, S. 98.

[38] Brief an C. Schmidt, 27. 10. 1890, MEW Bd. 37, Berlin (DDR) 1967, S. 493.

biet, das wir gerade untersuchen, sich vom Ökonomischen entfernt und sich dem reinen abstrakt Ideologischen nähert, desto mehr werden wir finden, daß es in seiner Entwicklung Zufälligkeiten aufweist, ...«[39] Der reale, letzten Endes in den fundamentalen gesellschaftlichen Auseinandersetzungen begründete Unterschied des Erkenntnisinteresses und damit der Methodologie zwischen marxistischer und sich als »nicht-marxistisch« etikettierender Wissenschaft wird also gesehen, aber zumeist in verzerrter Form. Folgerichtig jedoch verhält man sich ungewußt, wo »von nicht-marxistischer Seite« proklamiert wird, eine »bloße Konfrontation zwischen ›bürgerlicher‹ und marxistischer Müntzer-Forschung ist ... nicht mehr angebracht«,[40] indem die für beide Seiten gemeinsamen Probleme und Desiderate ausschließlich innerhalb der Ausformung von Müntzers Theologie angesetzt werden – Untersuchungen über Müntzers Gottesbegriff, seinen Kirchenbegriff und dessen Interpretation als ›soziologische Kategorie‹, über Müntzers chiliastische Vorstellung vom Reich Gottes und über das Verständnis eines ›kommunistischen Ideales‹ bei ihm.[41]

Aufgaben werden der Forschung zu Müntzer immer wieder reihenweise genannt.[42] Wo die Bestimmung dieser Aufgaben durch Theologen und bürgerliche Historiker über den Komplex der Biographie Müntzers in ihren zeitgeschichtlichen Verbindungen, der Gestalt und Entwicklung seiner Lehren sowie deren ideengeschichtlicher Herleitung und ihrem Fortwirken hinausgeht, erscheint auffällig oft die Forderung, der ›Aktualität‹ von Müntzer erhobener Fragen nachzudenken oder die Möglichkeit der ›Aktualisierung‹ seines Konzepts zu diskutieren.[43] Hier nun könnte man eine formale

---

39 Brief an W. Borgius, 25. 1. 1894, MEW 39, Berlin (DDR) 1968, S. 207. Zur komplizierten Basis-Überbau-Problematik sei hier nur auf Friedrich Tomberg: Basis und Überbau. Darmstadt und Neuwied 1974 (Neuausgabe) verwiesen.

40 Lohse, Thomas Müntzer, S. 71.

41 Lohse, a.a.O., S. 71ff.

42 Neben der angeführten Zusammenstellung bei Lohse, a.a.O., vgl. bes. Nipperdey, Theologie, S. 285; Meyer, Reformator, S. 352f.; Ebert, Theologie, S. 8.94f. (dort auch das Nachwort von Gerhard M. Martin, S. 97f.); in der DDR-Forschung u. a. Zschäbitz, Wiedertäuferbewegung, S 36; Steinmetz, Das Erbe Thomas Müntzers, S. 1122ff.

43 So Meyer, Reformator, S. 352f.; Lohse, Thomas Müntzer, S. 73; vor allem aber Ebert, Theologie (bes. S. 7ff.), dessen Arbeit insgesamt un-

Analogie in der Zielsetzung bei der Beschäftigung mit Müntzer festzustellen sich berechtigt glauben, so sehr die inhaltlichen Ausdeutun-
gen einer ›Aktualität‹ Müntzers und die konkreten Absichten dabei
einander ausschließen, ja – wie angemerkt – als gewußte oder un-
gewußte Momente gesellschaftlicher Auseinandersetzung antagon-
istisch aufeinander bezogen sind: beide Male geht es um die ›Relevanz‹ der von Müntzer mit den Mitteln seiner Zeit formulierten
Einsichten und Forderungen.[44] Über die Erklärung, Müntzers »Botschaft, wie einseitig und problematisch sie auch immer sein mag,
bleibt eine mahnende Anfrage an die Christenheit, ob sie die sozialen und politischen Konsequenzen des Glaubens ernst genug genommen hat«,[45] gehen inzwischen auch Theologen hinaus. Walter E.
Meyer sieht durch Müntzers Lehre und Handeln »die Kirchen vor
die Frage der Revolution und ihrer theologischen Begründung gestellt«, angesichts der »weltweite(n) Verantwortung der Christenheit heute« und des »Wissen(s) um den eindeutigen Tatbestand fla-
granter Ausbeutung und Diskriminierung durch verschwindende
Minderheiten«.[46] Die Funktion solcher kirchenpolitischen Selbst-
besinnung bleibt nicht verborgen: »Die Müntzer-Frage ... wurde
bislang, wie sich heute immer mehr zeigt zu Unrecht, weitgehend
den Marxisten überlassen.«[47] Im ebenso kontroversen, wesentlich
ausführlicheren und grundsätzlicheren Bezug auf die marxistische
Müntzer-Deutung stellt sich Klaus Ebert die analytische Aufgabe,

---

ter der Absicht steht, »die Relevanz der Theorie und Praxis Müntzers
für heute« zu erörtern (S. 8), um zu prüfen, »ob sich am Beispiel
Müntzer, an seiner Theologie und seinem politischen Handeln, Ansätze für eine politische Theorie vom christlichen Handeln im Sinne
von Veränderung gesellschaftlicher Verhältnisse ableiten lassen« (S. 7).

44 Lohse, Thomas Müntzer, S. 73, sieht denn auch gerade hier die Möglichkeit und Notwendigkeit »zu einem Dialog zwischen marxistischer
und nicht-marxistischer Müntzer-Forschung«, wie unvereinbar ihm
auch die Schlußfolgerungen für eine »Relevanz der Beschäftigung mit
Thomas Müntzer« bleiben müssen.
Ganz ähnlich postuliert Meyer, Reformator, S. 343: »Wenn irgendwo,
so könnte das Gespräch zwischen Christen und Marxisten bei aller kritischen Distanz gerade in dieser Sache fruchtbar sein.«

45 Lohse, Thomas Müntzer, S. 73.

46 Meyer, Reformator, S. 342.

47 Meyer, a.a.O., S. 342f.; vgl. die betont gegen die Realität eines Sozialismus in den kommunistischen Ländern gerichtete Schlußpassage,
S. 352f.

zu ermitteln, »ob sich Elemente der Theologie Müntzers als Theorie christlichen Handelns in unsere Zeit übertragen lassen«,[48] noch genauer, »ob sich von Müntzers Konzept Ansätze einer politischen Handlungsstrategie ableiten lassen, bei der sich der Reflex von Theologie auf Wirklichkeit in praktische Gesellschaftskritik umsetzen läßt. Konkret stellt sich dabei die Frage nach Müntzers revolutionärem Programm, und nach der Klasse, die ihre historischen Interessen hierin artikuliert fand. Die Beantwortung dieser Fragestellung würde über die Funktion von Theologie als integrativer Faktor einer kritischen Theorie der Gesellschaft und für deren historische Bedeutung von Handlungsmodellen des Kampfes gegen Unterdrückung und Ausbeutung Aufschluß geben.«[49] Hier nun scheint die theologische Erörterung über Müntzer gleichsam dieselbe Ebene des Erkenntnisinteresses wie die marxistische Interpretation erreicht zu haben, nämlich die »Frage nach der gesellschaftlichen Relevanz von Müntzers Theorie für die gegenwärtige Situation«,[50] noch dazu wo von Ebert die Überlegung einbezogen wird, daß »gesellschaftskritische Handlungsmodelle durch den Bereich realisierbarer Möglichkeiten aufgrund der jeweiligen sozioökonomischen Bedingungen objektiv eingeschränkt werden«.[51] Damit ist das zentrale Problem aufgeworfen, wie sich Müntzers Konzept zu den historischen Bewegungen seiner Epoche vermittelt, wie sich sein Denken und Handeln auf das objektive geschichtliche Stadium der Auseinandersetzung zwischen den Klassen, auf dessen Bedingungen und auch dessen Erscheinungsformen bezieht. Bei einer solchen Fragestellung müßte schließlich ein unverhüllbarer Widerspruch zwischen den Prämissen theologischen Argumentierens – die religiösen Vorstellungen des Christentums und ihre ›Intellektualisierungen‹ letzten Endes eben nicht ausschließlich als Produkte gesellschaftlichen Seins in gewissen konkreten historischen Verhältnissen erklärt zu sehen – und der Suche nach dem Klasseninteresse hinter einem theologischen Entwurf aufbrechen; der Widerspruch zeichnet sich in den zitierten Sätzen Eberts schon ab, indem einerseits nach »Handlungsmodellen des Kampfes gegen Unterdrückung und Ausbeutung« geforscht und dabei die Realisationsmöglichkeit unter den »jeweiligen sozioökonomischen Bedingungen« ermittelt werden soll, andererseits aber »Ansätze einer politischen Handlungsstrategie« in einer Theologie und

---

[48] Ebert, Theologie, S. 9.   [49] Ebert, a.a.O., S. 8.
[50] Ebert, a.a.O., S. 9.   [51] Ebda.

nicht in den Ergebnissen einer Analyse jener sozioökonomischen Bedingungen in einer bestimmten historischen Phase vermutet werden, so daß die ›Handlungsmodelle‹ durch die konkreten Verhältnisse nicht letztlich konstituiert, sondern nur ›eingeschränkt‹ sind. Ebert fällt daher auch im Verlauf und mit den Ergebnissen seiner Untersuchung in bezeichnender Weise hinter den immerhin umrissenen Ansatz zurück: Er kommt zu dem Schluß, es sei nicht möglich, »Qualifikationen in der Theologie Müntzers herauszuarbeiten, die einen revolutionären Charakter seiner Vorstellungen und Erwartungen hätte belegen können. Die Analyse der Texte, die uns von Müntzer erhalten sind, hat gezeigt, daß die Probleme Müntzers nicht die Fragen nach einer revolutionären Theorie sind.«[52] Damit scheint auch über die ›Relevanz‹ Müntzers für die ›gegenwärtige Situation‹ entschieden – weil das Wesentliche an seinem Konzept der eschatologische Bezugsrahmen gewesen sei, weil er »den apokalyptischen Bereich bewußt nie verlassen habe« und letztlich gerade dadurch auch mit seinen sozialen und politischen Bestrebungen gescheitert sei,[53] können keine ›Elemente‹ einer »Theologie als einer Theorie des christlichen Handelns« und gar einer »Theologie der Revolution«[54] aus seiner Lehre gewonnen werden. So ist die Beschäftigung mit Müntzer erneut, nun nicht bei Problemen der Ideengeschichte oder der ›geistigen Entwicklung‹, sondern bei solchen der ›Aktualisierung‹, auf den Komplex der bloßen Denkprozesse eingeschränkt, eben auf Müntzers Lehre, selbst wo diese daraufhin befragt wird, ob der theologische Bezirk hin zu einer wirklich politischen Konzeption durchstoßen wird. Die objektive Rolle Müntzers in den gesellschaftlichen Konflikten der Reformations-Epoche, basierend auf der Untersuchung des Charakters dieser Konflikte in der Entwicklung der Klassengesellschaften, und gar die Wechselbeziehung zu den subjektiven Motiven in ihrer ganzen Widersprüchlichkeit bleiben ausgespart.

Nun könnte man den verblüffenden Eindruck erhalten, daß von marxistischen Forschern der Untersuchungsbereich in ganz entsprechender Weise reduziert werde, nachdem einmal entschieden ist, daß Müntzer als »frühester Repräsentant echten revolutionären Denkens und Handelns in der deutschen Geschichte«[55] zu gelten habe.

[52] Ebert, a.a.O., S. 94.
[53] Ebert, a.a.O., S. 95 (Zusammenfassung).
[54] Ebert, a.a.O., S. 7.
[55] Steinmetz, Das Erbe Thomas Müntzers, S. 1129.

Max Steinmetz erklärt: »Hauptproblem der marxistischen Müntzerforschung ist ... seit Beginn die Erforschung seiner revolutionären Lehre, ihrer Entstehung, ihrer Quellen und ihrer Bestandteile.«[56] Als wichtige Arbeitsaufgaben führt Steinmetz an, Müntzers Verhältnis zu Luther neu zu analysieren, das sich »wesentlich komplizierter« als vielfach angesetzt ausnehme, auf das Verhältnis zum Humanismus allererst genauer einzugehen, auch die taboritischen und alttestamentlich-apokalyptischen Elemente seiner Lehre zu bestimmen, schließlich die zeitliche Entfaltung seines revolutionären sozialpolitischen Entwurfs präzise nachzuweisen.[58] Einem solchen Programm könnten wohl auch die bürgerlichen Wissenschaftler zustimmen, ohne das für Steinmetz grundsätzlich feststehende Resultat der Gesamteinschätzung Müntzers zu übernehmen – er faßt es knapp zusammen: »Auf der Höhe seiner Entwicklung durchbrach Müntzer die Schranken der christlichen Theologie traditioneller Prägung und stieß zu sozialrevolutionären Konsequenzen, zu sozialrevolutionärem Handeln vor. Er war der erste und einzige Denker unserer älteren Geschichte, der aus der Theologie das Programm einer Volksreformation revolutionären Gepräges entwikkelte.«[59] Steinmetz kann die Konzentration der marxistischen Forschung auf die Ausformung von Müntzers Lehre nur proklamieren, weil für ihn vorab feststeht, daß erstens der Bauernkrieg den Höhepunkt der ›frühbürgerlichen Revolution‹ in Deutschland bildet,[60]

[56] Steinmetz, a.a.O., S. 1123.
[58] Steinmetz, a.a.O., S. 1125 ff. (teilweise sind diese Problemstellungen aus Steinmetz' Darlegung zu erschließen).
[59] Steinmetz, a.a.O., S. 1128.
[60] Vgl. seine Thesen ›Die frühbürgerliche Revolution in Deutschland (1476–1535)‹. In: Die frühbürgerliche Revolution in Deutschland. Berlin (DDR) 1961 (Tagung der Sektion Mediävistik der Deutschen Historiker-Gesellschaft vom 21.–23. 1. 1960 in Wernigerode, Bd. II). S. 7–16. Nachgedruckt in: Rainer Wohlfeil (Hrsg.): Reformation oder frühbürgerliche Revolution? – s. o. Anm. 25 –, S. 42–55; weiterhin seine Aufsätze ›Die historische Bedeutung der Reformation und die Frage nach dem Beginn der Neuzeit in der deutschen Geschichte (In: Zeitschrift für Geschichtswissenschaft 15 (1967), S. 663–670), abgedruckt in: Wohlfeil, a.a.O., S. 56–69; ›Die Entstehung der marxistischen Auffassung von Reformation und Bauernkrieg als frühbürgerliche Revolution‹ (In: Zeitschrift für Geschichtswissenschaft 15 (1967), S. 1171–1192), abgedruckt in: Wohlfeil, a.a.O., S. 80–107; ›Über den Charakter der Reformation und des Bauernkrieges in Deutschland‹ (In: Wiss. Zeit-

daß zweitens Müntzer »zum theoretischen und politischen Führer des Aufstandes wenigstens in Mitteldeutschland wurde,[61] daß drittens Müntzers Konzeption, wenn auch nicht das ausformulierte Programm seiner ›Partei‹, tendenziell über ›bürgerlich-demokratische‹ Zielsetzungen hinausging und »keimhaft-unreif und für die damalige Zeit undurchführbar« auf die Errichtung der sozialistischen, der klassenlosen Gesellschaft ausgerichtet war[62] – und daher in den sozialistischen Staaten seine ›Fortsetzung und Vollendung‹ erfahren habe.[63] Somit dienen dann weitere Untersuchungen der – im einzelnen durchaus umstrittenen – Ergänzung und Präzisierung.

Von bürgerlichen Historikern und Theologen werden die genannten Prämissen fast durchweg abgelehnt.[64] Aber unter den marxistischen Forschern seinerseits herrscht keineswegs völlige Einmütigkeit in diesen grundlegenden Fragen. Die Auffassung, Reformation und Bauernkrieg seien objektiv zu Recht als Phasen der ›frühbürgerlichen Revolution‹ zu begreifen und nur so überhaupt zu erklären, suchte O. G. Tschaikowskaja zu widerlegen, was zu einer heftigen Kontroverse zwischen ihr, M. M. Smirin und A. D. Epstein führte und Nachwirkungen auch in der DDR-Historiographie zeitigte.[65]

schr. der Karl-Marx-Univ. Leipzig 14 (1965), Gesellsch.- u. sprachwiss. Reihe, S. 389–396) abgedruckt in: Wohlfeil, a.a.O., S. 144–162.

61 Steinmetz, Das Erbe Thomas Müntzers, S. 1128.

62 Steinmetz, a.a.O., S. 1121.

63 Steinmetz, a.a.O., S. 1118.

64 Zum Bauernkrieg etwa Nipperdey/Melcher, Bauernkrieg – s. o. Anm. 25 –, bes. 303ff.; vgl. auch die Einleitung von Rainer Wohlfeil, Reformation oder frühbürgerliche Revolution?, a.a.O., S. 20ff.; zur ›Führungsrolle‹ Müntzers z. B. Elliger, Thomas Müntzer (1960), S. 59f.; ähnlich Maron, Thomas Müntzer, S. 225; zum Problem der ›sozialrevolutionären Konzeption‹ im Sinne eines Proto-Sozialismus etwa Lau, Prophetische Apokalyptik, S. 170; Nipperdey, Theologie, S. 278.

65 Vgl. die Referate über die Debatte bei Rainer Wohlfeil, Einleitung: Reformation oder frühbürgerliche Revolution – s. o. Anm. 25 –, S. 16ff.; Otthein Rammstedt, Zum Problem der frühbürgerlichen Revolution – s. o. Anm. 30 –, S. 236ff.; Abraham Friesen: Reformation. In: Wohlfeil, a.a.O., S. 281f.; auch Ebert, Theologie, S. 19ff.; von marxistischer Seite die bei Wohlfeil abgedruckten Aufsätze von Dietrich Lösche, Probleme der frühbürgerlichen Revolution in Deutschland, a.a.O., S. 178ff., und Gerhard Zschäbitz, Über den Charakter und die historischen Aufgaben von Reformation und Bauernkrieg, a.a.O., S. 124ff.

Über die Rolle Müntzers als Organisator und Hauptgestalt des gesamten Bauernkrieges oder im wesentlichen nur des Thüringer Aufstandes lassen sich unausgesprochene Differenzen zwischen Smirin und beispielsweise Bensing ausmachen.[66] Und Gerhard Zschäbitz hat sich nachdrücklich gegen die Interpretation der Lehre Müntzers auf eine Antizipation sozialistischer Bestrebungen hin gewandt – es bleibe »doch bedenklich, die theologischen Aspekte in Müntzers Bewußtsein so weitgehend zu eliminieren, daß er das Antlitz eines neuzeitlichen Sozialrevolutionärs erhält«.[67] Es müsse »methodisch scharf zwischen subjektivem Wollen und objektivem Wirken getrennt« werden.[68] Dadurch werde »in keiner Weise die Bedeutung des großen Revolutionärs im Rahmen der Klassenkämpfe des frühen 16. Jh.« gemindert,[69] sondern gerade die »dialektische Wechselwirkung von Gesellschaft und Persönlichkeit«[70] differenzierter gesehen und der »Tendenz zur Modernisierung Müntzers«[71] entgegengewirkt.

Der Streit um die Deutung Thomas Müntzers verbietet also einerseits, auch nur unter den Historikern der Ostblock-Länder eine homogene, sozusagen fertige und gar dogmatisch fixierte Auffassung von Lehre und historischer Rolle Müntzers anzusetzen, als erlaube der historische Materialismus im konkreten Fall nicht höchst kontroverse Interpretationen. Andererseits verbietet sich aber, unter bürgerlichen Wissenschaftlern davon auszugehen, die eigene Arbeit sei bei bemühter ›Sachlichkeit‹ methodisch neutral und verharre in schöner Indifferenz gegenüber den realen gesellschaftlichen Auseinandersetzungen. Die ideologische Gemeinsamkeit erweist sich gerade in der ausgesprochenen oder unausgesprochenen Leugnung dessen, mit der Analyse der Gestalt Müntzers notwendig zur Stellungnahme im tatsächlich antagonistischen Verhältnis der entscheidenden gesellschaftlichen Kräfte zu gelangen.

Mir scheint, Gerhard Zschäbitz hat die zentralen Aufgaben der wissenschaftlichen Beschäftigung mit Müntzer umrissen: »Als Probleme tun sich heute die Fragen auf, wie einmal sozialrevolutionäre und religiöse Motive, die sich im Wollen Thomas Müntzers zur unauflösbaren Einheit verflechten, zu akzentuieren sind und wie zum

---

66 Vgl. Smirin, Volksreformation, bes. S. 377ff. und Bensing, Thomas Müntzer (1966), S. 92ff., 1954ff.; auch Steinmetz, Deutschland, S. 129ff. 139ff. (Mitverfasser sind Bensing, Zschäbitz u. a.!).

67 Zschäbitz, Wiedertäuferbewegung, S. 37 (s. auch S. 39ff.).

68 Zschäbitz, a.a.O., S. 48.

69 Ebda.   70 Zschäbitz, S. 41.   71 Zschäbitz, S. 37.

anderen Lehre und politisches Handeln Müntzers in der Klassengesellschaft der damaligen Zeit objektiv wirksam wurden.«[72]

Mit solchen Formulierungen ist keineswegs behauptet, daß nicht noch eine Menge biographischer und entwicklungsgeschichtlicher Einzelheiten und zeitgeschichtlicher Bezüge für Müntzer durch archiv- und quellenkundliche Studien aufzuklären wären, vor allem für die ganze Spanne bis hin zur Anstellung in Allstedt, einschließlich des Zwickauer und des Prager Aufenthalts.[73] Die Arbeiten von Hinrichs und Bensing haben bewiesen, daß penibelste Untersuchungen historischer Details zu entscheidenden Folgerungen für zentrale Probleme der Forschung um Müntzer führen können.[74]

Aber Zschäbitz hat die Untersuchungsfelder abgesteckt, auf denen die Gesamtdeutung Müntzers ausgefochten wird. Dabei ist sofort festzumachen, daß die beiden genannten Komplexe untrennbar aufeinander bezogen sind; dies impliziert die fundamentale Vorentscheidung über Methode und Erkenntnisinteresse: Müntzers Denken und Handeln kann nur angemessen, also historisch richtig und damit auch in seiner gegenwärtigen Relevanz, erklärt werden, wenn es in seinem sehr wohl widerspruchsvollen Bezug zu den Verhältnissen in der Klassengesellschaft seiner Zeit und den Erscheinungsformen der Gegensätze, Kämpfe, Umbrüche interpretiert wird – was ja noch nicht heißt, daß die historische Phase in ihren Komponenten bereits genau bestimmt sei. Mit solchen Feststellungen ist nun beileibe nicht bestritten, daß auch ideen- und entwicklungsgeschichtliche Studien zur Theologie Müntzers äußerst relevante

---

[72] Zschäbitz, S. 36.

[73] So auch Steinmetz, Das Erbe Thomas Müntzers, S. 1121; vgl. nur die Kontroverse um Goebkes Studien zur Herkunft und Frühzeit Müntzers (zuletzt ›Thomas Müntzer – familiengeschichtlich und zeitgeschichtlich gesehen‹, in: Die frühbürgerliche Revolution in Deutschland – s. o. Anm. 60 –, S. 91–100), dazu etwa Bensing, Thomas Müntzer (1966), S. 44 Anm. 81; Iserloh, Zur Gestalt, S. 250ff. Eine Zusammenstellung von Einzeluntersuchungen bei Bensing, a.a.O., S. 44 in der genannten Anmerkung, weiterhin das Literaturverzeichnis S. 271ff. S. auch die Einzelverweise im Kommentar u. S. 107ff.

[74] Hinrichs, Luther – etwa die Fragen um das Weimarer Verhör, S. 79ff. 97ff.125ff., oder um die Grundlagen von Luthers Wissen über Müntzer, S. 157ff.; Bensing, Idee und Praxis – etwa die Datierung von Müntzers ›revolutionärer Wende‹, S. 466ff.; Bensing, Thomas Müntzer (1966) – etwa die Deutung der ›Lokalborniertheit‹ der Aufständischen in den Vorgängen in Mühlhausen, S. 182ff.

Aufschlüsse liefern können. Die Erörterung der Frage etwa, ob innertheologischer Ansatz und sozialpolitisches Konzept sich auseinander ergeben und daher auch in der individuellen Entwicklung eine Kontinuität herrsche, oder ob beides auseinanderfalle und deshalb ein Bruch in Müntzers Werdegang vorliege, ist durch Hinrichs' und Nipperdeys Studien, die sich wesentlich auf den innertheologischen Bezirk beschränken, einer Klärung doch wohl erheblich näher gebracht.[75] ›Theologie und Revolution‹ im Konzept Thomas Müntzers als eine innere Einheit zu erweisen, kann jedoch nicht bedeuten, damit die reale sozialpolitische Stoßrichtung der Bestrebungen Müntzers umzubiegen – die von Zschäbitz gestellte Frage, wie »sozialrevolutionäre und religiöse Motive, die sich im Wollen Thomas Müntzers zur unauflösbaren Einheit verflechten, zu akzentuieren sind«,[76] ist mit den innertheologischen Analysen noch nicht beantwortet. Zschäbitz selbst wendet sich nachdrücklich dagegen, Müntzer gewaltsam und undialektisch zu ›modernisieren‹; auf Zimmermanns Geschichte des Bauernkrieges eingehend, aber viel allgemeinere Kritik formulierend, stellt er fest: »Wir können uns jedoch nicht mit einer Darlegung zufriedengeben, bei der für das 16. Jh. religiöse Formen – wie so häufig in neuester Zeit – nur als zweckgebundene Folie für politische und sozialrevolutionäre Agitation gelten sollen und die innere Bezogenheit des Denkens und Handelns auf Gottes Willen ungenügend berücksichtigt wird. Thomas Müntzer war Theologe und, selbst an den Maßstäben seiner Zeit gemessen, ein tief religiöser Mensch. Er wurzelte fest in der gesellschaftsgeformten Bewußtseinstradition seines Zeitalters, die er bei aller Originalität nicht voll abstreifen konnte.«[77] So vorsichtig sich Zschäbitz auch äußert, mit einer solchen Beurteilung wendet er sich gegen wesentliche Züge an Smirins Deutung der Lehre Müntzers, die von dem sowjetischen Historiker fast ganz ins Rationalistische einer ›Sozial-Ethik‹ verlagert wird[78] und von daher mit »den wirklichen Inter-

---

[75] Die Auffassungen von Günther Franz und Annemarie Lohmann dürfen damit als überwunden angesehen werden. Vgl. dazu Bensing, Thomas Müntzer (1966), S. 41ff.; Nipperdey, Theologie und Revolution, S. 239.

[76] S. o. Anm. 72.

[77] Zschäbitz, Wiedertäuferbewegung, S. 37.

[78] Vgl. nur die Interpretationen von ›Gottesfurcht‹ als »Notwendigkeit der eigenen Tätigkeit des Menschen für seine ›Erlösung‹« (Volksreformation, S. 113), als »Gefühl der moralischen Verantwortung« (S. 181),

essen einer realen sozialen Gruppe« identisch gesehen und als direkte Antizipation der »Ideologie einer zukünftigen Klasse« verstanden werden kann.[79] Zschäbitz sucht Smirin zu korrigieren: »Nach unserer Meinung aber projiziert er trotz aller behutsamen Ausdrucksweise Müntzers letzte Absichten allzusehr auf materielle Zielsetzungen.«[80] Indirekt ist damit auch eine Kritik an Engels' Auffassung von Müntzers Lehre – nicht jedoch an der Beurteilung der »objektiven Bedeutung«[81] – angemeldet. Smirin will ausdrücklich Engels' Deutung aufnehmen und weiterführen,[82] und er gilt in der Müntzer-Forschung der DDR als Autorität.[83] Es ist nicht weiter verwunderlich, daß Zschäbitz' Arbeit zwar in der marxistischen Forschung aufgeführt wird, seine Thesen aber in der Diskussion nicht eigentlich aufgenommen werden.[84] Gerade mit ihnen stellt sich aber der materialistischen Deutung die Frage nach der Dialektik zwischen bewußtem Handeln, dessen ideologischer Überformung zum einen und dem objektiven geschichtlichen Prozeß zum anderen erst in der nötigen Schärfe.

Eingeschoben sei hier noch der Hinweis, daß die Herleitung und Entwicklung von Müntzers Theologie noch längst nicht hinreichend erörtert ist. Zeichnet sich auch eine relative Übereinstimmung darüber ab, daß sich in ihr mystische, taboritisch-chiliastische und alttestamentlich-apokalyptische Elemente unter Voraussetzung von Luthers reformatorischem Ansatz vermischen, so ist doch die Gewichtung dieser Bestandteile, die Art und Weise ihrer Verbindung sowie die zeitliche Abfolge ihres Hervortretens oder Einwirkens außerordentlich unbestimmt. Nach wie vor ist die von Holl vertretene

---

und von ›Glaube‹, der »identisch mit der höheren Vernunft« sei (S. 117) – »beide Begriffe sind jedoch sozial-ethischer Natur« (ebda.).

[79] Smirin, a.a.O., S. 645f. (das zweite Zitat im Original kursiv).

[80] Zschäbitz, Wiedertäuferbewegung, S. 44 Anm. 84.

[81] Zschäbitz, a.a.O., S. 36.

[82] Smirin, Volksreformation, z. B. S. 17ff., 313ff., 646.

[83] Vgl. Steinmetz, Das Erbe Thomas Müntzers, S. 1117ff.; auch Manfred Bensing: Zum 70. Geburtstag von M. M. Smirin. In: Wiss. Zeitschr. d. Karl-Marx-Univ. Leipzig, Gesellsch. u. sprachwiss. Reihe 14 (1965), S. 828–831.

[84] Eine gewisse Rücknahme einer allzu direkt rationalistischen und protosozialistischen Interpretation der Bestrebungen Müntzers ist in dem von Steinmetz, Bensing, Zschäbitz und anderen verfaßten Lehrbuch ›Deutschland 1476–1648‹ zu beobachten, vgl. bes. S. 142ff.

Meinung zu finden, Müntzer sei im wesentlichen Schüler Luthers gerade im Widerspruch zu ihm;[85] dem wird heftig widersprochen, indem Müntzers Lehre entweder ganz aus der mittelalterlichen Mystik abgeleitet[86] oder in ihren bestimmenden Zügen auf apokalyptische Traditionen zurückgeführt wird;[87] wo der chiliastische Einfluß hervorgehoben ist, bleibt Zeitpunkt und Stärke der Aufnahme von Konzeption Joachim von Fiores oder der Taboriten umstritten.[88] Kirchengeschichtlich herrscht Uneinigkeit über die Rolle Müntzers für die Entstehung der Täuferbewegungen.[89]

Solche innertheologischen Probleme zu klären, darf keineswegs als belanglos abgewertet werden. Müntzer war ein bedeutender, wenn auch ›unsystematischer‹ Theologe, und die Art und Entfaltung seiner Theologie wollen deshalb bestimmt sein – gerade um den Charakter des sozialrevolutionären Impulses zu erkennen und richtig mit der historischen Lage insgesamt vermitteln zu können. Just die Widersprüche in diesem Verhältnis gilt es zu beachten. Denn eben der Nachweis, daß Müntzer bewußt auch mit seinen sozialpolitischen Forderungen nie die Sphäre theologischen Argumentierens verlassen hat, macht die Erörterung seiner Rolle besonders in der Entscheidungsphase des Bauernkrieges nicht überflüssig, wie manche Theologen meinen.[90] Im Gegenteil, immer dringlicher wird es, die Frage zu beantworten, wie »Lehre und politisches Handeln Müntzers in der Klassengesellschaft der damaligen Zeit objektiv wirksam wurden«[91] und – so ist zu ergänzen – von den Konflikten in dieser Gesellschaft geprägt wurden. Denn je unvereinbarer Lehre, Handlungs-

---

85 Etwa Gerdes, Luthers Streit (vgl. nur S. 94); dagegen Lohse, Auf dem Wege, S. 132; Maron, Thomas Müntzer, S. 224.

86 Vor allem Goertz, Innere und äußere Ordnung, insgesamt.

87 Vgl. Maron, Thomas Müntzer, mit wichtigen Differenzierungen (s. S. 224).

88 Etwa Smirin, Volksreformation, S. 179ff., 275ff.; weitere Hinweise bei Maron, Thomas Müntzer, S. 224.

89 Vgl. Holl, Luther, S. 435ff., und Boehmer, Thomas Müntzer, S. 221; dagegen Bender, Die Zwickauer Propheten, bes. S. 266ff.; anders wieder Zschäbitz, Wiedertäuferbewegung, s. S. 169f.; vgl. aber auch den Hinweis bei Bensing, Idee und Praxis, S. 471; Goertz, Innere und äußere Ordnung, S. 4ff.; Rupp, Patterns, S. 331ff.

90 Schon Boehmer, Thomas Müntzer, S. 220f.; ähnlich Elliger, Thomas Müntzer (1960), S. 59f.; auch Maron, Thomas Müntzer, S. 221ff.

91 Zschäbitz, Wiedertäuferbewegung, S. 36 (vgl. S. 40f.).

konzept und Rede Müntzers mit den realen gesellschaftlichen Auseinandersetzungen zu sein oder zu werden scheinen, desto mächtiger und drängender wächst die Aufgabe, in der Widersprüchlichkeit die dialektische Einheit des geschichtlichen Prozesses zu erkennen und zu beschreiben.[92]

Ernst Werner hat, nicht als erster, mit dem berühmten Satz von Karl Marx eine Antwort zu geben versucht: »Damals scheiterte der Bauernkrieg, die radikalste Tatsache der deutschen Geschichte, an der Theologie.«[93] Ist dies so konkret zu verstehen, daß die Aufständischen aufgrund von Müntzers apokalyptischer Prophetie auf die notwendigen militärischen Operationen verzichteten?[94] Die neueren Forschungen zu den Ereignissen während der entscheidenden Tage lassen Zweifel aufkommen.[95] Jüngst hat von theologischer Seite Klaus Ebert eine ähnliche Auffassung in allgemeinerer Form ausgesprochen: »Die realen politischen Verhältnisse wurden von Müntzer in einem falschen Bezugsfeld interpretiert. Somit hatten die von der eschatologischen Zeitnot getragenen Aktionen Müntzers auch nicht die Chance, die politischen Voraussetzungen für eine Überwindung der Herrschaftsverhältnisse zu schaffen...«[96] Ist wirklich Müntzers Theologie für sein Scheitern verantwortlich? Und wird hier nicht, in der Tendenz wieder idealistisch, sein individuelles Scheitern mit dem des Bauernkrieges fälschlich gleichgesetzt?

---

[92] Ich hoffe, diesem Zusammenhang demnächst in einem Aufsatz nachgehen zu können, der bei der Zuspitzung des Widerspruchs ansetzen soll: bei der aufs höchste gesteigerten apokalyptischen Rhetorik der letzten Briefe Müntzers, gesehen im Verhältnis zur gleichzeitigen Entscheidungsphase des Bauernkriegs in Mitteldeutschland. Boehmer sah sich angesichts der Dokumente Müntzers zu der Frage veranlaßt, »ob er geistig ganz normal war« (Thomas Müntzer, S. 214), und noch moderne marxistische Forscher stehen etwas ratlos vor den Texten und zitieren Engels: Müntzer spreche nur noch »in den gewaltsamen Wendungen, die das religiöse und nationale Delirium den alttestamentarischen Propheten in den Mund legte«. (Der deutsche Bauernkrieg, MEW Bd. 7, Berlin (DDR) 1960, S. 402 – zit. bei Bensing, Thomas Müntzer (1966), S. 188f.).

[93] Zur Kritik der Hegelschen Rechtsphilosophie. In: MEW Bd. 1, Berlin (DDR) 1970, S. 386, zit. bei Werner, Messianische Bewegungen, S. 615 (auch Schlußsatz von Smirins Buch: Volksreformation, S. 648).

[94] Vgl. Werner, Messianische Bewegungen, S. 615f.

[95] Vgl. Bensing, Thomas Müntzer (1966), S. 182ff., 216ff.

[96] Ebert, Theologie, S. 95.

Erneut scheint der Schluß unumgänglich, daß Müntzer als historische Figur nur im Kontext des Bauernkrieges, als der Zuspitzung der gesellschaftlichen Konflikte jener Zeit, begriffen werden kann. Damit mündet die Debatte um Müntzer wieder in die Kontroverse um den Bauernkrieg: War er historisch objektiv der Höhepunkt einer ›frühbürgerlichen Revolution‹ in Deutschland? In welchen Kräften sind die Elemente einer bürgerlichen Klasse zu sehen? Wie ist die Spannung zwischen rückständigen Produktionsverhältnissen und fortentwickelten Produktivkräften zu beurteilen? Muß eine Wirtschaftseinheit im deutschen Raum angesetzt werden? Wie wirkt sich die Scheidung von Stadt und Land aus? Dies sind nur einige Fragen aus der wissenschaftlichen Diskussion um den geschichtlichen Prozeß im frühen 16. Jahrhundert.[97] Ihre Erörterung wirkt unmittelbar ein auf die Deutung von Müntzers Denken und Handeln: Welche Schicht oder Gruppe war es, deren Interessen Müntzer objektiv vertrat?[98] Falls Müntzers Lebensspanne als Zeit der ›frühbürgerlichen Revolution‹ gesehen werden muß, und falls seine Lehre als Antizipation der klassenlosen, der sozialistischen Gesellschaft zu verstehen ist, wo sind dann die Bestandteile einer noch unentfalteten proletarischen Klasse zu suchen – wenn denn der fundamentale materialistische Satz noch gelten soll: »Die Existenz revolutionärer Gedanken in einer bestimmten Epoche setzt bereits die Existenz einer revolutionären Klasse voraus...«?[99] Dürfen sie wirklich mit einer kleinen Gruppe der Bauern und ›Plebejer‹ identifiziert werden? Wie hat sich Müntzer zu deren realen Forderungen verhalten, und umgekehrt: wie verhalten sich ihre realen Interessen zu Müntzers Scheidung von ›Gottlosen‹ und ›Auserwählten‹, die zweifellos nicht einfach mit der sozialen Schichtung identisch ist?[100] Kann

---

[97] Vgl. die oben Anm. 25 u. 60 genannten Sammelbände und die dort in den einzelnen Aufsätzen belegten Diskussionspunkte.

[98] Dazu u. a. Smirin, Volksreformation, S. 645f.; Zschäbitz, Wiedertäuferbewegung, S. 39; Werner, Messianische Bewegungen, S. 614ff.

[99] Karl Marx / Friedrich Engels: Die deutsche Ideologie. MEW Bd. 3. Berlin (DDR) 1969, S. 47.

[100] Dennoch ist nicht gleich die Folgerung Nipperdeys zu ziehen (Theologie, S. 278): »Das Niedervolk wird, das ist gegen die Marxisten zu sagen, nicht wegen, sondern allenfalls trotz seines Klasseninteresses zum Träger eines endgeschichtlichen Auftrags.«, der sich Lohse, Thomas Müntzer, S. 69f., und auch Maron, Thomas Müntzer, S. 219ff., anschließen – da wird ahistorisch theologische Aussage und reale geschichtliche Funktion gleichgesetzt.

man dann noch zu Recht von »der kollektiven Messiasfunktion des niederen Volkes« für Müntzer sprechen?[101] Wie ist also der Bezug der damaligen Produktionsverhältnisse zu Müntzers Konzept zu deuten? Endlich von da aus: Worin liegt die wirkliche Relevanz Müntzers für die Gegenwart? Bleibt schließlich, was Bloch am Schluß seines Buches über Müntzer angab, auf »jenes Geheime, noch Latente am Sozialismus, das Marx übersah, übersehen mußte«,[102] oder – in Müntzers Sprache ausgedrückt – »das metapolitische, ja metareligiöse Prinzip aller Revolution: den Anbruch der Freiheit der Kinder Gottes«[103] als ein den realisierten Sozialismus stets transzendierendes Ziel verwiesen zu sein? Der ›Geist der Utopie‹ also, wie ihn die »revolutionäre Romantik«[104] des frühen Bloch in Wörter zu zwingen sucht: »Derart also vereinigen sich endlich Marxismus und Traum des Unbedingten im gleichen Gang und Feldzugsplan; als Kraft der Fahrt und Ende aller Umwelt, in der der Mensch ein gedrücktes, ein verächtliches, ein verschollenes Wesen war; als Umbau des Sterns Erde und Berufung, Schöpfung, Erzwingung des Reichs; Münzer mit allen Chiliasten bleibt Rufer auf dieser stürmischen Pilgerfahrt.«?[105] Dies aber könnte konkret nur werden im jeweils Bedingten, es kehrt also die Frage wieder: Wie vermittelt sich historische Realität in dem chiliastischen Entwurf Thomas Müntzers, und wie hat er mit seinem Entwurf im geschichtlichen Prozeß jener Zeit gewirkt? Von da aus dann erneut: Wie ist demnach Müntzers Denken und Handeln im widersprüchlichen Verhältnis zu den objektiven historischen Bewegungen auf gegenwärtige gesellschaftliche Zustände zu beziehen?

Mit solchen Fragen, die nun allmählich auch gut lutherische Theologen zu stellen sich genötigt sehen, scheint die Kraft des Verfemens, die die Traktate Luthers und seiner Freunde über Jahrhunderte hin erhielten, endgültig gebrochen. So umstritten die Gestalt Müntzers nach wie vor ist, jede wissenschaftliche Beschäftigung mit ihm – selbst wo der Interpret an Luthers Glaubenslehre festhält – stößt jene Verfälschungen der theologischen und politischen Gegner tiefer in den

101 Bensing, Idee und Praxis, S. 469, in Aufnahme der Deutung Werners (Messianische Bewegungen, bes. S. 614ff.).
102 Bloch, Thomas Müntzer, S. 239; vgl. aber Ernst Bloch: Das Prinzip Hoffnung. Frankfurt/M. 1973. Bd. II, S. 678ff.
103 Bloch, Thomas Müntzer, S. 238.
104 Bloch, a.a.O., S. 243 (Nachbemerkung von 1960).
105 Bloch, a.a.O., S. 241.

Orkus der Lügen hinab. Welchen anderen als einen beschränkten historiographischen Sinn sollte es also noch haben, die lutherischen Pamphlete gegen Müntzer neu zu drucken? Ihre Autorität erhielten diese Schriften letztlich, weil sie der Ideologie der schließlich siegreichen Bourgeoisie entsprachen.[106] Die Herrschaft dieser Klasse ist, wenn auch durch Krisen bis hin zur ›Motivationskrise‹ erschüttert [107] und scheinbar eben durch die Auflösung von Klassen transformiert, in der sogenannten westlichen Welt noch keineswegs aufgehoben. Daher darf es nicht verwundern, daß die Wirkungsgeschichte der lutherischen Entstellungen Müntzers noch längst nicht beendet ist, wie die ernsthaften wissenschaftlichen Kontroversen um die Deutung dieser Figur den Eindruck erwecken. Besonders in den wesentlichen Medien der Ideologievermittlung – also in den Schulbüchern, in populärwissenschaftlichen Darstellungen, auch in belletristischen Werken und bei der sporadischen Behandlung des ›abgelegenen‹ Gegenstandes in Zeitung, Rundfunk und Fernsehen – werden Einzelheiten aus der lutherischen Geschichtsverfälschung weitergegeben und oft sogar die Gesamttendenz des verzerrten Müntzer-Bildes erneuert und bestätigt. Gern pflegt man solche Phänomene mit jener ›Verspätung‹ zu erklären, mit der wissenschaftliche Erkenntnisse fast stets phasenversetzt das allgemeine Bewußtsein erreichten und von ihm aufgenommen würden. Aber man braucht nur beispielsweise westdeutsche und ostdeutsche Schulbücher, den Komplex ›Reformation und Bauernkrieg‹ herausgreifend, einander gegenüberzuhalten, um einzusehen, daß es sich hier nicht in erster Linie um eine zwangsläufige, in kommunikationssoziologischer Hinsicht sozusagen gesetzmäßige Verzögerung handelt. Daß die Traditionsgeschichte

---

[106] Ungewollt und freilich sehr vage bietet etwa Nipperdey eine Bestätigung solchen Reflexes, wenn er abschließend über Müntzer schreibt: »Sachlich aber ist er mit seiner totalitär theokratischen Weltgestaltung und seiner Vernichtung der Person der Moderne ferner als der konservative Luther, der – in Weltdingen relativistisch – grundsätzlich der Vernunft die autonome Weltgestaltung freigibt und der mit seinem personalen Glaubensbegriff die Person jenseits aller Objektivierung erst ermöglicht.« (Theologie, S. 280). In ähnlichem Sinne, aber mit einer grotesken Luther-Schwärmerei verbrämt, Gerdes, Luthers Streit, S. 100f.

[107] Vgl. die – im Kontext des Gesamtansatzes durchaus nicht unproblematischen – Thesen von Jürgen Habermas: Legitimationsprobleme im Spätkapitalismus. Frankfurt/M. 1973. Hier bes. S. 106ff.

der Verfemung Müntzers, für die Luther und seine Freunde die einzelnen Komponenten und die zunächst innertheologische Begründung geliefert haben, in der Bundesrepublik mancherorts und in mancherlei Formen fortgeführt wird, soll im folgenden an einigen Beispielen belegt werden.

Zuerst muß dabei darauf hingewiesen werden, daß sogar in wissenschaftlichen Arbeiten zu Reformation, Bauernkrieg und zu Müntzer wenigstens Bruchstücke aus den lutherischen Pamphleten am Leben erhalten werden, selbst wo sie inzwischen durch Quellenforschungen widerlegt oder doch begründetem Zweifel unterzogen worden sind. Man mag es Heinrich Boehmer, der 1922 seine Studien zu Müntzer gerade vorlegte, um sowohl die Fälschungen der Wittenberger als auch die Ungenauigkeiten bei Bloch und anderen von ihm bekämpften ›Linken‹ verläßlichst zu widerlegen, in Anbetracht der schwierigen Forschungslage noch nachsehen, daß er an vielen Stellen – wo es ihm für seine polemisch gefärbte Zeichnung der Psyche Müntzers in die Absicht paßte – just die Behauptungen der von ihm ›entlarvten‹ lutherischen Kampfschriften wiederholte und ihnen so den Anstrich stichhaltiger historischer Aussagen verlieh. Vor allem aus Agricolas ›Auslegung des 19. Psalms‹ übernahme Boehmer eine Reihe von Mitteilungen, in denen er seine Gesamtdeutung der Gestalt Müntzers bestätigt sah – so, im Zusammenhang des Offenbarungsbegriffs, mit der ironisch getönten Anmerkung: »Er hatte also sicher nur selten Gesichte und Offenbarungen, so selten, daß er in den letzten Monaten seines Lebens es für angezeigt hielt, ständig zwei als Träumer besonders erprobte Männer mit sich zu führen, die ihm jeden Morgen erzählen mußten, was sie im Traum geschaut hatten, worauf er dann nach einem besonderen, von ihm ausgeklügelten Verfahren feststellte, ob Gott oder der Teufel oder ihr eigenes Fleisch sie dabei inspiriert habe.«[108] Ähnlich steht es mit der Behauptung, die Müntzers Biblizismus bezeugen soll: »... so erklärt Müntzer es beispielsweise für gottlos, den Bart abzurasieren oder zu beschneiden, weil es 3 Mose 19,2f. heißt: ›ihr sollt euch den Bart nicht gar abscheren‹, und für unbedingt notwendig, die ungerechten Regenten nicht zu köpfen, sondern zu hängen und das Volk nicht bei der Fällung, sondern auch bei dem Vollzug aller Todesurteile mitwirken zu lassen; denn es heißt 4 Mose 25,4: *›hänge die*

---

[108] Boehmer, Thomas Müntzer, S. 203 – zur Textstelle und zum Sachverhalt s. a. S. 140 (zu 31,15ff.).

Obersten des Volkes dem Herrn an die Sonne‹ und 15,35: ›die *ganze Gemeine* soll ihn steinigen außer dem Lager‹.«[109] Wenig später nimmt Boehmer ausdrücklich Agricolas Deutung von Müntzers Verhältnis zum Alten und Neuen Testament auf und überbietet sie sogar, vorgeblich präzisierend.[110]

Was aber entscheidender ist und als eine in der Polemik äußerst aggressive Reproduktion bürgerlicher Ideologie beurteilt werden muß: Boehmer legt die Tendenz seiner Charakterisierung Müntzers genau übereinstimmend zu Luther und dessen Kreis an – wird zunächst noch, abweichend von der Tradition, Müntzer zugestanden, er sei bedeutender Gelehrter und selbständiger Theologe gewesen, so dominiert schließlich doch das lutherische Bild: das vom ›blutrünstigen Mordpropheten‹, der aber persönlich ein Feigling war. Lediglich der Hinweis, der Teufel habe ihn besessen, fehlt. Da heißt es, »daß es ihm sichtlich Vergnügen machte, die Gegner zu bedrohen, die Massen aufzuhetzen und sich selber allerlei blutrünstige Bilder vorzugaukeln«.[111] Er sei »ein höchst gewalttätiger und roher, ja zu sadistisch anmutenden Anwandlungen zur Grausamkeit neigender Mensch« gewesen.[112] Und dann wendet Boehmer zustimmend Luthers Ausdruck vom ›Mordpropheten‹ an, anfangs zitierend, darauf aber als direkte Bezeichnung.[113] In diesem Sinne ist von Müntzers »blutigen Witzen und fanatischen Tiraden« die Rede[114] – dem kontrastiert dann um so effektvoller Müntzers angebliche Feigheit: »Wenn es ernst wurde, fand er vielmehr lange nicht so leicht den Entschluß zur Tat wie die Leute, die er durch seine wilden Reden erst zu Mord und Totschlag aufgereizt hatte.«[115] Am Ende gibt Boehmer gar die Behauptungen aus des katholischen Herzog Georgs von Sachsen Kanzlei als geschichtliche Wahrheit wieder, die von den letzten Stunden Müntzers handeln: »Aber statt nun, wie er so oft geprahlt und von anderen es gefordert hatte, willig seinen Hals den Tyrannen darzureichen, suchte er in letzter Stunde noch dadurch

---

[109] Boehmer, a.a.O., S. 206f. – zur Textstelle und zum Sachverhalt s. a. S. 138; Boehmer belegt seine Behauptungen nicht, es ist daher unerfindlich, woher er das zweite Beispiel nimmt, da doch Müntzers Aussagen in seinem Bekenntnis dem direkt widersprechen (vgl. Schriften (Franz), S. 546ff.).

[110] Boehmer, a.a.O., S. 207f. – zu Textstelle und Sachverhalt s. u. S. 167.

[111] Boehmer, a.a.O., S. 204.

[112] Ebda.   [113] Boehmer, a.a.O., S. 209.

[114] Boehmer, a.a.O., S. 211.   [115] Boehmer, a.a.O., S. 216.

sein Leben zu retten oder wenigstens einen milderen Tod sich zu erkaufen, daß er öffentlich wieder zu der fluchwürdigen Abgötterei zurückkehrte, die er seit sieben Jahren mit ständig sich steigernder Leidenschaft bekämpft hatte, indem er das Abendmahl nach katholischem Ritus nahm!«[116] Boehmer sieht Luthers Urteil über Müntzers Drückebergerei bestätigt und stellt apodiktisch fest: »Er war ein Feigling.«[117] Man fragt sich, ob Boehmer den harten Kontrast zu seinen einleitenden Auslassungen über die Unzuverlässigkeit der zeitgenössischen Müntzer-Historien nicht bemerkt hat; erklären kann man die wissenschaftliche Inkonsequenz nur aus dem Zwang zur ideologischen Bestätigung – gerade in jenen Zeitläuften! –, aus dem blindwütigen Angriff gegen marxistische oder religiös-soziale Interpretationen Müntzers.

Durch seine Quellenstudien hat Boehmer der Müntzer-Forschung weitergeholfen. Er wollte aber hier so eingehend zitiert sein, weil die Tendenz seiner Deutung und damit der lutherischen Verfälschungen bis zur Gegenwart hin immer wieder bestätigt wird, wenn auch von Wissenschaftlern aufgrund des zunehmenden Materials und der eingehenden Studien in abgeschwächtem Maße. So sieht Elliger bei Müntzer eine »immer wieder und allenthalben ausbrechende Zuchtlosigkeit«,[118] ein »extravagantes Reden und Handeln«,[119] eine »starke Neigung zur prinzipiellen Opposition«[120] – allerdings sucht Elliger eine allzu krasse Schwärzung Müntzers zu korrigieren und hält immerhin fest, es sei unsinnig, ihm »Rachgier und Mordlust zu unterstellen«.[121] Da sind andere Theologen schon weniger zimperlich. Hayo Gerdes will eine »Schwäche der Modernen für Müntzer, die ihn trotz seiner revolutionären Wildheit und Zügellosigkeit und mit Verdrehung der allzu unangenehmen Tatsachen immer wieder auf den Schild zu heben versuchen«, erkannt haben[122] und stellt in der zugehörigen Anmerkung aufatmend fest: »Wenn man so sieht, wie Müntzer auch heute noch sonst urteilsfähige Männer bezaubern kann, ermißt man erst die ganze Bedeutung von Luthers Sieg über ihn.«[123] Diesen Sieg – den sich unverbesserlich idealistische Geschichtsauffassung nur als geistigen Triumph, noch dazu eines einzigen

---

116 Boehmer, a.a.O., S. 217 – zu Textstelle und Sachverhalt s. u. S. 208.
117 Ebda.
118 Elliger, Thomas Müntzer (1960), S. 8.   119 Elliger, a.a.O., S. 9.
120 Elliger, a.a.O., S. 11.   121 Elliger, a.a.O., S. 56.
122 Gerdes, Luthers Streit, S. 96.   123 Gerdes, a.a.O., S. 96 Anm. 44.

Mannes, vorzustellen vermag – suchen neuere Forscher gleichsam zu bestätigen, ganz in der Art Boehmers. Man schreibt von Müntzer als einem Manne, »der sich in seinen Worten an wilden Kraftausdrücken und blutrünstigen Bildern erhitzte, ohne selbst zu entsprechenden Taten fähig zu sein.«[124] Die Historiker wollen da offenbar, zum guten Teil, nicht nachstehen – genauer: können sich der Notwendigkeit nicht entziehen, bürgerliche Ideologie zu reproduzieren, indem sie die Wirkung alter Entstellungen verlängern. Zumeist erhält Müntzer in den ›Geschichten der Reformationszeit‹ wenig Raum; die Belege sind daher manchmal spärlich, aber deutlich genug: »Thomas Münzer fanatisierte schon 1523 die Bürger von Allstedt, er ließ sich von niemandem etwas sagen, weder von Luther, noch von den Mansfelder Grafen oder dem Kurfürsten.«[125] Und Gerhard Ritter, der wenigstens festhält, daß die Aufständischen im Bauernkrieg »Bluttaten und Grausamkeiten«, mit der einen, der Weinsberger Ausnahme, nicht verübt hätten, kann doch bei Müntzer die lutherische Charakterisierung nicht unterdrücken: »Selbst der Thüringer Aufstand entsprach in Wirklichkeit durchaus nicht den bluttriefenden Worten seine Anführers, des seltsamen Apokalyptikers und Propheten Thomas Münzer.«[126] Und Müntzer, dessen Theologie er anzudeuten versucht, wenigstens an einer Stelle als »Fanatiker« zu bezeichnen, kann auch Stupperich sich nicht verkneifen.[127]

Weiterer Beispiele ließen sich viele finden. Sogar Adolf Waas, der doch die historische Entwicklung des ausgehenden Mittelalters und der beginnenden Neuzeit als Geschichte der Ausgebeuteten und immer wieder Unterdrückten schreiben will, entkommt der bürgerlichen Tradition auch darin nicht, daß er Substanzreste der lutherischen Müntzer-Darstellung weiterreicht: Müntzers Gedanken kommen, zumindest in der Mühlhausener Zeit, »in einer fanatischen Sprache zum Ausdruck«. Für die letzte Phase wird ihm gar ernsthafter Wille und subjektive Aufrichtigkeit abgesprochen: »Einmal reißt ihn seine eigene Beredsamkeit fort, sie dort einzusetzen, wo sie am erfolgreichsten werden kann, dann treibt ihn der Beifall der erregten Hörer immer weiter in die Radikalität hinein, und schließlich hört er, um des Beifalls willen, nur mehr auf das, was der Hörer

124 Baring, Hans Denck, S. 173.
125 Brandi, Die deutsche Reformation, S. 175.
126 Ritter, Neugestaltung, S. 139.
127 Stupperich, Geschichte der Reformation, S. 99.

will, und spricht es in unwiderstehlicher Weise aus. Der Demagoge wird zum Opfer der Demagogie.«[128] Luthers Vorstellung vom Teufel, der durch Müntzer wirke, ist hier vollständig säkularisiert und in solch freier Phantasie – Waas sucht sich die Vorgänge ›vorzustellen‹ – der bürgerlichen These von der Gleichartigkeit aller Radikalität einverleibt, denn historische Assoziationen müssen im Deutschen beim Wort ›Demagogie‹ vorausgesetzt werden.

Einen schauerlichen Höhepunkt erreicht die neuerliche Verfemung Müntzers in unserer Zeit, unter krasser Mißachtung aller Forschungsresultate, aber gewiß im Kontext der gesellschaftspolitischen Auseinandersetzung um den umstrittenen Mann, bei Elton in seinem Buch über das Reformationszeitalter. Die erste Erwähnung schon gibt den Tenor der Behandlung an: »Thomas Müntzer ..., der dämonische Genius der frühen Reformation, peitschte einen Aufstand hoch und starb für ihn, nachdem er aus der letzten Schlacht geflohen war.«[129] Später wird der Umriß ausgefüllt: »Luthers schwerster Alptraum war Thomas Müntzer. Als junger Mann – der voll gewaltigen Hasses war auf alles und jedes, das sich anders darstellte, als es hätte sein sollen –, auf der Universität ausgebildet, ein Idealist wie man ihn oft in Revolutionen findet, hatte er eine Pfarre im sächsischen Zwickau...« Müntzer soll eine Lehre von der ›Wiedergeburt‹ im Zusammenhang mit seiner Geisttheologie vertreten haben. Elton gesteht ihm ein »ernstes Empfinden für das Los der Armen, wenn er sich auch oft von wahrer Sympathie zu bloßem Aufhetzen hinreißen ließ«, noch zu.[130] Aber dann muß es heraus: »Müntzer war ein echter Revolutionär, bereit, Gedanken bis zu ihrem logischen Schluß zu verfolgen, ein wahrhaft gefährlicher Mensch vor allem deswegen, weil seine Leidenschaft seinen Verstand weit überragte und er von der Richtigkeit seines Weges und von dessen Gerechtigkeit vollkommen überzeugt war.«[131] Man ist versucht, das Zitat gegen den Autor zu wenden, Genauigkeit des Gedankens fordert er jedenfalls nicht von sich. Der Haß gegen den ›radikalen‹ Widersacher Luthers läßt den Geschichtsschreiber fast als Übersetzer des Reformators erscheinen; Unwissenheit oder Verblendung bringen ihn sogar zu eindeutigen Unwahrheiten über den äußeren Ablauf der Unruhen, wie bei der Lage im Mühlhauser Gebiet: »Die Bauern der Umgebung scheinen keine ernsthafte Unzu-

---

[128] Waas, Die Bauern, S. 233.
[130] Beide Zitate Elton, a.a.O., S. 73.

[129] Elton, Europa, S. 43.
[131] Elton, a.a.O., S. 74.

friedenheit gezeigt zu haben, auch formulierten sie nie irgendwelche Forderungen. Doch dies hinderte den Visionen schauenden Müntzer keineswegs: der Bauernaufstand war der Beginn des Kommens Christi. Er forderte Blut – aus der Hand der Fürsten erhielt er es. Sein Fanatismus konnte die Bauern wohl aufs Schlachtfeld treiben, doch konnte er ihnen nicht zum Sieg verhelfen.«[132] Nachdem derart, ganz wie bei Luther, Müntzers Demagogie die Schuld am Tode der Aufständischen zugeschrieben ist, kann Elton die Summe ziehen: Trotz Müntzers echtem Mitgefühl für die Armen müsse »man ihn doch als den sehen, der er war: nicht so sehr ein konstruktiver Revolutionär als vielmehr ein ruheloser Fanatiker und in seinen Predigten für die Gewalt ein gefährlicher Wahnsinniger«.[133] Die Wendung ins Psychologische, wiederum offenkundig säkularisierte Theologie, soll den gleichen Effekt erzielen wie seinerzeit Luthers Argumentation: revolutionäre – nicht jedoch obrigkeitliche – Gewalt a priori als verwerflich, ja als widermenschlich zu erweisen. Elton repräsentiert sicher nicht die fortgeschrittenste Entwicklung bürgerlicher Ideologie, mit der psychologistischen Interpretation gesellschaftlicher Konflikte aber eine wesentliche Komponente.

Eltons Auslassungen bilden gewiß ein Extrem; gemeinhin erhält Müntzers Bild in der neueren wissenschaftlichen Erörterung nicht mehr derart verzerrte Züge. Aber es ist höchst aufschlußreich, wie hartnäckig sich in der bürgerlichen Geschichtsschreibung bestimmte Details aus den zeitgenössischen Kampfschriften halten, denen doch sonst inzwischen allermeist das gehörige Mißtrauen angedieh. Es sind vor allem zwei solcher Mitteilungen, die als historische Wahrheit über Müntzer ständig wiederholt werden. Zum einen die schon bei Boehmer ausgewalzte Behauptung aus dem ›Glaubwürdigen Unterricht‹ – jenem Machwerk aus der Kanzlei des katholischen Mit-Siegers Georg von Sachsen –, Müntzer habe auf der Folter theologische Lehre und politisches Ansinnen widerrufen und vor der Enthauptung das Abendmahl nach katholischem Ritus eingenommen. Diese vorgeblichen Fakten sind seit langem angezweifelt und inzwischen hinlänglich widerlegt worden.[134] Nach wie vor werden sie

---

132 Elton, a.a.O., S. 75; zum Verhalten der Bauern im Mühlhauser Raum vgl nur AGBM II, S. 66f.; Bensing, Thomas Müntzer (1966), S. 82ff., 103ff.

133 Elton, a.a.O., S. 75.

134 Vgl. nur Bloch, Thomas Müntzer, S. 90ff.; zu den gegenteiligen Quel-

aber mit dem Anspruch auf wissenschaftliche Zuverlässigkeit vertreten und gehen auch in Nachschlagewerke ein.[135] Franz Lau hält nicht zurück mit der Erläuterung der Funktion, die das Festhalten an der erdichteten Historie bekommt: »Müntzer hat offensichtlich selbst empfunden, daß mit seiner Gefangennahme und mit seiner Folterung mehr verloren war als eine Schlacht und ein Leben, daß eine Entscheidung gefallen war über die Echtheit seiner Botschaft.«[136] Nicht bloß um Müntzers Inkonsequenz und Feigheit ist es den Interpreten zu tun, sondern um die ›objektive‹ Widerlegung seines – und tendenziell jedes – revolutionären Anspruchs.

In eine ähnliche Richtung des Urteils über Müntzer weist, nicht so unverhohlen, die andere als verbürgt ausgegebene Tatsache, sie stammt aus Melanchthons ›Historie‹: Im entscheidenden Augenblick der Schlacht habe Müntzer, statt die militärischen Aktionen zu organisieren, seinen Pfingsthymnus ›Komm, Heiliger Geist, Herre Gott‹ singen lassen und die Aufständischen im Glauben an das wunderbare Eingreifen Gottes gehalten; deshalb seien die Fürstlichen auf keinerlei Widerstand gestoßen und hätten ihr entsetzliches Blutbad anrichten können. Auch diese Darstellung ist nicht erst von Bloch als höchst unwahrscheinlich zurückgewiesen worden; er hielt ihr zeitgenössische Dokumente entgegen und erinnerte daran, daß selbst Agricola – unfreiwillig vielleicht – in seinem ›Dialogus‹ bezeugte, was längst als historisch gesichert gelten muß: Nicht wahnwitzige Verblendung der Aufständischen durch Müntzer war schuld an der Katastrophe, sondern der Bruch des Waffenstillstandsabkommens durch die Fürsten brachte diesen den augenblicklichen, für den Aufstand überhaupt entscheidenden Sieg.[137] Bis heute wird aber die effektvolle, scheinbar so plausible Version Melanchthons allenthalben verbreitet.[138] Und auch hier liefert man die Deutung mit:

lenaussagen z. B. Bensing, Thomas Müntzer (1966), S. 230ff., 244ff. S. u. S. 208.

[135] G. Franz in RGG 3.Aufl., Bd. IV, Tübingen 1960, Sp. 1184; ebenso Franz, Bauernkrieg, S. 270; Lau, Prophetische Apokalyptik, S. 169.

[136] Lau, a.a.O., S. 169.

[137] Bloch, Thomas Müntzer, S. 87ff.; ausführlich und mit reichen Quellenbelegen Bensing, Thomas Müntzer (1966), S. 223ff. S. u. S. 149ff.

[138] Z. B. Stupperich, Geschichte, S. 109; Bruno Gebhardt: Handbuch der deutschen Geschichte. Bd. 2, 8.Aufl. Stuttgart 1963, S. 62; Nipperdey, Der manipulierte Müntzer, S. 63f.; Waas, Die Bauern, S. 234; Iserloh, Handbuch der Kirchengeschichte, S. 144f.

Müntzer habe an der Katastrophe von Frankenhausen »allerdings großen Anteil, insofern er die Massen in seinem auf das Eingreifen Gottes bauenden Optimismus mitgerissen hat und alle Verhandlungen vereitelte«.[139] Die Frage, wie denn konkret Müntzers apokalyptische Gewißheit besonders am Tag der Schlacht gewirkt habe und wie sie in ihrer historischen Funktion zu beurteilen sei, ist noch nicht ausdiskutiert.[140] Sicher hat er aber weder ›alle Verhandlungen vereitelt‹ noch in seiner Predigt zum tatenlosen Warten auf den Eingriff Gottes aufgefordert.[141] Wo die Behauptungen Melanchthons als Fakten weitergegeben werden, ist die Deutung zumindest nahegelegt, Müntzer sei ein verantwortungsloser Aufrührer oder doch wenigstens ein verblendeter Schwarmgeist gewesen, auf den persönlich die Schuld am Blutbad von Frankenhausen wesentlich zurückfalle. Von da ist der Schluß nicht sehr weit, die Verlierer – weil vernunftlose, die menschliche Ordnung gefährdende und negierende Revolutionäre – hätten sich ihre Niederlage selber zuzuschreiben, womit dann die Widersinnigkeit des Aufstands bewiesen scheint.

An den aufgeführten Beispielen wollte belegt sein, wie selbst in wissenschaftlichen Darstellungen die Wirkungsgeschichte der lutherischen Pamphlete gegen Müntzer fortgeführt wird und der Befestigung bürgerlicher Ideologie zugehört. Wie nicht anders zu erwarten, hat Gleiches in gängigen Schulbüchern statt. Auch dafür kann hier nur eine kleine Auswahl von Exempeln vorgelegt werden. Die Fundstellen sind schon deshalb nicht sonderlich reichlich, weil Müntzer im Zusammenhang von Reformation und Bauernkrieg oft gar nicht erwähnt oder nur mit wenigen Sätzen abgetan wird.[142]

139 Iserloh, a.a.O., S. 138.

140 Vgl. Werners These, in der Entscheidung »überschattete die Transzendenz die Immanenz« (Messianische Bewegungen, S. 616), der die Auffassung zugrunde liegt, Müntzers theologisches Konzept sei der Anlaß für die Niederlage gewesen (S. 614f.). Dies muß bezweifelt werden; vgl. Bensing, Thomas Müntzer (1966), S. 223ff.

141 Zur Überlieferung von Müntzers Predigt s. u. a. Bensing, a.a.O., S. 225; Steinmetz, Müntzerbild (1971), S. 25f.; die entscheidende Aussage Hans Huts in AGBM II, S. 897; s. u. S. 147f.

142 Eine Nennung Müntzers fehlt z. B. in Hans Ebeling / Wolfgang Birkenfeld: Die Reise in die Vergangenheit. Bd. 2: Aus Mittelalter und Neuzeit. Braunschweig (Westermann) 1971; Bilder aus der Weltgeschichte. Heft 6/7: Renaissance–Reformation–Glaubenskämpfe. v. Karl Heinz Burbach / Helmut Mann / Rudolf Stielow. Frankfurt/M.–Berlin–München (Diesterweg) 5 1971; Hermann Schuster / Karl Ringshausen / Walter

Diese Sätze haben es aber zumeist in sich. Unverfänglich in der Zuordnung Müntzers erscheint ein Passus wie: »Die größte Gefahr erwuchs der Reformation von innen her. Doch konnte Luther in Wittenberg und Zwickau dem religiösen und sozialen *Radikalismus der Schwärmer* durch persönliches Eingreifen ein rasches Ende bereiten. Gefährlicher wurde die Verquickung der religiösen Bewegung mit der von der Ritterschaft und den Bauern ausgehenden politischen und sozialen Revolution.«[143] – aber Müntzer wird des weiteren nicht erwähnt. Abgesehen davon, daß hier die Ereignisse inkorrekt auf Luther zentriert sind[144] und ein ›Ende‹ des ›Radikalismus der Schwärmer‹ ja in Wahrheit keineswegs eintrat, so versteckt sich die Tendenz in der Fußnote: Zu ›Schwärmer‹ wird auf das Quellenheft und zwei dort abgedruckte Texte Müntzers verwiesen, den Brief an die Allstedter von Ende April 1525 und den Brief an Ernst von Mansfeld vom 12.5.1525. Im Quellenband sind dann die ›schlimmsten‹ Passagen aus den beiden Briefen abgedruckt, aus denen man das Bild von Müntzer als eines demagogischen, blutrünstigen Aufhetzers gewinnen muß. Der Quellennachweis deckt die Herkunft des

Tebbe (Hrsg.): Quellenbuch zur Kirchengeschichte. I/II: Von der Urgemeinde bis zum Beginn des 19. Jahrhunderts. Frankfurt/M.–Berlin–Bonn (Diesterweg) 1961; Eugen Paul / Franz Peter Sonntag: Kirchengeschichtsunterricht. Zürich–Einsiedeln–Köln (Benziger) 1971; mit einigen wenigen, keineswegs ›unparteiischen‹ Worten wird Müntzer erwähnt in z. B. Heinz Vonhoff: Die Geschichte der Kirche im Unterricht der Schule. München (Kaiser) 1966. S. 116f.; H. Tenbrock / K. Kluxen / E. Stier (Hrsg.): Zeiten und Menschen, Ausgabe B, Bd. 2. Die Zeit der abendländischen Christenheit (900–1648). Hannover/Paderborn (Schöningh/Schroedel) 1966, S. 151; dass., Oberstufe. Ausgabe G, Bd. 1. Der geschichtliche Weg unserer Welt bis 1776. Ebda. 1970, S. 113 (dort mit der religionsgeschichtlich grotesken Behauptung »Die Wiedertäufer unter Führung Thomas Müntzers forderten bereits die soziale und wirtschaftliche Gleichheit der Menschen nach dem Vorbild des Urchristentums.«).

[143] Hans-Georg Fernis / Heinrich Haverkamp (Bearb.): Grundzüge der Geschichte. Oberstufe. Textband I. Von der Urzeit bis zum Zeitalter des Absolutismus. Frankfurt/M.–Berlin–München (Diesterweg) ⁵1971, S. 172 (ebenso in der einbändigen Ausgabe, ¹⁶1970, S. 146).

[144] Vgl. dazu den Abschnitt über ›Reformation und Bauernkrieg in Deutschland‹, in: Reinhard Kühnl (Hrsg.): Geschichte und Ideologie. Kritische Analyse bundesdeutscher Geschichtsbücher. Reinbek b. Hamburg 1973, S. 52–62. Hier bes. S. 56f. Dort auch weitere beispielhafte Zitate.

Bildes auf: Man druckt aus Luthers ›Schrecklicher Geschichte‹ ab. Und in den vorgeschalteten Einführungssätzen sind die Assoziationen unmißverständlich ausgerichtet: »Rein kommunistische Züge auf religiöser Basis zeigte die Entwicklung in Thüringen und Sachsen bei dem von Thomas Müntzer geführten Aufstand der Bergknappen und Bauern sowie bei der Wiedertäuferbewegung in Münster.«[145] Bei dieser Wortwahl muß man doch wohl folgern, die Autoren verließen sich »auf das in der Bundesrepublik herrschende antikommunistische Bewußtsein« und projizierten es »zurück in die Geschichte. Diese muß dem Schüler dann als ein ständiger Kampf gegen den Kommunismus erscheinen.«[146] Aus den erwähnten Briefen Müntzers wird in weiteren Geschichtsbüchern und Quellenheften zitiert;[147] der scheinbar eindeutigen Selbstcharakterisierung Müntzers glaubt man offenbar, wie damals schon Luther, vertrauen zu können.

Nicht überall. In einigen ›Unterrichtswerken‹ steht man auch mit der Schilderung von Müntzers Denken, Reden und Handeln der lutherischen Verfemung in nichts nach. So heißt es in einem Geschichtsbuch für Realschulen bei der Behandlung des Bauernkrieges: »Durch Zügellosigkeit und grausame Gewalttaten schadeten die Bauern ihrer Sache sehr. Viele Burgen und Klöster gingen in Flammen auf. Die thüringische Bauernschaft führte *Thomas Münzer*, einer von den Zwickauer Schwarmgeistern. Mit Rauben, Morden und Brennen fielen die wilden Horden über Memleben, Walkenried und Ilsenburg her. Münzer, der sich bei dieser ›Ausrottung aller Gottlosen‹ ein rotes Kreuz und ein bloßes Schwert vorantragen ließ, kannte kein Erbarmen.«[148] So viele geschichtliche Unwahrheiten und

---

[145] Rudolf Weirich / Gerhard Bürck: Grundzüge der Geschichte. Oberstufe. Quellenband I. Von der Urzeit bis zum Zeitalter des Absolutismus. Frankfurt/M.–Berlin–München (Diesterweg) ⁴1970, S. 316 (vgl. 320). Ebenso, mit Austausch des Verbs, dies.: Weltgeschichte im Aufriß. Arbeits- und Quellenbuch II. Vom Frankenreich bis zum Ende des Absolutistischen Zeitalters. Frankfurt/M. (Diesterweg) ⁹1962, S. 214.

[146] Kühnl (Hrsg.): Geschichte und Ideologie – s. o. Anm. 144 –, S. 60. Dort ein ganz ähnliches Zitat zu Müntzer.

[147] Harald Scherrinsky / Walter Wulf (Bearb.): Geschichtliche Quellenhefte. Heft 5. Das Zeitalter der Reformation und der Glaubenskämpfe. Frankfurt/M.–Berlin–München (Diesterweg) ⁷1972, S. 53; Unsere Geschichte – Unsere Welt. Bd. 2. München (Bayer. Schulbuchverlag) 1969, S. 96.

[148] Hans Herbert Deißler / Ferdinand Großarth (Bearb.): Geschichte für Realschulen. Bd. 3/4. Vom Spätmittelalter bis zur Gegenwart. Frankfurt/M.–Berlin–Bonn–München (Diesterweg) ³1968, S. 27.

Verfälschungen in so wenigen Sätzen unterzubringen, muß die Verfasser einige Anstrengungen gekostet haben. Müntzer hat sich keineswegs als ›einer von den Zwickauer Schwarmgeistern‹ betrachtet und verhalten, schon gar nicht während des Bauernkrieges, vier Jahre nach seinem Zwickauer Aufenthalt.[149] Die Bauern in Thüringen verübten keinerlei ›grausame Gewalttaten‹ oder gar ›Morde‹. Die Nennung von drei aus unerfindlichen Gründen herausgehobenen Klöstern erweckt einerseits den Eindruck, als seien nur diese in Mitleidenschaft gezogen worden, andererseits wird ein Zusammenhang an den drei geographisch auseinanderliegenden Orten unterstellt,[150] der noch dazu auf Müntzer bezogen ist – schon aufgrund der Entfernungen könnte der die Aktionen an den drei Orten gar nicht ›geführt‹ haben. Das angebliche ›Morden‹ solle Müntzer als die ›Ausrottung der Gottlosen‹ angesehen haben und erbarmungslos vorgegangen sein – Müntzer hat auf der Folter bekannt, das von der ganzen Gemeinde gefällte Todesurteil über drei Gefangene ›aus Furcht‹ verkündet zu haben.[151] Die reichen Quellenbelege geben, trotz der scharfen Verhöre durch die Sieger, keinen einzigen Hinweis auf einen ›Mord‹ der Aufständischen, womöglich noch auf Betreiben Müntzers. Der feierliche Auszug Müntzers aus Mühlhausen am 19.9.1524, anläßlich der Gründung des ›Ewigen Bundes‹,[152] wird zum ständigen Ritual gemacht und über mehr als ein halbes Jahr in die Zeit des eigentlichen Aufstandes verschoben. Das Vorgehen der Bauern erhält so den Charakter eines grausigen Amoklaufs von wahnsinnigen Sektierern, dem gegenüber nur Ekel, Abscheu und Empörung angebracht sind. Eine ernsthafte, nachfragende Beschäftigung mit dem Bauernkrieg und mit Thomas Müntzer wird so zuverlässig abgeblockt. »Auch an diesem Beispiel soll der Schüler seine Lektion lernen: Wenn die Volksmassen selber handeln, so kann das Ende nur schrecklich sein.«[153] Mit der – offensichtlich bewußten – Wiederholung von Lügen Melanchthons wird Müntzer dann auch dazu benutzt, jede Kritik an gesellschaftlicher Ungleichheit als widernatürlich und irrwitzig zu brandmarken, Veränderung

---

149 Dazu s. u. S. 110.

150 Walkenried, nordwestlich v. Nordhausen – vgl. AGBM II, S. 193 Anm. 2; Memleben/Unstrut, östlich Wiehe – vgl. a.a.O., S. 443; Ilsenburg/Harz – vgl. a.a.O., S. 583.

151 Bekenntnis, Schriften (Franz), S. 547 – s. u. S. 149.

152 Vgl. Bensing, Thomas Müntzer (1966), S. 67.

153 Kühnl (Hrsg.): Geschichte und Ideologie – s. o. Anm. 144 –, S. 62.

der herrschenden Produktionsverhältnisse für undurchführbar zu erklären und das brutale Niederschlagen des Versuchs einer Umwälzung als notwendig darzustellen: »Der Prediger Thomas Müntzer machte sich zum Herrn der Reichsstadt Mühlhausen. ›Als Knecht mit dem Schwert Gideons‹ hetzte er in wilden Predigten das Volk zu Raub und Mord an. Kein Armer sollte arbeiten. Wenn er Korn oder Tuch nötig hatte, sollte er von einem Reichen nehmen, was er brauchte – ›nach Christenrecht‹. ... Überall brannten Schlösser und Burgen, wurden Klöster und Kirchen ausgeplündert, Menschen gequält und erschlag. Besonnenere Führer wie der Ritter *Florian Geyer* konnten die wilden Scharen nicht mehr zusammenhalten. Luther rief die Landesherrn zum Handeln ›wider die mörderischen und räuberischen Rotten der Bauern‹ auf. In Thüringen und an der Tauber trafen die fürstlichen Landsknechte auf die ungeübten und schlecht bewaffneten Haufen. Der Sieg der Fürsten war leicht, furchtbar das Schicksal der Gefangenen ...«[154] Kein Satz über Müntzer ist auch nur halbwegs richtig, von Luthers Sentenz über die Rolle Müntzers in Mühlhausen [155] über Melanchthons Erfindung von der Abschaffung der Arbeit und einem ›Diebstahls-Kommunismus‹[156] bis zur allgemeinen zeitgenössischen Denunzierung der Bauern als Mörder finden sich die Geschichtsverfälschungen der Gegner Müntzers, zum Teil in fast wörtlichem Zitat, wieder.

Der Beispiele für ein Bemühen, auch nur in Einzelheiten die wissenschaftlichen Widerlegungen der Entstellungen am tradierten Bilde Müntzers den Schülern mitzuteilen, geschweige denn Müntzer auf Kosten der Zentrierung jener Epoche auf Luther ausführlicher zu behandeln, finden sich nur wenige.[157] Und wo man der Diffamie-

---

154 K. Krüger (Bearb.): Kletts Geschichtliches Unterrichtswerk für die Mittelklassen. Ausgabe C.2: Mittelalter und frühe Neuzeit. Stuttgart (Klett), 1967, S. 127.

155 Dazu vgl. nur Smirin, Volksreformation, S. 562ff., 597ff.

156 Zur Textstelle und zum Sachverhalt s. u. S. 137.143.

157 Z. B. Wolfgang Hug / Erhard Rumpf / Joist Grolle: Menschen in ihrer Zeit. 2: Im Mittelalter und in der frühen Neuzeit. Stuttgart (Klett) 1968, S. 114; Eugen Kaiser (Hrsg.): Grundzüge der Geschichte. Mittelstufe Ausgabe B. Bd. 2. Vom Frankenreich bis zum Westfälischen Frieden. Frankfurt/M.–Berlin–Bonn–München (Diesterweg) ³1966, S. 196; Hejo Busley / Franz Bahl (Bearb.): Spiegel der Zeiten. Ausgabe B. Bd. 2. Vom Frankenreich bis zum Westfälischen Frieden. Frankfurt/M.–Berlin–München 1969, S. 186f.

rung Müntzers nicht ohne weiteres folgt, drängt man ihn, bezeichnend genug, zumeist in die theologische Ecke und bedenkt ihn mit Luthers Schimpfwort für alle ›linksreformatorischen‹ Kritiker: ›Schwärmer‹.[158] Der Kampf des Bürgertums im ideologischen Bereich gegen jeden revolutionären Impuls – im Falle Müntzer auf dem Areal und mit den Behauptungen, die schon unmittelbar nach dem Tode des verhaßten Gegners die Wittenberger festlegten – setzt sich also in den Geschichtsbüchern, was Müntzer betrifft, auf unterschiedliche Weise fort, wenigstens aber darin, daß man diesen Mann – von dessen Kaliber die deutsche Historie nun wahrhaftig nicht viele aufzuweisen hat – einfach übergeht.[159]

---

[158] Zu dieser Funktion des Begriffs, inkonsequent, Heinold Fast (Hrsg.): Der linke Flügel der Reformation. Bremen 1962 (Klassiker des Protestantismus Bd. IV – Sammlung Dieterich 269). S. XXVII f.; Goertz, Innere und äußere Ordnung, S. 10ff.

[159] Vereinzelt kommt es inzwischen zu Versuchen, die wissenschaftliche Debatte über Müntzer in den Schulbereich zu vermitteln: Eberhard Werner Happel: Thomas Müntzer und Martin Luther und ihre Stellung zum Bauernkrieg. In: Peter Biehl (u. a.): Kirchengeschichte im Religionsunterricht. Konzeptionen und Entwürfe. Berlin/München 1973, S. 44–58 – die Tendenz zum Abblenden der politischen und sozioökonomischen Problematik ist erkennbar (vgl. S. 56); wesentlich differenzierter und die Gesamtarbeit der historischen Bewegung einbeziehend eine Prüfungsarbeit am Seminar für Studienreferendare in Tübingen – Helmut Woltag: Martin Luthers und Thomas Müntzers Auseinandersetzung im Bauernkrieg der Jahre 1524–25. (Tübingen 1972, Masch.).

Den scharfen Kontrast der Lehrbücher in der DDR zu den bundesrepublikanischen Geschichtsbüchern kann man nicht mit dem Hinweis abtun, daß Müntzer für die Ausbildung eines ›Nationalbewußtseins‹ und zur ›Rechtfertigung des Systems‹ in der DDR als ›Vollendung der revolutionären Traditionen des deutschen Volkes‹ zu dienen habe. Zweifellos hat auch die Darstellung Müntzers eine Funktion bei der Ausbildung eines ›sozialistischen Bewußtseins‹, dies führt jedoch nicht zwangsläufig zur Verzeichnung des historischen Bildes. Müntzer erhält relativ breiten Raum, Biographie und Bestrebungen werden nach dem fortgeschrittensten Stand der Forschung behandelt (Lehrbuch f. Klasse 6 der Oberschule. Berlin (Volk und Wissen) 1968, S. 179ff., 185ff.; Unterrichtshilfen Geschichte 6. Klasse. Berlin (Volk und Wissen) 1971, S. 264ff.). Der theologische Ansatz Müntzers ist, nach dem Vorgang Engels' und Smirins, stark rationalistisch ausgelegt und direkt in protosozialistischem Sinne aktualisiert. Damit kehrt, ganz konsequent, die

Die Wirkungen eines Unterrichts, in dem solche Bücher verwendet werden, sind kaum präzise zu erfassen. Ohne großes Risiko kann man weithin schlichte Unkenntnis darüber, wer Müntzer war, voraussetzen. Indizien lassen sich etwa der Musterung von Kritiken und Diskussionsbeiträgen zu Dieter Fortes provokativem Schauspiel ›Martin Luther & Thomas Münzer oder Die Einführung der Buchhaltung‹ entnehmen – fast die gesamte Debatte drehte sich um den angeblichen Heroensturz Luthers, nur pauschal wies man gelegentlich Fortes angestrengte Stilisierung Müntzers zum sozialistischen Helden ohne fortune in den Besprechungen zurück.[160] Und Belege über Müntzers Platz in der Gemeindefrömmigkeit – sofern er da überhaupt vorkommt – sind noch schwerer zu erhalten; zweifellos wäre bei manchen Freikirchen und Sekten eine ganz andere Wertung zu finden als etwa im Luthertum.[161]

Problematik der dominierenden marxistischen Forschung zu Müntzer, im Rahmen der Debatte um die ›frühbürgerliche Revolution‹, nun in den Schullehrbüchern wieder.

[160] Nur ein einziges Beispiel, aus der Schreibmaschine eines Mannes, der immerhin manches von Müntzer zu wissen scheint: »Thomas Müntzer zum Beispiel, der angebliche Sozialrevolutionär. Er ist nur aus seiner chiliastischen Besessenheit heraus zu verstehen, und die ist gerade nicht ›ideologischer Überbau‹, sondern Fundament und primäre Voraussetzung. ... Gewiß hat er einen Idealzustand verheißen, der mit dem vom Kommunismus verheißenen Ähnlichkeit hat, aber auch den hat er ausschließlich chiliastisch-eschatologisch aufgefaßt. Er war kein Klassenkämpfer, übrigens seiner Herkunft nach auch kein ›Proletarier‹; er war ein mystischer Prophet in der Nachfolge Daniels und einer, der an Blutrünstigkeit den Schlimmsten seiner Epoche nicht nachstand.« (Philipp Wolf-Windegg. Basler Nachrichten. 7. 12. 1970). Der höchst aufschlußreichen Debatte um Fortes Stück genauer nachzugehen und den Text selbst auf Geschichtsverständnis, methodisches Prinzip, Quellenbehandlung und interpretatorische Implikationen sowie das Verhältnis dieser Momente zur Dramaturgie hin zu analysieren, muß späterer Arbeit vorbehalten bleiben. Forte selbst sitzt übrigens – um des erzielten Bühneneffektes willen? – der Müntzer-Legende auf, bei der szenischen Andeutung der Schlacht bei Frankenhausen (Dieter Forte: Martin Luther & Thomas Müntzer oder Die Einführung der Buchhaltung. Berlin 1971, S. 124) – wie ähnlich der Sozialist Friedrich Wolf (Thomas Müntzer. Der Mann mit der Regenbogenfahne. In F. W.: Zwei Dramen aus dem Bauernkrieg. Berlin (DDR) 1959, S. 203).

[161] Einige Anmerkungen bei Zschäbitz, Wiedertäuferbewegung, S. 12ff.

Die Verfremdung Müntzers durch die Lutherische wie – mit anderer Stoßrichtung – durch die katholische Polemik hat es im Lauf der Jahrhunderte dahin gebracht, daß dem allgemeinen Bewußtsein der bürgerlichen Gesellschaft der einst im theologischen Streit und im politischen Kampf Unterlegene fast völlig ausgelöscht ist. Freilich, inzwischen kann die bürgerliche Öffentlichkeit den ›Theologen der Revolution‹ nicht mehr einfach verleugnen. Immer mehr Kritiker dieser Gesellschaft führen seinen Namen im Munde, und Sozialisten unterschiedlicher Gruppierungen berufen sich allenthalben auf seine Bestrebungen. So ist auch das Interesse der Theologen – wie oben angedeutet – nicht aus ›reiner‹ Neugier geboren, und die marxistische Forschung darf sich da schon einen gewissen ›Erfolg‹ zuschreiben.[162] Jetzt wird die bürgerliche Abwehr einer Aktualisierung Müntzers, einer Erinnerung an in ihm konkrete Tradition der Anstrengung zu radikaler gesellschaftlicher Veränderung hin zu einem Sozialismus, bereits übers Fernsehen verbreitet, das Thema ›Müntzer und Luther‹ mit Unterstützung wissenschaftlicher Autoritäten abgehandelt [163] – es bleibt aber alles schön im ideologischen Innenraum, von Klassengegensätzen und dem Bezug theologischer Konzeptionen zu ihnen ist nicht die Rede. Unfreiwillig offenbart sich jedoch das Klasseninteresse in der scheinbar wissenschaftlich-sachlichen ›Dokumentation‹, wenn mit Bildern und Worten eine gerade Linie, den Willen zu jeglicher Art von Protest gegen das Bestehende und zu radikaler Veränderung meinend, von Müntzer bis zur Studentenrevolte unserer Zeit gezogen wird.[164] Was Wunder bei solcher Ausrichtung der ins Haus gesendeten Belehrung da ziemlich ahnungsloser, aber voreingenommener Bürger, daß eine ganze Reihe von Bestandteilen der lutherischen Müntzer-Legende mit einfließen.[165]

---

162 Vgl. Steinmetz, Das Erbe Thomas Müntzers, S. 1121.
163 Ferdinand Seibt / Friedrich W. Räuker: Müntzer & Luther oder Die Unmöglichkeit, das Reich Gottes auf Erden zu schaffen. III. Programm NDR/SFB, 11./18./25.4., 2.5.1974. In den Sendungen wirkten die Theologen Bernhard Lohse und Dieter Schellong mit.
164 In der Sendung vom 18.4.1974.
165 So etwa, vorgetragen von Ferdinand Seibt, die zumindest irreführende Darstellung zu Müntzers Offenbarungsverständnis: »... aber in der letzten Phase seiner Entwicklung hat er sich offensichtlich an Leute gehalten, die ihn mit solchen Visionen, mit einem solchen Offenbarungsverständnis aus Träumen und Gesichten versorgten.« (Dazu s. u. S. 112f., 140). Ähnlich die Behauptung, Müntzer habe sich, im Gegensatz zu

Die eingangs gestellte Forderung, das herrschende Geschichtsbild von Müntzer und seiner Zeit im genauen Sinn zu berichtigen, ist – das sollte der rasche Überblick zeigen – keineswegs eingelöst. Die zumeist durchaus ehrlichen Anstrengungen bürgerlicher Wissenschaftler verfangen sich ungewußt in den Stricken der ideologischen Axiome. Und in der marxistischen Forschung führt, so grundlegend wichtig ihre Beiträge sind, vielfach die politischen Zwängen und theoretischen Mängeln verdankte undialektische Aktualisierung in neue Schwierigkeiten. Die Arbeit an der Deutung Müntzers muß also fortgeführt werden. Material dazu soll hier bereitgestellt sein, indem die wirkungsgeschichtlich entscheidenden Kampfschriften gegen Müntzer endlich leicht zugänglich gemacht werden. In welchem Sinn und zu welchem Behufe die Texte gelesen sein wollen, war vorab zu bedeuten.

Luther, an das Alte Testament gehalten (dazu s. u. S. 167.183). Schlichtweg falsch, das wußte schon Holl, ist es, Müntzer den Gedanken der Erwählung durch eigene Leistung des Menschen zu unterstellen, wie Seibt in der gleichen Sendung vom 18. 4. 1974 tat: »Er denkt ... an eine entsprechend menschliche Willenskraft, die letzten Endes aus nicht zur reinen Gnadenerlösung führt, wie bei Luther, sondern die den Menschen befähigt, sich selbst zu erlösen, sich selbst zu läutern.« (Dazu s. u. S. 111ff.160.169.) In der Sendung vom 25. 4. wurde dann gar Melanchthons Darstellung der Schlacht bei Frankenhausen ohne Korrektur zitiert (dazu s. u. S. 146ff.183.204) und, nur mit einem Hinweis auf die Folterung abgeschwächt, der Eindruck vermittelt, Müntzer habe vor seinem Tode widerrufen. Auf den Wust von Ideologemen über Geschichte, Utopie, Revolution, anthropologische Konstanten usw., die mit diesen Sendungen verbreitet wurden, kann an dieser Stelle nicht eingegangen werden.

L

Zur Textauswahl

Versammelt sind diejenigen Schriften, durch die das herrschende Bild von Thomas Müntzer, bis in unser Jahrhundert und weit über die Grenzen des Luthertums hinaus, seine Gestalt insgesamt wie seine einzelnen Züge erhielt. Die Texte wurden, mit Ausnahme der beiden Briefe Luthers von 1524, alle innerhalb weniger Wochen nach der Niederlage der Aufständischen und der Gefangennahme Müntzers – 15. Mai 1525 – beziehungsweise nach seiner Hinrichtung – 27. Mai – geschrieben; sie stammen von Luther und seinen Freunden, außer dem ›Glaubwürdigen Unterricht‹, der wohl im Auftrage und vielleicht in der Kanzlei des katholischen Herzogs Georg von Sachsen verfaßt wurde. Insofern ist der Titel des Bandes, ›Die lutherischen Pamphlete gegen Thomas Müntzer‹, in diesem Punkt nicht ganz zutreffend, läßt sich aber rechtfertigen. Denn zum einen wurde die Schrift aus dem katholischen Lager sicher auch herausgebracht, um die schon erschienenen Darstellungen aus Luthers Kreis zu korrigieren und ihnen eine Deutung im Sinne Herzog Georgs entgegenzustellen. Zum anderen bezieht sich Johann Agricola mit seinem ›Nützlichen Dialogus‹ vermutlich dann seinerseits auf die Version der katholischen Seite und will nun ihr entgegenwirken.

Eine der hier neu vorgelegten Schriften, Agricolas ›Auslegung des 19. Psalms‹, ist seit dem Jahre 1525 überhaupt nicht wieder gedruckt worden; vom ›Glaubwürdigen Unterricht‹ gibt es einen Teildruck vom Ende des vorigen Jahrhunderts an versteckter Stelle, von Melanchthons ›Historie‹ eine modernisierte, nicht zuverlässige Fassung in einem schwer erhältlichen Band von 1933. Lediglich der ›Dialogus‹ ist in letzter Zeit nach dem Erstdruck neu zugänglich gemacht, und nur von Luthers Texten findet sich eine kritische Ausgabe.[1]

---

1 Die Drucklegung des vorliegenden Bandes hat sich aus Gründen, die der Herausgeber nicht zu verantworten hat, beträchtlich verzögert. Unmittelbar vor Beginn des Satzes erschien, herausgegeben von der Akademie der Wissenschaften der DDR und bearbeitet unter der Leitung von Adolf Laube und Hans Werner Seiffert, ein Band ›Flugschriften der Bauernkriegszeit‹ (Berlin (DDR) 1975), in dem im Abschnitt ›Zur Entstehung der Müntzer-Legende‹ die Texte Nr. 1, 3, 4, 6 und 7 der vorliegenden Ausgabe nach den Erstdrucken im Neusatz abgedruckt sind. Der Band enthält einige Wort- und Sacherklärungen zu

Obwohl also die Texte eine sehr unterschiedliche Überlieferungs-
und Druckgeschichte haben und der Interessent in neuerer Zeit auf
ganz verschiedene Vorlagen zurückgreifen konnte oder mußte, sind
auch diejenigen Schriften mit aufgenommen, die gegenwärtig leichter zugänglich sind. Es sollen die Texte gemeinsam vorgelegt werden, die von den Wochen nach Müntzers Tod an bis in unsere Zeit
die Müntzer-Darstellung direkt oder indirekt bestimmt haben und
die noch heute in vielen Äußerungen über Thomas Müntzer fortwirken.

Zur Textgestaltung und zu den Vorlagen

Da die Absicht mit dem Bande ist, Arbeitsmaterial möglichst vielen leicht
zugänglich zu machen, konnte allein schon mit dem Gedanken an den Preis
eine kritische Ausgabe nicht in Frage kommen. Ursprünglich war, um
trotz der relativ umfänglichen Textsammlung eine erschwingliche, gleichwohl zuverlässige Ausgabe bieten zu können, der fotomechanische Nachdruck der Erstausgaben aller Texte vorgesehen. Vermutlich bereitet aber
vielen heutigen Lesern die Lektüre der frühneuhochdeutschen Frakturtypen
einige Schwierigkeiten. Deshalb sind die Texte in einer modernen Antiqua
neu gesetzt. Um einen Eindruck von den Originalen zu vermitteln, werden die Titel und eine Textseite der Vorlagen zusätzlich fotomechanisch
reproduziert.

Am Prinzip, die Fassung der Erstdrucke wiederzugeben, ist festgehalten
worden. Bedeutsame Abweichungen in Nachdrucken sind in der Regel in
den Erläuterungen vermerkt. Lautstand, Orthographie und Interpunktion
der Originale sind unverändert geblieben, mit folgenden Ausnahmen – zu
einer gewissen Leseerleichterung –, die sämtlich Eigenarten der Schreib-
bzw. Druckweise des frühen 16. Jahrhunderts betreffen und an der sprachlichen Fassung der Texte nichts verändern: v- im Wort- und Silbenanfang,
wo es für lautlich u- steht, wird als solches gedruckt (also ›und‹ für ›vnd‹,
›ursach‹ für ›vrsach‹, ›unuberwindlich‹ für ›vnvberwindlich‹, aber unverändert: ›vorteyl‹, ›verdingen‹, ›vleys‹); -u- innerhalb des Wortes, wo es
für lautlich -v- bzw. -f- steht, wird als -v- gedruckt (also ›Evangelion‹ für
›Euangelion‹, ›frevel‹ für ›freuel‹, ›bevolhen‹ für ›beuolhen‹, aber unver-

den Schriften, jedoch nicht ausführlichere Erläuterungen. Die Veröffentlichung konnte hier nicht mehr berücksichtigt werden; ich gedenke
an anderer Stelle auf sie einzugehen.

ändert: ›genug‹, ›frucht‹, ›thun‹); i- in Anlautstellung, wo es für lautlich
j- erscheint, wird als solches gedruckt (also ›ja‹ für ›ia‹, ›jenigen‹ für
›ienigen‹, aber unverändert: ›Ich‹); der Nasalstrich wird beseitigt (also
›wenn‹ für ›weñ‹, ›kommen‹ für ›komen‹, ›und‹ für ›vñ‹); Druckkürzeln
werden aufgelöst (also ›das‹, ›daß‹ für ›dz‹, ›ver-‹ für ›v'-‹, ›der-‹, ›dar-‹
für ›d'-‹, ebenso die Frakturform für ›etc.‹). Die Virgeln (/) sind beibehal-
ten worden, weil sie nicht durchgehend für das moderne Komma stehen,
sondern auch Semikolon oder Punkt ersetzen oder sogar rhythmische
Pausen bezeichnen können. Die Differenzierungen der Originaldrucke sollen erhalten bleiben.

Offensichtliche Druckfehler wurden korrigiert; sie sind im Druckfehler-
verzeichnis aufgelistet, um die Identifikation der Vorlagen zu erleichtern.

Vorlagen

Nr. 1

10 Blatt; Titelrückseite und letzte Seite leer. Bogenzählung A – A iv,
B – B ij, C – C iv.
Oktav; Blattgröße 14,3 × 19,5 cm.
Satzspiegel (inklus. Bogenzählung u. Kustos) 9,2 × 15,5 cm.
Reproduktionen nach einem Exemplar der Herzog-August-Bibliothek in
Wolfenbüttel; das Exemplar enthält handschriftliche Randglossen und auf
Blatt C ij^v die schwache Abfärbung eines nicht zum Text gehörigen Titel-
holzschnittes.

Nr. 2

2 Blatt; letzte Seite leer.
Blattgröße 14 × 20 cm.
Satzspiegel (exklus. Bogenzählung) 9,9 × 15 cm.
Reproduktionen nach dem Exemplar der Universitätsbibliothek Erlangen-
Nürnberg, das eine leichte Beschädigung am rechten unteren Rand des
ersten Blattes aufweist.

Nr. 3

8 Blatt; Titelrückseite und letztes Blatt leer. Bogenzählung irrtümlich B 2
statt A 2. Von B 2 [d. i. A 2] bis A 3 Zählung mit römischen Ziffern.
Blattgröße 14,5 × 19,5 cm.
Satzspiegel (inkl. Bogenzählung u. Kustos) 9,5 × 15,3 cm) (die gedruckten
Randglossen von Luther außerhalb des Satzspiegels 1,8 cm breit).
Reproduktionen nach dem Exemplar der Stadt- und Universitätsbibliothek
Frankfurt/Main.

Nr. 4

12 Blatt; Titelrückseite und letztes Blatt leer.
Oktav; Blattgröße 14,6 × 20,1 cm.
Satzspiegel (exkl. Bogenzählung) 10,4 × 15,7 cm.
Druck nach dem Exemplar der Württembergischen Landesbibliothek Stuttgart, das auf der Titelseite unter der Angabe von Druckort und Drucker die handschriftliche Eintragung »1525.« enthält.

Nr. 5

36 Blatt; letzte Seite leer.
Oktav; Blattgröße 10 × 15,1 cm.
Satzspiegel (inkl. Bogenzählung u. Kustos) 6,7 × 11,5 cm.
Im Übergang von B^v nach B ij^r ist der Kustos nicht noch einmal am Seitenanfang gedruckt (Kustos: »der teuff-«, Seitenanfang »fels nasen«).
Reproduktionen nach einem Exemplar der Universitätsbibliothek und Landesbibliothek Sachsen Anhalt in Halle/Saale. Das Exemplar weist handschriftliche Randglossen auf.

Nr. 6

14 Blatt; Titelrückseite und letztes Blatt leer.
Oktav; Blattgröße 14,8 × 20,1 cm.
Satzspiegel (exkl. Bogenzählung u. Kustos) 9,9 × 16,3 (teilweise 15,8) cm.
Reproduktionen nach dem Exemplar der Herzog-August-Bibliothek Wolfenbüttel.

Nr. 7

6 Blatt; letzte Seite leer.
Quart; Blattgröße 14,7 × 19,6 cm.
Satzspiegel (exkl. Bogenzählung) 10,4 × 15,4 cm.
Fol. E (letztes bedrucktes Blatt) enthält keine Bogenzählung.
Reproduktionen nach dem Exemplar der Deutschen Staatsbibliothek Berlin (DDR), das handschriftliche Unterstreichungen und Randglossen aufweist.

Eyn brieff an die Für
sten zu Sachsen
von dem
auffrurischen geyst.

Martinus Luther.

Wittemberg.
1524.

Eyn brieff an die Fůrsten zu Sachsen von dem auffrurischen
geyst.
Martinus Luther.
Wittemberg. 1524.

5 Den durchleuchtigsten hochgebornen Fůrsten und Herrn
Herrn Friderich des Rô. Reichs Chůrfůrst / und Johans /
Hertzogen zu Sachsen / Landgraffen ynn Důringen / und
Marggraffen zu Meyssen / meynen gnedigsten herrn.

Gnad und frid ynn Christo Jesu unserm heyland. Das glůck hat
10 Gallwege das heylig Gottes wort / wenns auffgeht / das sich
der Satan dawidder setzt mit aller seyner macht / Erstlich mit der
faust und freveler gewallt. Wo das nicht helffen will / greyfft ers
mit falscher zungen / mit yrrigen geystern und lerern an / auff das /
wo ers mit gewallt nicht kan dempffen / doch mit list und lůgen
15 unterdrůcke. Also thet er ym anfang / da das Evangelion zum ersten ynn die wellt kam / greyff ers gewalltiglich an durch die Juden
und Heyden / vergos viel bluts / und machte die Christenheyt voll
merterer. Da das nicht helffen wollt / warff er falsche propheten
und yrrige geyster auff / und macht die wellt voll ketzer und sec-
20 ten / bys auff den Bapst / der es gar mit eyttel secten und ketzerey /
alls dem letzten und mechtigsten Antichrist gepůrt / zu poden gestossen hat.

Also mus es itzt auch gehen / das man ja sehe / wie es das rechtschaffen wort Gottes sey / weyl es geht / wie es allzeyt gangen ist.
25 Da greyfft es der Bapst / Keyser / Kônige / und Fůrsten mit der
⟨Aijᵛ⟩ faust an / und wôllens mit gewallt dempffen / verdammen /
velestern und verfolgens unverhôrt und unerkand / alls die unsynnigen. Aber es stehet das urteyl und unser trotz schon langst gefellet psal. 2. Warumb toben die Heyden / und die vôlcker tichten
30 so unnůtz? Die kônige auff erden lehnen sich auff / und die Fůrsten radschlahen miteynander / widder den Herrn und seynen ge-
salbeten. Aber der ym hymel wonet / spottet yhr / und der Herr
lachet yhr / Denn wird er mit yhn reden ym zorn / und sie schrecken
ym grym. So wird es gewislich auch unsern tobenden Fůrsten gehen /

2

und sie wóllens auch so haben / Denn sie wóllen widder sehen noch hóren / Gott hat sie verblend und verstockt / das sie sollen anlauffen und zu scheyttern gehen. Sie sind gnungsam gewarnet.

Dis alles sihet der Satan wol / und merckt / das solchs toben nicht wird durch dringen. Ja er spůret und fůlet / das (wie Gottes wort art ist) yhe mehr mans druckt / yhe weytter es leufft und zunympt / Drumb fehet ers nu auch an / mit falschen geystern und secten / Und wyr mússen uns des erwegen / und ja nicht yrren lassen / Denn es mus also seyn / wie Paulus sagt zun Corinthern / Es mússen secten seyn / auff das die / so bewerd sind / offenbar werden. Also nach dem der ausgetrieben Satan / itzt eyn jar odder drey ist umbher gelauffen durch důrre stette / und ruge gesucht / und nicht gefunden / hat er sich ynn E. F. G. Fůrstenthum nydergethan und zu Alstett eyn nest gemacht / und denckt unter unserm fride / schirm / und schutz widder uns zu fechten. Denn Hertzog Georgen fůrstenthum / wie wol es ynn der nehe ligt / ist solchem ⟨Aiijʳ⟩ unerschrockenem und unuberwindlichem geyst (wie sie sich rhůmen) allzu guetig und sanfft / das sie solchen kůnen mut und trotz nicht můgen daselbs beweysen / Darumb er auch grewlich schreyet und klagt / Er můsse viel leyden / so doch sie bisher niemand widder mit faust noch mund noch fedder hat angetast / und trewmen yhn selbs eyn gros kreutz / das sie leyden / So gar leychtfertig und on ursach mus der Satan liegen / Er kan doch ja sich nicht bergen.

Nu ist myr das eyne sondere freude / das nicht die unsern solch wesen anfahen / Und sie auch selbs wóllen gerhůmet seyn / das sie unsers teyls nicht sind / nichts von uns gelert noch empfangen haben / Sondern vom hymel komen sie / und hóren Gott selbst mit yhn reden / wie mit den Engeln / und ist eyn schlecht ding / das man zu Wittemberg den glauben und liebe und creutz Christi leret. Gottes stym (sagen sie) mustu selbst hóren / und Gottes werck ynn dyr leyden / und fůlen wie schweer deyn pfund ist / Es ist nichts mit der schrifft / Ja Bibel Bubel Babel etc. Wenn wyr solche wort von yhnen redeten / so were yhr creutz und leyden (acht ich) theurer / denn Christus leyden / wůrdens auch hóher und mehr preysen / also gerne wollt der arme geyst / leyden und creutz von yhm gerhůmet haben. Und můgen doch nicht leyden / das man ey wenig an yhrer hymelischen stym und Gottes werck zweyffel odder bedenck neme / Sondern wóllens stracks mit gewallt gegleubt haben / on bedencken / das ich hohmůtigen stoltzern heyligen geyst (wo ers were) widder gelesen noch gehort habe.

⟨Aiij^v⟩ Doch itzt ist nicht zeyt noch raum yhre lere zu urteylen /
wilche ich vorhyn zwey mal wol erkennet und geurteylt habe / Und
wo es not seyn wird / noch wol urteylen kan und will von Gottes
gnaden. Ich hab disen brieff an E. F. G. alleyn aus der ursach ge-
5 schrieben / das ich vernomen und auch aus yhrer schrifft verstanden
habe / alls wollt der selb geyst / die sache nicht ym wort lassen
bleyben / sondern gedencke sich mit der faust dreyn zu begeben /
und wölle sich mit gewallt setzen widder die oberkeyt / und stracks
daher eyne leypliche auffruhr anrichten. Nie lesst der Satan den
10 schalck kicken / das ist zu viel an tag geben. Was sollt der geyst wol
anfahen / wenn er des pöfels anhang gewünne? Ich habs zwar vorhyn auch von dem selben geyst alhie zu Wittemberg gehort / das
er meynet / man müsse die sache mit dem schwerd volfüren. Da
dacht ich wol / es woll dahynaus / das sie gedechten / welltliche
15 oberkeyt zu stürmen / und selbst herrn ynn der wellt zu seyn. So
doch Christus fur Pilato das verneynet / und spricht / Seyn reich sey
nicht von dieser wellt / und auch die jüngern leret / sie sollten nicht
seyn wie welltliche fürsten.

Wie wol ich mich nu versehe E. F. G. werden sich hyerynnen
20 bas wissen zu hallten / denn ich radten kan / So gepürt myr doch
untherteniges vleys / auch das meyne da zu zuthun / und E. F. G.
unterteniglich zu bitten und ermanen / hyrynnen eyn ernstlich eyn-
sehen zu haben / und aus schuld und pflicht ordenlicher gewallt
solchen unfug zu weren und den auffruhr zuverkomen / Denn
25 E. F. G. haben des gut wissen / das yhr gewallt und ⟨A4^r⟩ welltliche hirschafft von Gott darumb gegeben und befolhen ist / das sie
den fride handhaben sollen / und die unrügigen straffen / wie S.
Paulus leret Ro. 13. Darumb E. F. G. hie nicht zu schlaffen noch zu
seumen ist / Denn Gott wirds foddern und antwort haben wöllen
30 umb solch hynlessigen brauch und ernst des befolhen schwerds. So
würde es auch für den leutten und der wellt nicht zu entschuldigen
seyn / das E. F. G. auffrürissche und freuele feuste dulden und leyden sollten.

Ob sie aber würden fur geben (wie sie denn mit prechtigen wor-
35 ten pflegen) der geyst treybe sie / man müsse es zu werck bringen /
und mit der faust dreyn greyffen / Da anttworte ich also. Erstlich es
mus freylich eyn schlechter geyst seyn / der seyne frucht nicht anderst
beweysen kan / denn mit kirchen und klöster zubrechen und
heyligen verbrennen. Wilchs auch wol thun künden die aller ergis-
40 ten buben auff erden / sonderlich wo sie sicher sind und on widder-

stand. Da hielt ich aber mehr von / wenn der geyst zu Alstett gen
Dreßen odder Berlin odder Ingolstad fůre / und stůrmet und breche
daselbs klôster und verbrennte heyligen. Zum andern das sie den
geyst rhůmen / gillt nicht / denn wyr haben hie S. Johans spruch /
Man solle die geyster zuvor průffen / ob sie aus Gotte sind. Nu ist   5
diser geyst noch nicht geprůffet / Sondern feret zu mit ungestům
und rhumort nach seynem mutwillen. Were er gut / er wůrde sich
zuvor průffen und demůtiglich urteylen lassen / wie Christus geyst
thut.

Das were eyne feyne frucht des geysts / da durch man yhn průffen   10
kůnd / wenn er nicht so zu ⟨A4ᵛ⟩ winckel krôche und das liecht
schewet / sondern offentlich fur den feynden und widdersachern
můste stehen / bekennen und antwort geben. Aber der geyst zu
Alstett meydet solchs / wie der teuffel das kreutz / Und treybt doch
die weyl ynn seym nest die aller unerschrôckeneste wort / alls were   15
er drey heyliger geyste voll / Das auch solcher ungeschickter rhum
feyn meldet wer der geyst sey. Denn also erbeut er sich ynn seyner
schrifft / Er wôlle offentlich fur ener ungeferlichen gemeyne / aber
nicht ym winckel fur zweyen odder dreyen stehen und antwortten /
und leyb und seel auffs aller freyest erbotten haben etc.   20

Lieber sage myr / Wer ist der mutige und trotzige heyliger geyst /
der sich selbst so enge spennet / und will nicht denn fur eyner ungeferlichen gemeyne stehen? Item er will nicht ym winckel fur
zweyen odder dreyen antwort geben? Was ist das fur eyn geyst / der
sich fur zweyen odder dreyen furchtet / und eyn geferliche gemeyne   25
nicht leyden kan? Ich will dyrs sagen / Er reucht den bratten / Er
ist eyn mal odder zwey fur myr zu Wittemberg ynn meynem kloster
auff die nasen geschlagen / drumb grawet yhm fur der suppen / und
will nicht stehen / denn da die seynen sind / die ja sagen zu seynen
treffenlichen worten. Wenn ich (der so gar on geyst ist und keyn   30
hymlische stym hôret) mich hette solcher wort lassen hôren gegen
meyne papisten / Wie sollten sie gewunnen schreyen und myr das
maul stopffen.

Ich kann mich mit solchen hohen worten nicht rhůmen noch
trotzen / Ich byn eyn armer elender mensch und hab meyne sache   35
nicht so trefflich an- ⟨Bʳ⟩ gefangen / sondern mit grossem zittern
und furcht (wie S. Paulus auch bekennet von sich selber / 1. Corin. 3.
(der doch auch wol hette wist von hymlischer stym zu rhůmen)
Wie demůtiglich greiff ich den Bapst zu erst an / wie flehet ich /
wie sucht ich / alls meyne erste schrifft ausweysen. Dennoch hab ich   40

ynn solchem armen geyst das than / das diser welltfressergeyst noch
nicht versucht / sondern bis her gar ritterlich und menlich geschewet
und geflohen hat / und sich auch solchs schewens gar erlich rhůmet /
als eyner ritterlichen und hohen geysts that.

Denn ich byn zu Leyptzick gestanden zu disputiren fur der aller-
geferlichsten gemeyne. Ich byn zu Augspurg on geleyd fur meynem
hőchsten feynd erschienen. Ich byn zu Worms fur dem Keyser und
ganzten Reich gestanden / ob ich wol zuvor wuste / das myr das
geleyd gebrochen war / und wilde seltzame tůck und list auff mich
gericht warren. Wie schwach und arm ich da war / so stund doch
meyn hertz / der zeyt also / Wenn ich gewust hette / das so viel
teuffel auff mich gezilet heten / alls zigel auff den dechern waren zu
Worms / were ich dennoch eyngeritten / und hatte noch nichts von
hymlischer stym und Gottes pfunden und wercken / noch von dem
Alstettischen geyst yhe ettwas gehőret. Item ich habe must ynn
winckeln / eynem / zweyen / dreyen stehen / wer / wo und wie man
hat gewollt. Meyn blőder und armer geyst / hat můssen frey stehen /
alls eyne felltblume / und keyne zeyt / person / stet / weyse / odder
mas stymmen / hat můssen yderman bereyt und urbůttig seyn zur
antwort / wie S. Petrus leret.

⟨Bᵛ⟩ Und diser geyst der so hoch uber uns ist / als die sonne
uber der erden / der uns kaume fur wůrmlin ansihet / stympt yhm
selbs eytel ungeferliche / freundliche / unsicher urteyler und hőrer /
und will nicht zweyen odder dreyen ynn sondern ortten zur antwort stehen. Er fůlet ettwas / das er nicht gerne fůlet / und meynet
uns mit auffgeblasenen worten zu schrecken. Wolan / wyr vermůgen
nichts / denn was uns Christus gibt / Will uns der lassen / so schreckt
uns wol eyn rauschend blad. Will er uns aber hallten / so soll der
geyst seynes hohen rhůmes wol ynnen werden. Und erbiete mich hie
mit E. F. G. ists nott / so will ich an den tag geben / wie es zwisschen
myr und disem geyst ynn meynem stůblin ergangen ist / Daraus
E. F. G. und alle wellt spůren und greyffen soll / das diser geyst /
gewiss eyn lůgenhafftiger teuffel ist / und dennoch eyn schlechter
teuffel / Ich hab wol eynen ergern gegen myr gehabt / auch noch
teglich habe. Denn die geyster / die so mit stoltzen worten pochen
und polltern / die thuns nicht / Sondern die heymlich schleychen /
und den schaden thun / ehe man sie hőret.

Solchs hab ich darumb můssen erzelen / das E. F. G. sich nicht
schewen noch seumen / fur disem geyst / Und mit ernstlichem befelh
dazu thun / das sie die faust ynnen hallten / und yhr klőster und

6

kirchen brechen und heyligen brennen lassen anstehen / Sondern
wöllen sie yhren geyst beweysen / das sie das thun / wie sichs
gepürt / und lassen sich zuvor versuchen / Es sey fur uns odder fur
den papisten. Denn sie hallten (Gott lob) uns doch fur erger feynde
denn die papisten / Wie wol sie ⟨Bijʳ⟩ unsers siegs gebrauchen und   5
geniessen / nemen weyber / und lassen Bepstliche gesetz nach / das
sie doch nicht erstritten haben / und hat yhr blut nicht drob ynn
der fahr gestanden. Sondern ich habs must mit meynem leyb und
leben bisher dar gewagt / erlangen. Ich mus mich doch rhümen
gleych wie S. Paulus auch muste / wie wol es eyne thorheyt ist /   10
und ichs lieber liesse / wenn ich künde fur den lügen geystern.

Sagen sie abermal / wie sie pflegen / das yhrer geyst sey zu hoch
und unser zu geringe / und müge yhr ding von uns nicht erkand
werden. Antworte ich / S. Peter wuste auch wol / das seyn und aller
Christen geyst höher war denn der Heyden und Juden / noch ge-   15
peut er / wyr sollen yderman sanfftmütiglich zu antworten urbütig
und bereyt seyn. Christus wuste auch / das seyn geyst höher war
denn der Juden / noch lies er sich erunter und bot sich zu recht und
sprach / Wer zeyhet mich eyner sünde unter euch? Und fur Hannas /
Hab ich ubel gered / so gib zeugnis davon etc. Ich weys auch und   20
byns gewis von Gottes gnaden / das ich ynn der schrifft gelerter byn
denn alle sophisten und papisten / Aber fur dem hohmut hat mich
Gott noch bisher gnediglich behut / und wird mich auch behueten / das
ich mich sollt wegern / antwort zu geben und mich hören zulassen
fur dem aller geringsten Juden odder Heyden odder wer es were.   25

Auch warumb lassen sie selbst yhr ding schrifftlich ausgehen / so
sie fur zween odder dreyen noch ynn eyner geferlichen gemeyne
nicht stehen wöllen? odder meynen sie / das yhre schrifft fur eytel
un- ⟨Bijᵛ⟩ geferliche gemeyne und nicht fur zween oder drey
besonders kome? Ja es wundert mich / wie sie yhrs geysts so ver-   30
gessen / und wöllen die leut nu mündlich und schrifftlich leren / so
sie doch rhümen / es müsse eyn iglicher Gottes stym selbst hören /
und spotten unser / das wyr Gottes wort mündlich und schrifftlich
füren / als das nichts werd noch nütze sey / und haben gar eyn viel
höher köstlicher ampt denn die Apostel und Propheten und Christus   35
selbs / wilche alle haben Gottes wort mündlich odder schrifftlich
gefurt / und nie nichts gesagt von der hymlischen Göttlichen stym
die wir hören müsten. Also kauckelt diser schwymel geyst / das er
selbst nicht sihet / was er sagt.

Ich weys aber / das wyr / so das Evangelion haben und kennen /   40

7

ob wyr gleych arme sünder sind / denn rechten geyst / odder wie
Paulus sagt / Primitias spiritus / das erstling des geysts haben / ob
wyr schon die fülle des geysts nicht haben. So ist ja keyn ander
denn der selbige eynige geyst / der seyne gaben wunderlich austeylet.
5 Wyr wissen yhe / was glaub und liebe und creutz ist / Und ist keyn
höher ding auff erden zu wissen denn glaub und liebe. Daraus wyr
ja auch wissen und urteylen künden / wilche lere recht odder unrecht / dem glauben gemes odder nicht sey / Wie wyr denn auch
disen lügen geyst kennen und urteylen / das er das ym synn hat /
10 Er will die schrifft und das mündlich Gottes wort auffheben / und
die sacrament der tauff und alltars austilgen / und uns hyneyn ynn
den geyst füren / da wyr mit eygen wercken und freyem willen
Gott versuchen und seyns wercks warten sollen / und Gott / zeyt /
stet / und ⟨Cʳ⟩ mas setzen / wenn er mit uns wircken wölle. Denn
15 solch grewlich vermessenheyt weyset yhr schrifft aus / das sie auch
mit ausgedruckten worten / widder das Evangelion S. Marci schreyben / nemlich also / Contra Marcum ultimo cap. als habe S. Marcus
unrecht von der tauffe geschrieben. Und da sie S. Johannes nicht so
thüren yns maul schlahen wie S. Marcus. Wer nicht anderweyt ge-
20 porn wird aus dem geyst und wasser Joh. 3. etc. deutten sie das wort
wasser / weys nicht wo hyn / und verwerffen schlechts die leypliche
tauffe ym wasser.
    Gern möcht ich aber wissen / weyl der geyst nicht on früchte ist /
und yhrer geyst so viel höher ist denn unser / ob er auch höher
25 früchte trage / denn unser / Ja er mus warlich ander und besser
früchte tragen denn unser / weyl er besser und höher ist. So leren
wyr ja und bekennen / das unser geyst / den wir predigen und
leren / bringe die früchte von S. Paul. Gal. 5. er zelet / alls / liebe /
freude / frid / geduld / gütickeyt / traw / sanfftmut und messickeyt.
30 Und wie er Rö. 8. sagt / des er tödte die werck des fleyschs / und
creutzige mit Christo den allten Adam sampt seynen lüsten Gal. 5.
Und summa / die früchte unsers geysts / ist erfüllung der zehen
gepott Gottes. So mus nu gewislich der Alstettische geyst / der unsern geyst nichts will seyn lassen / ettwas höhers tragen / denn /
35 liebe / und glauben / frid / gedult etc. So doch S. Paulus die liebe
fur die höhisten frucht erzelet 1. Corin. 13. und mus viel bessers
thun denn Gott gepotten hat. Das wollt ich gerne wissen / was das
were / Syntemal wyr wissen / das der geyst durch Christum erworben / al- ⟨Cᵛ⟩ leyn dazu geben wird / das wyr Gottes gepot er-
40 füllen / wie Paulus sagt Rom. 8.

Wöllen sie aber sagen / Wyr leben nicht wie wyr leren / und haben solchen geyst nicht / der solche früchte bringt. Solchs möcht ich wol leyden das sie sagten / denn dabey künd man greyfflich spüren / das nicht eyn guter geyst ist / der aus yhnen redet. Wyr bekennen das selbst / und ist nicht not solchs durch hymlische stym und höhern geyst zu holen / das wyr leyder nicht alles thun / was wyr sollten. Ja S. Paulus Gal. 5. meynet / Es geschehe nymer mehr alles / weyl geyst und fleysch bey eynander und widdernander sind auff erden. So spüre ich auch noch keyne sondere frucht des Allstettischen geysts / on das er mit der faust schlahen will / und holtz und steyn brechen / liebe / frid / geduld / gütickeyt und sanfftmut / haben sie noch bis her gespart zu beweysen / auff das des geysts früchte nicht zu gemeyn werden. Ich kan aber von Gottes gnaden viel frücht des geysts bey den unsern anzeygen / Und wolt auch noch wol meyne person alleyn / die die geringst und sündlichst ist / entgegen setzen allen früchten des gantzen Allstettischen geysts / wenns rhümens gellten sollt / wie hoch er auch meyn leben taddelt.

Aber das man yemands lere umb des geprechlichen lebens willen taddelt / das ist nicht der heylige geyst. Denn der heylige geyst taddelt falsche lere / und duldet die schwachen ym glauben und leben / wie Röm. 14. und 15. Paulus und an allen orten leret. Mich ficht auch nicht an / das der Allstettissche geyst so unfruchtbar ist. Aber das er so leugt und andere lere will auffrichten. Ich hette ⟨Cij^r⟩ mit den Papisten auch wenig zu thun / wenn sie nur recht lereten / yhr böses leben würde nicht grossen schaden thun. Weyl denn diser geyst dahynaus will / das er sich an unserm krancken leben ergert / und so frech urteylt die lere umbs lebens willen / so hat er gnugsam beweyset / wer er sey / Denn der geyst Christi richtet niemand der recht leret / und duldet und tregt und hilfft den die noch nicht recht leben / und verachtet nicht also die armen sünder / wie diser Phariseischer geyst thut.

Nu das trifft die lere an / die wird sich mit der zeyt wol finden. Itzt sey das die summa gnedigsten herrn / das E. F. G. soll nicht weren dem ampt des worts. Man lasse sie nur getrost und frisch predigen / was sie konnen / und widder wen sie wöllen. Denn wie ich gesagt habe / Es müssen secten seyn / und das wort Gottes mus zu felde ligen und kempffen / daher auch die Evangelisten heyssen heerscharen Psal. 67. und Christus eyn heerkönig ynn den Propheten. Ist yhr geyst recht / so wird er sich für uns nicht furchten und wol bleyben. Ist unser recht / so wird er sich fur yhn auch nicht

9

noch fur yemand fůrchten. Man lasse die geyster auff eynander
platzen und treffen. Werden ettlich ynn des verfůret / Wolan / so
gehets noch rechtem kriegs laufft. Wo eyn streyt und schlacht ist /
da můssen ettlich fallen und wund werden / Wer aber redlich ficht /
5 wird gekrônet werden.

Wo sie aber wôllen mehr thun denn mit dem wort fechten /
wôllen auch brechen und schlahen mit der faust / da sollen E. F. G.
zu greyffen / Es seyen wyr odder sie / und stracks das land verbotten und gesagt. Wyr wôllen gerne leyden und zusehen ⟨Cijᵛ⟩ das
10 yhr mit dem wort fechtet / das die rechte lere bewerd werde / Aber
die faust halltet stille / denn das ist unser ampt / odder hebt euch
zum lande aus. Denn wyr / die das wort Gottes fůren / sollen nicht
mit der faust streytten. Es ist eyn geystlich streyt / der die hertzen
und seele dem teuffel ab gewynnet / Und ist auch also durch Daniel
15 geschrieben / das der Antichrist soll on hand zurstôret werden. So
spricht auch Isaias 11. das Christus ynn seym reich / werde streytten
mit dem geyst seyns munds und mit der ruten seiner lippen. Predigen und leiden ist unser ampt / nicht aber mit feusten schlahen
und sich weren. Also haben auch Christus und seyne Apostel keyne
20 kirchen zu brochen noch bilder zu hawen / sondern die hertzen gewonnen mit Gottes wort / darnach sind kirchen und bilder selbs
gefallen.

Also sollen wyr auch thun. Zu erst die hertzen von den klôstern
und geysterey reyssen. Wenn die nu davon sind / das kirchen und
25 klôster wůst ligen / So las man denn die Landherren damit machen
was sie wôllen. Was gehet uns holtz und steyn an / wenn wyr die
hertzen weg haben? Sihe / wie ich thu / Ich hab noch nie keynen steyn
antastet / und gar nichts gebrochen noch gebrand an klôstern. Noch
werden durch meyn wort itzt an viel orten die klôster ledig / auch
30 unter den Fůrsten die dem Evangelio widder sind. Hette ichs mit
dem sturm angriffen / wie dise propheten / so weren die hertzen
gefangen blieben ynn aller wellt / und ich hette yrgent an eynem
eynigen ort steyn und holtz eyngebrochen. Wem were das nůtz
gewesen? Rhum und ehre mag man damit ⟨Ciijʳ⟩ suchen / der
35 seelen heyl sucht man warlich nicht damit. Es meynen ettlich / Ich
habe dem Bapst on alle faust mehr schaden than / denn eyn mechti-
ger kônig thun môchte / Weyl aber dise propheten gern ettwas
sonderlichs und bessers wôllten machen / und konnen doch nicht /
lassen sie die seele zurlôsen anstehen / und greyffen holtz und steyn
40 an / das soll das new wunderlich werck seyn des hohen geysts.

Ob sie aber hie wollten furwenden / ym gesetz Mose sey gepotten den Juden alle gôtzen zubrechen und alltar der Abgôtter auszurotten. Antwort. Sie wissen selbs wol / das Gott durch eynerley wort und glauben / durch mancherley heyligen / mancherley werck von anbegyn gethan that. Und die Epistel zun Ebreern solchs auch 5 auslegt / und spricht / Wyr sollen dem glauben solcher heyligen folgen / Denn wyr konnen nicht aller heyligen werck folgen. Das nu die Juden alltar und gôtzen zubrochen / hatten sie zu der zeyt eyn gewis gepott Gottes zu dem selben werck / wilchs wyr zu diser zeyt nicht haben. Denn da Abraham seynen son opfferte / hat er 10 Gottes gewis gepott dazu / und thetten doch darnach alle unrecht die dem werck nach / yhre kinder opfferten. Es gillt nicht nachomen ynn den wercken / Sonst môsten wyr uns auch lassen beschneyden und alle Judische werck thun.

Ja wenn das recht were / das wyr Christen sollten kirchen 15 brechen und so stôrmen / wie die Juden / So sollt auch hernach folgen / das wyr môsten leyblich tôdten alle vnchristen / gleych wie den Juden gepotten war die Cananiter und Amo- ⟨Ciijᵛ⟩ riter zu tôdten so hart als die bilder zu brechen. Hie mit wôrde der Alstettisch geyst nichts mehr zuthun gewynnen / denn blut vergissen / 20 und wilche nicht seyne hymlische stym hôreten / musten alle von yhm erwôrget werden / das die ergernis nicht blieben ym volck Gottes / wilche viel grôsser sind an den lebendigen unchristen / denn an den hôltzen und steynen bilde. Dazu war solch gepott den Juden geben alls dem volck / das durch wunder Gottes bewerd 25 war / das gewis Gottes volck war / und dennoch mit ordenlicher gewallt und oberkeyt solchs thet / und nicht sich eyne rotte aussondert. Aber diser geyst hat noch nicht beweyset / das da Gottes volck sey mit eynigem wunder / da zu rottet er sich selbs / als sey er alleyn Gottes volck / und feret zu on ordenlich gewallt von Gott 30 verordenet und on Gottes gepott / und will seynem geyst gegleubt haben.

Ergernis weg thun / mus durchs wort Gottes geschehen / Denn ob gleych alle euserliche ergernis zubrochen und abgethan weren / so hilffts nichts / wenn die hertzen nicht vom unglauben zum rechten 35 glauben bracht werden. Denn eyn ungleubig hertz findet ymer new ergernis / wie unter den Juden auch geschach / das sie zehen abgott auffrichten / da sie vorhyn eynen zubrochen hatten. Drumb mus ym newen testament die rechte weyse fur genomen werden / den teuffel und ergernis zuvertreyben / nemlich das wort Gottes und 40

damit die hertzen abwenden / so fellt von yhm selbs wol teuffel
und aller seyner pracht und gewallt.

Hie bey will ichs dis mal lassen bleyben / Und ⟨C4ʳ⟩ E. F. G.
untheniglich gebeten haben / das sie mit ernst zu solchem stürmen
und schwürmen thun / auff das alleyne mit dem wort Gottes ynn
disen sachen gehandelt werde / wie den Christen gepürt / und ursach
der auffrhur / dazu sonst er omnes mehr denn zu viel geneygt ist /
verhuet werde. Denn es sind nicht Christen / die uber das wort
auch mit feusten dran wöllen / und nicht viel mehr alles zu leyden
bereyt sind / wenn sie sich gleych zehen heyliger geyst voll und
aber voll berhümbten. Gottes barmhertzickeyt wollt E. F. G. ewiglich stercken und behueten.

E. F. G.

Untertheniger
Martinus
Luther.

Ein Sendbrieff an die ersamen

und weysen Herrn Burgermeyster/Rhatt und gantze Gemeyn der stadt Mülhausen.

M. D. Luther.

M.D.XXiiij.

Ein Sendbrieff
an die ersamen und weysen Herrn Burgermeyster / Rhatt
und gantze Gemeyn der stadt Mülhausen.
M. Luther.
M.D.XXiiij.

Den ersamen und weysen herren Burgermeyster / Rhat und
gantzer Gemeyn der stadt Mülhausen / meynen lieben herrn
und güten freunden.

Gnad und frid in Christo Jhesu unserm heyland. Ersamen weysen lieben herren / es haben mich güte freund gebeten / nach
dem es erschollen ist / wie sich eyner / genannt Magister Thomas
Müntzer / zü euch in ewr stat zu begeben willens sey / euch hierinnen treulich zu raten und warnen vor seiner lere / die er auß Christus geist hoch rhümet / zü hütten / welch ich dann als mich Christliche trew und pflicht vermanet / euch zü gütt / nicht hab unterlassen
wöllen / wär auch gar willig und geneigt gewest / weyl ich heraussen
bin in landen selbst persönlich euch zü ersüchen. Aber mein geschefft
im truck zü Wittenberg mir nit weytter zeit noch raum lest / Bit
derhalben / wöllet gar fleyssig euch fürsehen vor disem falschen
geyst und propheten / der in schaffs kleydern daher gehet / und ist
inwendig eyn reyssender wolff. Dann er hat nun an vilen orten /
sonderlich zü Zwickaw / und yetzt zü Alstedt / wol beweiset was
er für eyn baum ist /weyll er keyn ander frucht tregt / dann mord
und auffrhür / und blütvergiessen anzürichten / darzü er denn
zü Alstedt offentlich gepredigt / geschriben und gesungen hat. Der
heylig geyst treybt nicht vil rhümens / sondern richtet grosse ding
zuvor an / ehe er rümet. Aber diser geyst hat sich nu bey dreyen
jaren trefflich gerhümet und auffgeworffen und hat doch biß her
nicht eyn thetleyn thon / noch eynige frucht beweyset / on das er
gerne mörden wöllt / wie ir des gütte kuntschafft beyde von Zwickaw und Alstedt haben mügt / Auch sendt er nur landtlauffer / die
Gott nicht gesandt hat (dann sie künnens nicht beweysen) noch
durch menschen berüffen sind / sondern kumen von in selbst / und
gehen nicht zü der thür hineyn / Darumb thün sie auch / wie

Christus vor von denselben sagt / Johannis. 10. Alle die vor mir kumen sind / die sind dieb und môr- ⟨Aijʳ⟩ der. Uber das vermag sie niemandt / das sie anß liecht wôlten und zur antwortung stehen / on bey ires gleichen / Wer in zůhôrt und volget / der heyst der außerwelt gotes sůn / wer sie nit hôrt / der můß gotloß seyn / und wôllen in tôdten. Wie doll ding aber ire lere sey / were vil zů sagen / Aber es wůrdt bald an tag kumen Wôllen euch aber solch meyne rede nit bewegen / so thůt doch also / und volziehet die sach mit eim aufschub / biß ir es baß erfart was es fůr kinder sind. Denn es ist angangen / es wirt nicht lang im finstern bleyben. Treůlich meyne ichs mit euch / das weiß got / unnd wolt ewer fahr und schaden gerne zuvorkummen / wo es Got wôlt / des hoff ich solt ir mir selbst gůt zeůgnus geben. Denn ich mich ya rhůmen kan in Christo / das ich mit meyner lere und ratt nyemandt ye keyn schaden gethon hab / noch gewôlt / wie diser geyst fůrhat / Sonder bin yederman trôstlich und hůlfflich gewesen / daß ir disen meynen ratt ye billich nicht ursach habt zu verachten. Wo ir aber solchs veracht / den propheten annemet / und euch unglůck darauß entspringt / bin ich unschuldig an ewerm schaden / dann ich euch Christlich und freůndtlich gewarnet hab. Es neme in ein ersamer ratt fůr sich auch vor der gantzen gemeyn (kan es geschehen) und frage in wer in her gesandt oder gerůffen hab zů predigen / Es hatt ye der ersame rhat nicht gethon. Wenn er dann saget / Got und sein geyst hab in gesand / wie die Apostel / So last in dasselb beweysen mit zeychen und wunder / O der weret im das predigen / Denn wo Gott die ordenliche weyß will endern / so thůt er alwegen wunderzeychen dabey. Ich hab noch nie geprediget noch predigen wôllen / wo ich nicht durch menschen byn gebeten und berůffen / Dann ich mich nicht berhůmen kan / das mich Gott on mittel von hymel gesandt hat / wie sie thůn / und lauffen selbert so sie doch niemandt sendet noch ledt (wie Hieremias schreybt) Darumb richten sie auch keyn gůts an. Gott gebe euch seyn genad / seynen gôtlichen willen treůlich zu erkennen und zů volbringen / A. zů Weynmar am sontag Assumptionis Marie.

Martinus Luther.

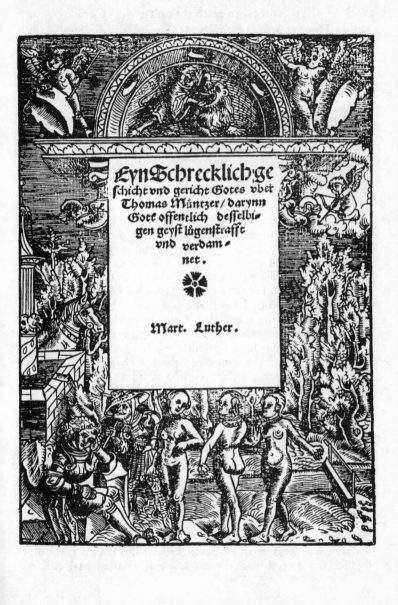

Eyn Schrecklich ge
schicht vnd gericht Gotes vber
Thomas Müntzer/ darynn
Gote offentlich desselbi-
gen geyst lügenstrafft
vnd verdam-
net.

❀

Mart. Luther.

Eyn Schrecklich geschicht und gericht Gotes
uber Thomas Muntzer / darynn Gott offentlich desselbigen
geyst lugenstrafft und verdamnet.
Mart. Luther.

5　Allen lieben Deutschen
　　Martinus Luther

Gnad und fride / Diß offenberlich gericht des ewigen Gottes /
und schrecklich geschicht / so er hatt lassen geben uber und
widder die lere und schrifft und rotten Thomas Muntzer / des
10　mordischen und blut gyrigen propheten / hab ich lassen ausgehen /
zu warnen / zu schrecken / zuvermanen alle die jenigen / so itzt
auffrur und unfrid treiben / und zu trost und stercke / aller der / so
solchen jamer sehen und leyden mussen / auff das sie greyffen und
fulen / wie Gott die rottengeyster und auffrurer verdampt / und
15　willens ist / mit zorn zu straffen / Denn hie sihestu / wie disser
mordgeyst sich rhumet / Gott rede und wircke durch sie / und sey
seyn Gottlicher wille / und thut / als sey es alles gewonnen mit
yhm / Und ehe sich umbsiehet ligt er mit ettlich tausent ym drecke.
Hette Gott aber durch yhn geredt / solchs were nicht geschehen /
20　Denn Gott leuget nicht / sondern hellt fest uber seym wort / Nu
aber Thomas Muntzer feylet / ists am tage / das er under Gottes
namen / durch den teuffel geredt und gefaren hat. Aber auff das
man deste bas sehe / wie er zum lugner sey worden durch Gottes
gericht / will ich ettliche seyner brieff vorher lassen gehen / daryn-
25　nen er also auff Gott trotzet / und seynen namen lestert / das man
greyffen mus / wie es Gott nicht hat lenger mugen dulden / Gotts
gnade sey mit uns.　Amen.

⟨A2ᵛ⟩

Die reyne furcht Gottes zuvor / Lieben bruder / wie lang schlafft
yhr? wie lange seit yhr Gotte seynes willens nicht gestendig /
30　darumb das er euch nach ewrem ansehen verlassen hat? Ach wie

viel hab ich euch das gesagt / wie es muss seyn / Gott kan sich nicht
lenger offenbaren / yhr můst stehen / thut yhrs nicht / so ist das
opffer eyn hertz betrůbts hertzeleid umb sonst / yhr můst darnach
von newem auff widder ynn leyden komen / das sage ich euch /
Wolt yhr nicht umb Gottes willen leyden / so můst yhr des teuffels   5
merterer seyn / Darumb hůetet euch / seyt nicht verzagt / nachlessig /
schmeychelt nicht lenger den verkarten fantasten / den gottlosen
bősswichten / fanget an und streyttet den streyt des HERRN / es ist
hohe zeyt / haltet ewre brůder all darzu / das sie Gőttlichs gezeugnis
nicht verspotten / sonst můssen sie all verterben / Das gantz Deutsch   10
Frantzősisch und Welsch land ist wag / der meyster will eyn spiel
machen / die bősswichter můssen dran. Zu Fulda sind ynn der
Osterwochen vier Stifftkirchen verwůstet / die bawrn zu Klegen
ym Hegaw und Schwartz wald sind auff / als drey mal   *(Des sind sie*
hundert tausent starck / und wird der hauff yhe lenger   *itzt leider*
yhe grősser / alleyn ist das meyn sorge / das die nerrischen   *wol gewar*
menschen sich verwilligen ynn eynen falschen vertrag /   *worden zu*
darumb das sie den schaden noch nicht erkennen / Wo   *Francken-*
ewer nur drey ist / die ynn Gott gelassen / alleyne seynen   *husen / O*
Namen und erhe suchen / werdet yhr hundert tausent   *du lůgen-*
nicht furchten. Nhu dran / dran / dran / es ist zeit / die   *hafftiger*
bősswichter sind frey verzagt wie die hunde / Reget die   *mőrdergeist*
brůdere an / das sie zufrid komen / und yhr bewogen   */ was hastu*
gezeugnis holen / Es ist uber die masse hoch / hoch von   *bereit viel*
nőtten / dran / dran / dran / Last euch nicht ⟨A3ʳ⟩ erbar-   *umb bracht*
                                                            mit dissem
men / ob euch der Esau gute wort fur schlecht / Genesis .33. sehet   *verheissen.*
nicht an den iamer der gottlosen / sie werden euch also freundlich
bitten / greynen / flehen / wie die kinder / lasts euch nicht   *ja*
erbarmen / wie Gott durch Mosen befohlen hat / Deu-   *(ym rauch-*
tero .7 / Und uns hat er auch offenbart dasselbige / Regt   *loch.*
an ynn dőrffern und stedten / und sonderlich die berg gesellen mit
anderer guter burssen / wilche gut darzu wird seyn / wyr můssen
nicht lenger schlaffen. Sihe / da ich die wort schreib / kam myr Botschafft von Saltza / wie das volck den Amptman Hertzog Jőrgen /
vom Schloss langen wőllen umb des willen / das er drey hab wőllen   35
heymlich umb bringen. Die bawrn vom Eysfeld sind uber yhr
Junckerrn frőlich worden / kurtz sie wőllen yhr keyne gnade
haben / Es ist des wesens viel / euch zum eben bilde / yhr můst
dran / dran / es ist zeit / Baltzar und Barthel krump / Valten und
Bischoff gehet seyne an. Diesen brieff lasset den berg gesellen wer-   40

den / meyn drucker wird komen ynn kurtzen tagen / Ich hab die
Botschafft kriegen / ich kan es itzund nicht anders machen / selbs
wolte ich den brüdern underricht gantz geben / das yhn das hertz
viel grösser sollt werden / denn alle Schlösser und Rüstung der gott-
5 losen bösewichter auff erden / dran / dran / dieweyl das feur heis
ist / Lasst ewr schwerd nicht kalt werden von blut / Schmidet pincke-
panck auff den Ambos Nymrod / werfft yhn den Torm zu boden /
Es ist nicht müglich / weil sie leben / das yhr der menschlichen
furcht solt los werden / Man kan euch von Gott nicht sagen / die
10 weyl sie uber euch regieren / dran / dran / dran / dieweyl yhr tag
habt / Gott gehet euch fur / folgt / Die geschicht stehen beschrieben /
Mat. 24. erkleert / Darumb last euch nicht abschrecken / Gott ist mit
euch / wie geschrieben .2 Paralipo .2. Dis ⟨A3ᵛ⟩ sagt Gott / yhr
sollt euch nicht furchten / yhr sollt disse grosse menge nicht schewen.
15 Es ist nicht ewer / sonder des HERRN streyt / yhr seyts nicht die
yhr streyttet / Stellet euch furwar menlich / yhr werdet sehen die
hülffe des HERRN uber euch / Da Josophat disse wort horte / da
fiele er nidder / Also thut auch durch Gott / der euch stercke on
forcht der menschen ym rechten glauben.   Amen.
20 Datum Mülhausen Im .XXV. Jar.

Thomas Müntzer eyn knecht Gottes widder die gottlosen.

⟨A4ʳ⟩

Die gestrackte krafft feste forcht Gottes / und der bestendige
grund seynes gerechten willens sey mit dyr bruder Ernst. Ich
Thomas Müntzer etwan pfarherr zu Alstet / vermane dich zum
25 uberflüssigsten anregen / das du umb des lebendigen Gottes namen
willen deynes Tyrannischen wütens wöllest müssig seyn / und nicht
lenger den grym Gottes uber dich erbittern / Du hast die Christen
angefangen zu martern / Du hast den heyligen Christlichen glauben
eyn büberey gescholden / Du hast die Christen understanden zu-
30 vertilgen / Sihe an du elender dürfftiger maden sack / wer hat dich
zum Fürsten des volks gemacht / wilchs Gott mit seynem thewren
blut erworben hat? Du must und solt beweisen / ob du eyn Christen
bist / Du solt und must deynen glauben berechen / wie .1. Pe .3.
befohlen / Du sollt ynn warhafftiger warheyt gut sicher geleit ha-
35 ben / deynen glauben an den tag zu bringen / das hat dyr eyne

gantze gemeyne ym ringe zugesaget / Und sollt dich auch entschuldigen deyner offenbarlichen Tyranney / Auch ansagen / wer dich so thurstiglich gemacht / das du allen Christen zu nachteyl unter eym Christlichem namen / willt eyn solcher heydenischer bösswicht seyn / Wirdestu aussen bleyben und dich auffgelegter sache nicht entledigen / so wil ich aus schreyen fur aller wellt / das alle brüder yhr blut getrost sollen wagen / wie etwan widder die Turcken / Da solltu verfolget und ausgereut werden / Denn es wird eyn yeder viel emsiger seyn / da an dyr ablas verdienen / denn vorzeiten der Bapst gegeben / Wyr wissen nichts anders an dyr zubekomen / Es wil keyne scham ynn dich / Gott hat dich verstockt wie den König Pharaonem / auch wie die Könige / wilche Gott wolte vertilgen / Jo- ⟨A4ᵛ⟩ sue .5. und .11. Seys Gott ymmer mehr geklaget / das die wellt deyne grobe püffel / wütende Tyranney nicht ehr erkand / wie hastu doch solchen mergklichen unerstatlichen schaden than / wie mag man sich anders denn Gott selber uber dich erbarmen? kurtz umb / du bist durch Gottes krefftige gewalt / der verterbunge uberantwortet / Wirstu dich nicht demütigen / fur den kleynen / so wird dyr eyn ewige schande fur der gantzen Christenheyt auff den hals fallen / du wirst des teuffels merterer werden. Das du auch wissest / das wyrs gestrackten befelh haben / Sage ich / der ewige lebendige Gott hat es geheyssen / dich von dem stuel mit gewalt uns gegeben / zu stossen / Denn du bist der Christenheyt nichts nütz / du bist eyn schedlicher steubbessem der freunde Gottes / Gott hats von dyr und von deynes gleichen gesaget / Ezechielis am .34. und .39. Danielis .7. Matth .3. Abdias der prophet sagt / deyn nest aus zureyssen / und zerschmettert werden / Wyr wöllen deyne antwort nach heynet haben / odder dich ym namen Gottes der scharen heym suchen / da wisse dich nach zu richten / Wyr werden unverzogklichen thun / was uns Gott befohlen hat / thu du auch deyn bests / ich fare daher / Gegeben zu Franckenhausen Freytags nach Jubilate. Anno .XXV.

ja (Der teuffel ynn der helle.

(ich fare da her auff eym knebel ynn den thorm zu heldrungen / und bin ein beschissen Prophet worden.

Thomas Müntzer mit dem schwert Gedeonis.

Sendbrive zu bekerunge bruder Ernsts zu Heldrungen.

Forcht und zittern sey eym yedern der ubel thut / Ro .2. Das du
die Epistel Pauli also ubel misbrauchst / erbarmt mich / Du wilt
die bösswichtischen oberkeit dardurch bestettigen / ynn aller masse /
wie der Bapst Petrum und Paulum zu stockmeystern gemacht / Me-
5 ynstu das Gott der HERR seyn unverstendlich volck nicht erregen
konne / die Tyrannen abzusetzen ynn seynem grym? Osee am .13.
und .8. Hat nicht die mutter Christi aus dem heyligen geyst gered /
von dyr und deynes gleichen weyssagende / Luc .1. Die gewaltigen
hat er vom stuel gestossen / und die niddrigen (die du verachst)
10 erhaben? Hastu ynn deyner lutherischen grütz und ynn deyner
Wittembergischen suppen nicht mügen finden / was Ezechiel an
seynem .37. capitel weyssagt? Auch hastu ynn deynem Martinischen
bawrendreck nicht mügen schmecken / wie der selbige prophet
weyter sagt / am .39. underschied / wie Gott alle vogel des hymels
15 fordert / das sie sollen fressen das fleysch der fursten / und die unvernunfftige thier sollen sauffen das blut der grossen hansen / wie
ynn der heymlichen offenbarunge am .18. und .19. beschrieben.
Meynstu das Gotte nicht mehr an seynem volck denn an euch
tyrannen gelegen? Du willt unter dem namen Christi eyn heyde
20 seyn / und dich mit Paulo zu decken. Man wird dyr aber die pane
verlauffen / da wisse dich nach zu halten / Wiltu erkennen Danielis
.7. wie Gott die gewalt der gemeyne gegeben hat / und fur uns er-
scheynen und deynen glauben berechen / wollen wyr dyr das gerne
gestendig seyn / und fur eynen gemeynen bruder haben / Wo aber
25 nicht / werden wyr uns an deyne lame / schale fratzen nichts keren /
und widder dich fechten / wie widder eynen ertz feynd des Chri-
⟨B^v⟩   sten glaubens / Da wisse dich nach zu hallten / Geben zu
Franckenhausen Freytags nach Jubilate. Anno. 1525.

Thomas Müntzer mit dem schwert Gedeonis.

30 Bruder Albrechten von Manssfeldt zur bekerunge geschrieben.

⟨Bij^r⟩

Gnad und fried ynn Christo unserm heylande. Edler graff und
herre / Ewer schreyben haben wyr erlesen / und bedancken uns
Christlicher versamlungen und trewlichs erbieten / so yhr gegen uns

gethan / Wiewol ynd solchem ubersenden / den armen leuten zu
Odersleuben und Pfiffel das yhre entfrembdet. etc. Jedoch ernennen
wyr euch und den ewren eynen Christlichen tag / mit dreyssig
pferden / ungeverlich zu haben / morgen freytags umb zwelff
horen / zu Mertens Rita fur der brucken zuerscheynen / Darzu 5
geben wyr euch bey Christlichen trewen mit unserm angehafften
Sigill unser sicher ungeverlich geleite / und sicherunge zu und abe /
bis widder ynn ewer gewarsamkeyt / one alle geverde / Auch ynn
solcher mass / das yhr euch auch mit ewrem anhange / mitler zeyt /
kegen das armut und Christliche versamelunge friedlich haltet / und 10
uns widderumb geleit / ynn massen wyr euch thun / zuschickt /
darnach wyr uns zu richten / Euch Christliche trew zu erzeigen sind
wyr geliebt / Bitten schrifftlich antwort / Datum donnerstags nach
Jubilate. Anno .25.

Christliche versamlunge zu Franckenhawsen. 15

Dem Edlen graffen und herren Albrecht / zu Manssfeldt Christlichem fursteher .etc. unserm herren und freundlichen bruder ynn
Christo.

⟨Bij^v⟩

Martinus Luther

Disse zween briffe an Graffen Albrecht herren zu Manssfelt / 20
komen daher / das der selbige graffe aus Christlicher guter meynung sich schrifftlich gegen die bauren zu Franckenhausen erbotten
hatte / eynen freundlichen vertrag mit yhren oberherrn zu suchen /
und dahyn helffen handeln / das blutvergiessen vermidden würde /
Darauff sie yhm / wie yhr brieff laut / den freytag nenneten / auff 25
yhr geleite / Aber weyl am selbigen freytage geschefft fur fielen /
empot der selbige Graffe und herr widerumb schrifftlich / und
stymmet den nehisten Sontag hernach / Unn des schickts Gott / das
Thomas Müntzer aus Molhusen gen Franckenhusen komet / Der
selbige meynet villeicht / Graff Albrecht thet solchs aus furcht und 30
verzagunge. Und schafft so viel / das die bauren dem graffen keyn
antwort gaben / und also der vertrag nachblieben ist / Sondern
Müntzer selbs / schreib diesen briff / wie du siehest.

Auff disse hochprechtige wort des Mûntzers / haben sich die armen leute verlassen / und gemeynet der heylige geyst reddete durch Mûntzer / sind also verfuret / und leyder mehr denn .5.tausent auff eyn mal umb leyb und seele komen / O des elenden jamers / Das wolt der teuffel haben / Das sucht er auch noch an allen andern auffrûrigen baurn / Und were noch alles zuverklagen / wenn nur yhrer seelen geratten were / Aber weyl sie ynn offentlichem ungehorsam / untrew / meyneyde und Gottes lesterunge bis ans ende verharret und verstockt / ist zubesorgen / sie sind ewiglich verloren.

Herr Gott / yhr elenden rottengeyster / wo sind ⟨B3ʳ⟩ nu ewre wort / da mit yhr die armen leute erregt und gehetzet habt? Da yhr sagtet / sie weren Gottes volck / Gott stritte fur sie / eyner wûrde hundert erschlahen / ja mit eym viltzhut wûrden sie funffe tod werffen / Und die bûchssen steyne wûrden zu rûcke keren ym schiessen und die feynde treffen? Wo ist nu Mûntzers ermel / darynn er wollt alle bûchsen steyn fahen / die widder seyn volck geschossen wûrden? Wer ist nu der Gott / der solche verheyssunge durch den mund Mûntzers fast eyn jar lang geschrien hat?

Wer nu an dissem offentlichem urtel Gottes / das er mit zorns that beweyset hat fur aller wellt / sich nicht keren nach lernen will / wie disse rottengeyster widder Gott gewest / und eyttel lûgen gefuret haben / der wil yhe mutwilliglich und wissentlich verfuret und verdampt seyn / Was sollten da helffen / predigen und vermanen / wo nicht hilfft solche greyffliche that und erfarunge?

Solchs alles schreibe ich und lasses ausgehen / nicht das ich mich frewe / seyns und der seynen unglûck / denn was ist myr damit beholffen? der ich nicht weys / was Got uber mich noch auch beschlossen hat / Sonder das ich gern wolte warnen alle andere auffrurer und verhûten / das sie nicht auch ynn gleich urteyl und zorn Gottes fallen / und sich der schedlichen falschen propheten / durch solch urteyl Gottes erkand / entschlahen / und sich zum fride und gehorsam geben / wie Got gebeut und haben will / Denn wiewol myrs trefflich leyd ist / das die armen leute so jemerlich verfuret / und umb leyb und seele komen sind / So mus ich mich doch des ja frewen / das Gott eyn urteyl gefellet / und die sache ⟨B3ᵛ⟩ gerichtet hat / das wyr wissen und sicher bekennen mûgen / wie die rotten geyster unrecht und felschlich geleret haben / das yhre lere und predigt Gotte widder und von yhm verdampt ist / Das dienet dazu / das man sich hynfurt dafur huete / und leyb und seele durch das recht wort Gottes besser beware.

Am ende / bitte ich alle frome Christen / wollen doch helffen mit ernst Gott bitten / das seyne Göttliche gnade wolte dem teuffel weren / und seynen zorn von uns wenden / Denn die baurn sind so tieff und hart verstockt und unsinnig worden / das sie widder sehen nach hören und hilfft keyn predigen / keyn schreyben / Got alleyne mus helffen / sonst wird durch unser thun und rad / des jamers kein ende. Es ist nymer predigens / sondern bittens zeit / der zorn ist angangen / mit beten mussen wyr weren / wie Aaron mit dem reuchfas weret dem fewer. Die Herrn und oberkeit / bitte ich auch umb zwey stucke / Das erste / wo sie gewynnen und obligen / das sie sich des ja nicht uberheben / sondern Gott furchten / fur wilchem sie auch fast strefflich sind / Denn das yhn Gott den sieg gibt / thut er nicht darumb / das sie so gerecht und frum sind / sondern wie Moses zun kindern Israel auch sagt von seynen gottlosen / darumb das got den bauren ungehorsam und Gotslesterung sampt aller yhrer missethat straffet. Das ander / das sie den gefangenen und die sich ergeben / wollten gnedig seyn / wie Gott yederman gnedig ist / der sich ergibt und fur yhm demütiget / Auff das nicht das wetter sich wende / und Gott den baurn widderumb den sieg gebe / Got helffe uns bald zum seligen fride.   Amen.

Die Histori Tho
me Muntzers/des anfengers der Dörin
gischen vffrur/ seer nutzlich zulesen.

Ermanung des Durchleuchtigen Fursten vnnd
Herrn/Herrn Philippsen Landtgraue zu Hessen rc.
an die Ritterschafft/ die Bauren (vnder dem scheyn
des Euangelions sich wider alle oberkeit/durch falsch
Predicanten verfurt/setzende) trostlich anzugreyffen.

Hagenaw/durch Johannem
Secerium Getruckt.
1525.

Die Histori Thome Muntzers / des anfengers der Döringischen
uffrur / seer nutzlich zulesen.
Ermanung des Durchleuchtigen Fursten unnd Herrn /
Herrn Philippsen Landtgrave zu Hessen etc.
an die Ritterschafft / die Bauren (under dem scheyn des
Evangelions sich wider alle oberkeit / durch falsch Predicanten
verfurt / setzende) trostlich anzugreyffen.
Hagenaw / durch Johannem Secerium Getruckt.

Nach dem Doktor Luther etlich jar gepredigt hette / unnd das
Evangelium reyn und clar gelert / hat daneben der Teuffel sein
samen geseet / unnd vil falscher und schedlicher prediger erweckt /
da durch das Evangelium widerum verblendet wurd / unnd under-
truckt / dazu auch groß bluttvergiessen angericht wurd / Denn es
hat Christus dem Teuffel den tittel geben / und yhn controfeyt /
also / das er sey von anfange ein Todtschleger gewesen / und biß
zu ende der welt richt er mort an.

Darum hat er einen besessen / der hieß Thomas Muntzer / der
was ynn der heyligen schrifft woll gelert / blyb aber nicht auff der
ban bey der heyligen schrifft / sondern der Teuffel nerret yhn /
unnd treyb yhn von der schrifft / das er sie anfieng nicht mher vom
Evangelio zupredigen / und wie die leut solten frum werden / sonder erdicht yhm auß falschem verstandt der heiligen schrifft / falsche
unnd uffrurige lere / das man alle Oberkeit solt todten / und solten
furterhyn alle gutter gemeyn seyn / keyn Furst / keyn Kunig mer
seyn / Dis trib er ynn den torichten Pofel seer hefftig / schmecht und
schaldt die fursten ubel / wie sie den armen man undertruckten /
beschwerten / schyndten und schabten / auff das sie mochten iren
unnutzen bracht / und kosten erhalten / sie braßten / dem armen
man zu schaden / so doch christenlich lieb fordert das sich keiner
uber den andern setze / das yederman frey sey / und sey gemeyn-
schafft aller gutter.

Dabey auch macht er sollichter Teuffelischer lere ein schein / Er
gab fur / er het von himel offenbarung / und leret nicht anders /
gebot auch nichts / Got het es yhn dann ⟨AAijᵛ⟩ geheissen / Es ist
nicht zu ermessen wie hart der teuffel den menschen hab besessen /

das er sich hat rhumen durffen / himlischer offenbarung / und mit lugen Gottes namen so unverschampt anziehen / Ja es wirt auch bey den nachkomen nicht glewblich seyn / das ein mensch ynn sollide vermessenheit fal / das er sich sollicher grosser ding darff rhumen wo nicht dran ist. 5

Es hat sich aber der gleichen mer vorhin begeben / dan es ist einer gewesen der hat Manes geheissen / der gab sich auß / er wer der recht Christus unnd Gottes son / macht yhm auch jungern / und hencket vil volcks an sich / die der Teuffel als treyb ynn yrthumb / das er sie umb leyb und seel brecht. 10

Also ist yetzund auch geschehen / unnd hat der Teuffel solchen list gebraucht / der nicht mit vernunfft begriffen und von unerfarnen leuten nit wol geglaubt mag werden.

Aber man hatt also mit diesem Thoma gefaren / das man yhn wol erkant hat / Ich will auch die historien recitirn auffs fleyssigst / 15 und sagen wie er sich gehalten hat.

Es liegt ein fleck Alstedt am ort yn Duringen / am Hartz gegen Sachßen / gehort dem Churfursten zu Sachßen / dahin hat sich Thomas begeben / dann wie wol er sich rhumet / er het den heiligen geist / und furcht sich nicht / unnd het ein gotlichen befelh zu- 20 predigen ynn aller welt / sucht er doch da ein nest das er sicher wer under des fromen fursten Hertzog Fridrichs des Churfursten zu Sachßen schutz / under dem die Priester / so wider alte untuchtige breuch predigeten / sicherer waren dann sunst.

Do er nun zu Alstedt eyngesessen war / prediget er erstlich / das 25 er ym ein gros gerucht mecht / wider Bapst und Luther gleich / wie die Bepstische unnd Lutherische lere untuchtig wer / der Bapst het die gewissen zu hart gebun- ⟨AAiij^r⟩ den mit unbillichen burden unnd Ceremonien / Der Luther aber mecht die gewissen wol frey von Bepstlichen lesten / aber ließ sie ynn fleyschlicher freyheit 30 bleyben / fueret sie nicht weytter ynn geist und zu Got / mit solchem geschwetz sperret er dem eynfeltigen Pofel das maul auff / da lieff man zu / und wolt yederman etwas news horen / wie Homerus spricht / das dem pofel das new lied das best sey.

Was nun der Bapst und Luther leren / ist zu lang hie zuerzelen / 35 was aber Muntzer gelert hat / und wie er auß eym yrthumb ynn den andern gefallen ist / ist nutzlich zu wissen und zu gedencken / auff das wir von solcher histori ein exempel nemen / und wachen / und Got bitten / das er uns behuet / das wir nicht ynn yrthumb fallen / und verblendet werden / das wir so gar auß der christliche 40

strassen komen / Dann als wan einer wandelt so er des wegs ein
mal felt / geschicht offt / das er ye weytter von dem rechten weg
komet / Also gets auch ynn disen sachen / so bald man der warheit
felt ein mal / und man sich den teuffel hat nerren lassen / yrret man
dann yhe lenger ye weytter / und fueret der Teuffel die elenden leut
bey der nasen / wie man ein Buffel fueret.

Nun wollen wir kurtzlich fassen was Thomas furgeben hat / Er
leret / es wer war / das fromkeit nicht stunde ynn Bepstlichen ordnung / darumb mocht man sie lassen Und leret das man also zu
rechter und christlicher fromkeit komen muste / anfengklich must
man ablassen von offenlichen lastern / als eebruch / todtschlag /
gotslesterung / und der gleichen / dabey must man den leib casteyen
unnd martern / mit fasten / mit schlechter kleydung / wenig reden
sawr sehen / den bart nicht abschneiden / Der gleichen kindische
zucht nennet er todtung des fleischs und creutz / davon ym Evangelio geschrieben ist.

⟨AAiijᵛ⟩ Darauff drungen alle seyn predig erstlich / weytter so
man sich nun also geschmucket het unnd geferbet / leret er das man
solt an heymliche ort geen / und offt gedencken von Got / was er
sey / und ob er sich auch unser annem / so wurd das hertz finden
das es davon zweyfelt / weyß nicht ob Got gros nach uns frag /
auch ob es war sey / das Christus umb unsert willen gelitten / uns
erlost hab / so wir doch ynn so grosser not und elend noch seyn / es
wurd auch wollen wissen ob unser glawb oder der Turcken recht
wer / Bißher were solche predig zuleyden gewesen / aber furter hat
er grosse gotslesterung gelert.

Darauff solte einer ein zeychen fordern von Got / das Got bezeugt / wie er sich unser annehm / unnd das unser glaub recht und
war sey / Wo auch Got solche zeichen nit bald geben wurde / solt
man nicht allein ablassen / sonder furt faren / kunlich mit grossem
ernst solliche fordern / sich auch uber Got erzurnen / yhm fluchen /
und yhm sein gerechtikeyt furwerffen / das / so von yhm geschriben
steet / er wol yderman selig machen / und die warheit leren und
geben warumb man yn bit / Thue er unrecht / wan er nit eym
solchen hertzen das von yhm begert ware erkantnus Gottes / ein
zeichen erzeygt / An sollichem zorn sagt Thomas hette Got grossen
wolgefallen / denn daraus spuret er / wie ser man sein beger / und
wurt thon wie ein vatter und zeychen geben / unnd diesen durst
der seele leschen / die weyl von yhm geschriben ist / das er die
durstigen trenck / und saget zu / Got wurd dan komen / und

mundtlich mit yhn reden / wie mit Abraham / Jacob / unnd andern /
Ja er sagt offenlich / das erschrecklich zuhoren ist / er wolt / yn
Got scheyssen / wen er nit mit yhm redet wie mit Abraham / und
andern Patriarchen / Das hieß er den gewissen weg gen hymel /
und zog uff die fabel vil schrifft gefelschet schrye unnd schaldt   5
grewlich / wer dawider redet / hieß er ⟨AA4ʳ⟩ Phariseer / die Got
nicht recht und warlich kendten / sonder sehen ynn die schrifft wie
blinden / unnd finden doch Got nicht da / Solches alles gefiel dem
Pôfel wol / das sie solten mit Got reden / zeichen sehen / denn
menschliche natur ist furwitzig / und hat lust grosse und heimliche   10
ding zuerfaren / Auch thet der rhum dem groben volck woll / das
sie weneten sie wurden heilig / und gelerter dan all die studirten /
Es ist aber nutzlich zusagen / mit was zeychen Thomas umb sey
gangen / er sagt das Got durch trewm seinen willen offenbart /
unnd setzet den gantzen baw auff treume / wem nun etwas von Got   15
getreumet het / der hielt sich fur from / oder welcher ein trawm het
den man deuten kund uff ein geschicht / solche hielt er fur Christen
und Propheten / lobet sie an offenen predigen / uff das er sie an
sich zoge / unnd auch mit solchem lob entzundt yhn herter zuverteydingen.   20

Damit macht er yhm ein zufal bey dem dollen Pôfel / unnd dem
zu lieb endert er auch der kirchen Ceremonien / das gesang /
kleidung / und der gleichen / denn solche newe dem leychtfertigen
Pofel wol geliebt.

Da er nun meynt erhet ansehens genug / und das yhm der ge-   25
meyn man wurd volgen / brach er weyter heraus/ unnd nam fur ein
lermen anzurichten / under dem schein des Evangelii / dadurch er
die herrschafft verstiesse / und er yns nest sesse / mechtig und reich
wurd / hub an zu Alstet und macht ein register / schreyb darein
alle so sich zu yhm verbunden und verpflichten/ die unchristenlichen 30
fursten zustraffen / und christlich regiment eynzusetzen / dann er
gab fur Got het yhm bevolhen weltlich regiment zuendern.

Bißher het er noch nit offenlich wider oberkeit geredt / sonder
allein den traum den wir erzelt haben / wie die leut solten from
werden / und Got erkennen ynn das volck getriben / und wider   35
Luther und Bapst zugleich geprediget.

⟨AA4ᵛ⟩ Dieweyl er aber nicht auffrur leret / sahe yhm Hertzog
Fridrich Churfurst zu Sachßen zu / verjaget yhn nicht / es schreyb
auch an Hertzog Fridrichen der Luther / man solt yhn nicht verjagen.   40

Aber da er nun anfieng / und meynet er het hilff gnug ein lermen anzurichten / hub er an und leret auffrur / das man weltlicher oberkeit nicht solt gehorsam sein / und solt sie auß dem regiment stossen / zu solchem (sagt er) het yhn Got gewelt durch den gantzer welt geholffen wurd / Also hat Thomas ynn summa zwen yrthumb gelert / Den ein von geistlichen sachen / das man zeichen fordern solte von Got / sich nicht trosten der schrifft / auch das trewm ein gewis zeichen wer / das man den heiligen Geist empfangen hat / Der ander yrthumb ist gewesen / von weltlichem regiment / das man dem selben nicht gehorsam sein solte / so doch die schrifft solchen gehorsam seer ernstlich gebeut.

Darauff hat yhn Hertzog Fridrich aus dem landt gestossen / Thomas hat da seines grossen geysts vergessen / und macht sich davon / unnd verbarg sich ein halb jar / darnach thet er sich herfur / denn der Teuffel ließ yhn nit rwen / und zog gen Nurenberg.

Aber Got behuetet die selbige stat sonderlich / das Thomas nicht da eynsaß / dann wo es Thome da gluckt hett / ist zubesorgen / das vil ein grewlicher lerm sich hette erhaben dann ynn Doringen.

Der radt zu Nurenberg jagt yhn zeitlich aus der stat / da went er sich / und zog wider ynn Doringen gen Mulhausen / denn dieweyl er zu Alstedt gewesen war / het er etlich frevelich buben von Mulhausen an sich gezogen / die selbige machten yhm raum ynn der stat / und kuntschafft also das yhn die gemeyn zu eym prediger annam.

Da wider aber legt sich der radt / da hub Thomas sein ⟨BBʳ⟩ an / und treyb den Böfel furderlich darzu / den rat als unchristlich abzusetzen / ein newen christenlichen rat zuwelen die yhm seyns predigen gestatten / Solches geschahe und wurden die erbern leut des radts entsetzt / etlich auch aus der stat verjagt.

Dis war der anfang des neuen christlichen regiments darnach stiessen sie die Munch uß / namen der closter und stifft gutter eyn / Da haben die Johanniter ein hoff gehabt und grosse rendt / den selben hoff nam Thomas eyn.

Und das er ynn allen spilen wer / gieng er auch mit zu rat / unnd gab fur / recht zusprechen muß durch offenbarung von Got / und durch die Bibel geschehen / also was yhm gefiel / sprach man zu recht / und hielt mans als sunderlich Gots befelh.

Er leret auch das alle guter gemeyn solten sein / wie in Actis Apostolorum geschriben steet / das sie die guter zusamen gethon haben / Da mit macht er den Boffel so mutwillig / das sie

nicht mer arbeiten wolten / sunder wo eym korn oder tuch von
notten war / gieng er zu eym reichen / wo er wolt / forderts aus
christlichem rechten / dann Christus wolt / man sollte teylen mit
den durfftigen / Wo dan ein reicher nicht willig gab was man
fordert / name man es yhm mit gewalt / diß geschahe von vielen /   5
auch theten es die so bey Thoma woneten ym Johanniter hoff / solch-
en mutwillen treyb Thomas / unnd meret teglich / unnd trewet
allen fursten yn der nachpurschafft das er sie wolt demuetigen.

Dis trib er fast ein jar lang / biß ynn das M. D. xxv. jar / da die
Baurschafft ynn Schwaben und Francken sich erregt / dann Thomas   10
so kune nicht war / das er ein lermen het angefangen / wie wol er
sagt / Got hets yhm bevolhen / biß das er verhofft er wurd ein
rucken haben an ⟨BBᵛ⟩ der außlendische Baurschafft / denn ynn
Francken mer dann xl. tausent man zu feld lagen ynn dreyen
hauffen / hetten die Edeleut verjagt / schier alle Schlosser verbrent 15
und geblundert.

Da meynt Thomas er wolt das stundlyn treffen / die Fursten
weren erschrocken / der Adel verjagt / die Baurn wurden das feld
behalten / und wolt auch ym spil sein / vnd sein reformation anfahen / und ließ sich horen ynn predigen die zeit wer komen / er   20
wolt schier zu feld ziehen / goß buchsen ym Parfusser kor / es
louffen auch das lanndtvolck mit hauffen gen Mulhausen / wolten
all reich werden.

Er het ein prediger bey yhm der hieß Pfeiffer / ein ausgelauffner
Munch / seer gut zum spil / frevel und mutwillig / der wolte ye den 25
ersten angriff thon / und gab fur / er het ein gesicht gehabt / daraus
er mercket das Got yhn fordert furt zu faren / er het ein traum
gehabt / wie er wer yn einem stal gewesen / unnd vil meuß gesehen /
die het er alle verjagt / darmit meynet er / het yhm Got angezeigt
er solt außziehen und allen Adel verjagen.   30

Und do Thomas uß forcht nit wolt vergunnen noch zu ziehen /
ward er seer mit Thoma zweytrechtig / trewet yhm hefftig / er wolt
yhn vertreiben / wo er yhn nit ziehen ließ und ym das volck ab-
schreckt / dann thoma wolt den angryff nit thon / er wer dann
starck gnug / und nit uß der stat komen / es hetten sich dan vorhin 35
die bauren allenthalb ynn der nachbaurschafft erreget. Darauff
schryb er dem Berckvolck zu Manßfeld ein seer teuffelischen brieff /
das sie solten uff die fursten schlagen wie uff den anbos Nemroth
Bynck Banck / er hoffte auch es solten die Frenckischen Baurn neher
gegen Duringen rucken.   40

33

Pfeyffer zog uß yns Eyßfelt / plundert Schlosser und kirchen / verjagt und fieng die Edeln / kam heym / bracht ⟨BBij^r⟩ vil raubs / da ward der gemeyn Bóffel beyssig / die weyls gluckt het / In dem erregten sich die Baurn zu Franckenhusen / nit weyt von Mulhusen
5 gelegen / sie fielen auch yn die Graffschafften Manßfeld unnd Stolberg / brachen und plunderten die Schlosser.

Do zog Thomas auß / denn er meynt es wer nun das gantz land der fursten abgefallen / und zog gen Franckenhusen mit drey hundert Buben von Mulhausen / und ward der Bófel yn allen
10 stetten wegig / Und wie wol die Sechsischen Fursten sich rusten den Bauren zuweren / und der Lantgraff von Hessen / und die Hertzogen von Brunswyg uff waren den lermen zustillen / doch hetten sie schier das spil versaumt / wo nit bald die baurn erschreckt wern worden / das sie sich auch seumten / unnd nicht furt zogen /
15 die stet eynzunemen.

Es fiel aber ein schreck yn die Baurn uß der ursach / do sich die Graffschafft Manßfelt emport het / und darumb alle Graffschafften die dran stossen / macht sich Graff Albrecht uff mit sechtzig pferden / und erstach zwey hundert do erschracken die baurn / und zogen
20 nit furt / sunder louffen all gen Franckenhusen / da zu warten biß der hauffe grosser wurde / unnd verzogen do / biß das die Fursten auch zusamenkamen.

Also zogen die Fursten Hertzog Johans zu Sachßen geschickten / Hertzog Georg zu Sachßen / Lanndtgraff Philips zu Hessen / und
25 hertzog Henrich von Brunswyg wider die baurn mit funffzehenhundert pferden / und nit vil fußvolck / Es hetten aber die Baurn yhr wagenburg geschlagen uff einen berg bey Franckenhusen / das man nicht wol zu yhn mocht mit den reysigen / doch hetten sie nicht vil geschutz / und harnisch / und waren gantz ungeschickt
30 unnd ungerust.

⟨BBij^v⟩ Solchs sahen die Fursten / und erbarmeten sich der torechten elenden leut / unnd namen handlung fur / sie abzumanen / und schickten zu yhn / das sie abzogen / und uberantworten die Hawptleut unnd anfenger des lermens / Die armen leut warn
35 erschrocken / und weren wol zuweisen gewesen / aber der Teuffel wolt sein mutwillen außrichten durch thoma / der trib den Thomam das er sie vermanet zubleiben / und sich zu weren / darumb trat er auff und redet also.

Lieben Bruder / Ir sehent das die Tyrannen unsere feynd da
40 seynd / unnd understehen sich uns zuerwurgen / und sind doch so

34

forchtsam / das sie uns nicht durffen angreiffen / und fordern das
yhr solt abziehen / solt die anfenger diser sach uberantworten / Nun
lieben Bruder / yhr wißt das ich solch sach aus Gottes bevelh hab
angefangen und nicht aus eygnem furnemen oder kunheit / denn ich
kein krieger mein tag nie gewesen bin / dweyl aber Gott mir munt-   5
lich gebotten hat aus zuziehen / bin ich schuldig und yhr alle / da
zubleiben unnd des ends zu warten / Es gebote Got Abraham
seinen son zu opffern / nun wißt Abraham nicht wie es geen solt /
dennoch volgt er Got / und fure furt / wolt das frum kind opffern
und todten / Da errettet Got Isaac / und behielt yhn beym leben.   10
Also auch wir / dweyl wir bevelh von Got haben / sollen wir des
ends warten / und Got lassen fur uns sorgen. Daruber aber hab ich
nicht zweyffel / es werde wol geratten / unnd wir werden disen
hewtigen tag Gottes hilff sehen / und unsere feynd alle vertilgen /
denn Got spricht offt ynn der schrifft er wolle den armen / den   15
fromen helffen / und die gotlosen außrotten / Nun synd wir yhe
die armen / unnd die Gott sein wort begern zuerhalten / darumb
sollen wir nit zweyfeln / es wirt gluck auff unser seytten sein / Was
synd aber ⟨BBiij^r⟩ die Fursten? sie synd nichts den Tyrannen /
schinden die leut / unser blut und schweys verthun sie mit hoffirn /   20
mit unnutzem bracht / mit hurn und buben / Es hat Got geboten
ynn Deuteronomio / es soll der kunig nicht vil pferdt bey sich
haben / und ein grossen bracht furen / auch soll ein kunig das gesatz
buch ynn henden teglich haben / Was thun aber unsere Fursten? sie
nemen sich des regiments nicht an / horen die armen leut nicht /   25
sprechen nicht recht / halten die strassen nicht reyn / weren nicht
mord und raub straffen kein frevel und mutwill / verteydingen
nicht witwen und weysen / helffen nit den armen zu recht / schaffen
nicht das die jugent recht erzogen wurde zu guten sitten / fordern
nicht Gots dienst / so doch umb solcher ursach willen Got oberkeit   30
eyngesetzt hat / sunder verderben allein die armen ye mer und mer
mit newen beschwerden / brauchen yhre macht nicht zu erhaltung
fridens / sonder zu eygenem trutz / das yhe einer seym nachpuren
starck genug sey / verderben land und leut mit unnotigem kriegen /
rauben / brennen / morden / das synd die furstlichen tugent da mit   35
sie ytzund umbgeen / Ir solt nicht gedencken / das got lenger solchs
leiden wolle / denn wie er die Cananeos vertilget hat / so wirt er
auch diese fursten vertilgen. Und ob schon solchs zuleiden were / so
kan doch Got das nicht leiden / das sie den falschen Gots dienst der
Pfaffen unnd Munch verteydingen wollen / wer weyß nicht was   40

greulicher abgotterey geschicht mit dem kauffen und verkauffen
ynn der Messe / wie Christus die kremer aus dem tempel stiesse /
so wirt er dise Pfaffen und was an yhn hanget verderben / und wie
Got Phinees gelobet hat / das er die hurerey mit Cosbi strafft / so
5 wirt uns Got gluck geben / der Pfaffen hurerey zustraffen. Darumb
seyt getrost / unnd thut Got den dienst / und vertilget diese untuchtige ⟨BBiijᵛ⟩ oberkeit / Dann was hilffs / ob wir schon friden
machten mit yhnen / denn sie wellen doch furt faren / uns nicht frey
lassen / treiben uns zu Abgotterey / nun synd wir schuldig lieber
10 zusterben / denn ynn yhre Abgotterey zuverwilligen Es were yhe
besser das wir Merterer wurden / denn das wir leiden / das uns das
Evangelion enzogen werd / und wir zu der Pfaffen mißbreuche
getrungen werden. Daruber weyß ich gewißlich / das Got uns helffen wirt / und uns sig geben / denn er hat mir mundtlich solchs zu-
15 gesagt unnd bevolhen / das ich alle stend soll reformiren / Es ist
nicht wunder das Got wenigen und ungerusten leuten sig gebe /
wider vil tusent / denn Gedeo mit wenig leuten / Jonathas mit
seym einigen knaben / vil tausent geschlagen haben / David ungerust / den grossen Goliath umbracht / Also hab ich nicht zweyffel /
20 es werd yetzund der gleychen geschehen / das wir wie wol ungerust
werden obligen / es mußt sich ehe himel und erden endern / dann
wir verlassen solten werden / wie sich das mehrs natur endert auff
das hilff den Israelischen geschach / do yhn Pharao nach eylet /
Laßt euch nicht erschrecken das schwach fleisch / und greyfft die
25 feynd kunlich an / dorfft das geschutz nicht forchten / dann yhr solt
sehen / das ich alle buchsenstein yn ermel fassen will / die sie gegen
uns schiessen / Ja yhr sehet das Got uff unser seytten ist / denn er
gibt uns yetzund ein zeichen / sehet yhr nicht den Regenbogen am
himel / der bedeut das Got uns die wir den Regenbogen ym panir
30 furen / helffen will / und trewt den mordrischen Fursten gericht und
straffe / Darumb seyt unerschrocken / unnd trostet euch gotlicher
hilff / und stelt euch zur were / es wil got nicht das yhr frid mit
den gotlosen Fursten machet.

So Thomas außgeredt het / war der merer teil entsetzet / wer
35 gern davon gewesen / und sahen wol / das das ⟨BB4ʳ⟩ wasser uber
die korb geen wolt / es was aber kein ordnung und kein regiment /
das man hette rat gehalten / was man thon solt / Auch waren ettliche mutwillig buben / die lust hetten zufechten / und yhn selbs
ungluck anzurichten / die dweyl sie gleich geist hetten / fielen sie
40 Thome zu / unnd nicht allein von der rede Thome wutend wurden /

36

sunder es bewegt sie vil mer der Regenbog der erschyn da Thomas
redet / denn dweyl sie ein Regenbogen ynn yhren fenlyn furten /
meynten sie Got het yhn ein zeichen geben des sigs / Auch was
der hauff zimlich gros / und lag wol / das sie meynten sie wolten
den Fursten starck gnug sein / dann es was der Bauren umb die   5
acht tausent / und schryen also etlich buben / man solt sich zur
were stellen / unnd huben anzusingen das gesang / Veni sancte
spiritus.

Also wart den Fursten kein antwort uff yhr anregen Es hette
auch Thomas ein jungen edelman / ein einigen sun eines alten mans   10
gesant mit andern yns leger / etwas zuwerben / erstechen lassen /
wider aller welt kriegßweys / Solches erzurnet die Fursten unnd
den adel seer / das sie hitzig auff die Baurn wurden / darumb blies
man auff / und ordnet den zeug / und der Lanndtgraff von Hessen /
der under den Fursten da selbst der jungst was / ritt umb den zeug /   15
unnd vermanet sie zuretten gemeynen friden / und redt also.

Lieben Freundt / Ir sehet die armen leut vor euch / wider die yhr
gefurt seyt / yhrem ungehorsam und frevel zu weren / Nun hat die
Fursten erbarmet yres elends / und haben wir mit ynen lassen
handeln / das sie abzogen / sich ergeben / und die hauptleut uber-   20
antworten / Auff solches geben sie kein antwort / und rusten sich
zuschlagen / so fordert es die gros not da gegen / das wir uns
weren / Darumb verman ich euch / das yr sie ritterlich angreifft /
und ⟨BB4ᵛ⟩ den trewlosen boswichten unnd mordern weret. Es
hatt der Teuffel die leut so geblendet / das sie yhn nicht wollen   25
radten oder helffen lassen / Denn wie wol sie grosse klage uber die
Fursten furen / dennoch ist kein ursach uff erden gnugsam / auffrur
zuerregen / und gewalt wider Oberkeit furnemen / Denn es ist ein
seer ernst gebot Gottes die oberkeit eern und furchten / darob Got
also gehalten hat das uffrur nie ungestrafft bliben ist / Denn Paulus   30
sagt Wer der oberkeit widerstrebt / wird gestrafft / denn oberkeit
ist geordnet von Got / darumb helt got also drob / das sie kein
creatur kan zerreyssen / Wie Gots ordnung ist / das tag und nacht
wirt / und mag kein mensch die sonnen vom himmel reissen / tag
und nacht weg nemen / Also wirt weder teuffel / noch des teuffels   35
Apostel die Muntzerischen bauren / wider geordnete oberkeit gluck
haben. Ich rede solchs nicht darumb das ich mich / als ein Furst /
schmucke / und der Bauren sache arg mache / sunder es ist die gantz
warheit / Ich weyß wol / das wir offt strefflich synd / denn wir
menschen synd / unnd uns offt vergreyffen / dennoch soll man   40

37

darumb nicht auffrur anrichten / Es gebeut Gott oberkeit zu eren /
dann aber soll man sie furnemlich eren / wan sie eer furnemlich
bedarff / nun bedarff oberkeit dann am meisten ere / wan sie ge-
schmecht wirt / villeicht auch gefelt hat / so sollen underthon sollich
5 schmach der Oberkeyt helffen tragen / zu eren bringen und decken /
wie Sem den blossen Noe decket / das man ynn friden und eynikeit
bey einander bleiben und leben muge. Was thun aber dise trewlosen
Boßwichte? sie decken nicht unsere fele / sonder machen sie mer
ruchtig / ja liegen auch vil hinzu / Denn es ist je erdicht und er-
10 logen / das wir nit gemeinen landsfriden halten / das wir nicht die
gericht bestellen / mord und rauberey yn lendern weren / Denn wir
nach unserm ver- ⟨CCʳ⟩ mugen / geflissen synd fridlich regiment
zuerhalten / Nun ist ye gering die burde die die unterthon an gelt
oder zinß tragen / gegen der sorg und mue die wir tragen / Aber
15 yederman acht sein beschwerden am grosten / was dagegen ander
leut leiden / will niemant ermessen / Die Baurn geben geringe zins /
darum sitzen sie sicher / mugen weib und kind erneren / mugen
kinder zu zucht unnd eern erziehen / Solch sicherheit zu unterhalten /
werden yhre zins angelegt / sag mir wem kompt der grost nutz
20 draus? den unterthonen / darumb synd yhre clagen nichtig / Es kan
aber nicht alles ym regiment gnugsam außgericht werden? ist war /
denn dis ist der welt gemein ungluck / es geredt doch das korn uff
dem feld nicht alle jar / darumb fordert Got das man die Oberkeit
ere / denn wen Oberkeit nicht felet / so stunde yhr eer nicht ynn
25 far / dweyl sie aber ynn far stet will sie Got schutzen / unnd hat das
gebot gemacht sie zu eren / Sie clagen aber das man yhn nicht
gestatten woll das Evangelium zuhoren / dennoch soll man darumb
nit uffrur anrichten / denn wie Christus Petro verbotten hat zufechten / so sol ein yeder / was er glawbt / verantwurten fur sich
30 selbst / will yhn oberkeit drob todten / sol ers leiden / und sol nit
zum schwert greiffen / und ander leut erregen / yhn mit gewalt
zuretten / Christus hat uber Petro do er fechten wolt ein erschrock-
lich urteil gefelt / das er des tods schuldig sey / Wer das schwert
nympt / soll mit dem schwert umbkomen / spricht Christus / und
35 hat sich selb ans creutz hencken lassen / also ist auffrur wider das
gebot und exempel Christi. Weytter so ist am tag das diser Muntzer
und sein anhang nit das Evangelium leret / sonder mord und raub /
es lestert niemant das Evangelium hoher / denn diese buben / die
under des heiligen namens schein / allen mutwillen treiben / Das ist
40 yhr Evangelion / den reichen das ⟨CCᵛ⟩ yhr nemen / andern weib

und kind zu schanden machen / oberkeit weg nemen / das yhn niemant weren mug / Solche grosse schmach des heiligen namens Evangelii lesset Got nicht ungerochen / denn er spricht ym andern gebot / das der nicht soll ungestrafft bleyben / der Gottes namen mißbrauch / Dweyl nun die Baurn so gros unrecht haben / lestern Got / schmehen yhre oberkeit / und haben keyn billich ursach des auffrurs / solt yhr sie getrost angreiffen als morder / unnd gemeinen friden helffen retten / fromen erbarn leuten helffen / ewre weib und kind schutzen wider dise morder / daran thut yhr Got ein gros gefallen / Und wie wol wir den elenden leuten / menschlicher weyß zurichten / starck gnug sein / dennoch wolt ich sie nit angreiffen / wenn ich nit wisst das ich recht thet / Dann Got hat uns das schwert geben / nicht mord mit zutreiben / sonder mort zu weren / So ich aber weys / das ich recht daran thue / will ich sie helffen straffen / unnd hab nicht zweyffel / Got werde helffen das wir sigen / dann er spricht / Wer der oberkeit widerstrebt / werde gestrafft.

Da der Landtgraff außgeredt het / ruckt man hinzu an die Baurn / und schoß ab / die armen leut aber die stunden da unnd sungen / Nun bitten wir den heiligen geist / gleich als wern sie wansinnig / schickten sich weder zur wer noch zur flucht / vil auch trosten sich der grossen zusag Thome / das Got hilff von himel erzeigen wurd / dweyl Thomas gesagt het / er wolt all schuß ynn die ermel fassen / Da man nun zu yhn yn die wagenburg brach / und sie begund erstechen / da wenten sich die elenden leut zu der flucht / der großer hauff gegen dem flecken Franckenhausen / ettlich auch uff die andern seytten vom berg / und ist kein gegenwere von den Bauren geschehen / dann ein heufflyn das ym tal vom berg sich zusamen gethon hette / das weret sich ⟨CCij^r⟩ ein weil gegen wenig reutern / dann auch der reysig zeug do er sahe das kein far / und gegenwer war / kein ordnung hielt / und sich also von einander gestreuet hetten / an dem ort machten sie ettlich wund / unnd felten zwen oder drey reysigen.

Do wurden die reysigen mer erzurnet / und erstachen nit allein dis heufflin / sunder was sie ynn der flucht ereylen mochten / und synd todt bliben bey funff tusent man.

Nach der schlacht ruckt man ynn Flecken / nam yhn eyn / unnd fieng bey den drey hundert man / die man da kopfft / Es war aber Thomas entrunnen ynn den Flecken Franckenhausen / ynn ein haus bey dem thor / nun het er wol mogen mitler zeit darvon komen / oder sich bas verbergen / wen Got nicht sunderlich gewolt het / das

39

er solt gefangen sein worden / es hette auch niemandt sunderlich achtung auff yhn / niemant sucht yhn auch.

Es war aber ein Lunenburgischer Edelman yn das selbig haus beym thor eyngezogen / des knecht geet ongefer hynauff uff die bune ym haus / will sehen was sie fur herberg haben / so findet er ein am bet ligen / gleich als ob er kranck were / spricht yhn an / und fraget wer er sey / ob er auch ein auffruriger sey / Nun het sich Thomas yns bet gelegt / gleich als wer er schwach / meynt er wolt sich also verbergen / und entrinnen / unnd antwort Thomas dem reuter / er sey ein krancker man / lig da und hab febres und sey seer schwach / er sey zu der uffrur nie komen / Der reuter fand ein deschen bey dem bet ligen / nympt sie / und meynet villeicht ein beut also zukriegen / da findet er brieff darynn / die Graff Albrecht von Manßfelt Thome geschriben hat / zu vermanen das er abstunde von seym mutwillen. Do fragt der reuter / wo her ym die brieff kemen ob er der Thomas sey / Thomas erschrack / unnd leugnet ⟨CCij^v⟩ erstlich / wolt der man nicht sein / doch bekant er zu letst do der reuter yhm trewet / also nam yhn der reuter gefangen solches ließ man die Fursten wissen / do schickten Hertzog Georg und der Landtgraff nach Thoma.

Do er fur die Fursten kam / fragten sie was er die armen leut gezigen het / das er sie also verfuret het / antwort er noch trutzlich / er het recht gethon / das er furgehabt het die Fursten zustraffen / die weil sie dem Evangelio wider weren / Der Landtgraff aber setzt an yhn / unnd beweret yhm aus der schrifft / das man die oberkeit eeren solt / das Got auffrur verbotten hett / das sunderlich den Christen nicht gebürt sich zu rechnen / ob schon yhn unrecht geschehe / darauff der elendt Muntzer nichts wißt zureden.

Es begab sich auch da / das man ym die thaumen stock enger zuschraubet / da schrey er / Hertzog Georg sagt aber drauff / Thoma / dis thut dir wee / aber es hat den armen leuten weer gethon hewte das man sie erstochen hat / die du ynn solch elend bracht hast / Antwort Thomas als ein besesner mensch / lachent / Sie habens nit anders wollen haben / Aus solchen freveln worten yederman spuren mocht das der Teuffel den menschen gar unsinig gemacht hette das er so gar kein erbarmen uber das elendt der erschlagnen leut het.

Darauff wardt er gen Heldrungen gefurt ynn thurn und da examinirt / Es geschah aber darumb / das man yhn gen Heldrungen schickt / dann er het Graff Ernsten von Manßfelt gen Helderung

ein trewbrieff geschriben / daryn geschriben stunden dise wort / Ich
far daher / Das aber Thomas seynes freveln trewen ynnen wurd /
ward er auff ein wagen gebunden / und fur also dahin.

Nach etlichen tagen wart Thomas ubel gemartert zu Helderung /
ynn der frag / darynn er bekant / das er vor ⟨CCiijʳ⟩ zeyten ein   5
schuler zu Hall gewesen / und angefangen dazu mal ein bundt zumachen / die Christenheit zu reformiren / darnach aber hab er
solchen bundt zu Alstet aber angefangen / und zu letst zu Mulhausen / hab gehofft / da die Bauren ynn Schwaben sich enport
haben / er wolt raum haben ein lermen anzurichten / Er ist auch ynn   10
Schwaben gezogen yhr furnemen zuerfarn / aber er sagt / es het
yhm yhr furnemen nicht gefallen / sie hetten yhn auch nicht horen
wollen / Auch zeigt er an die namen seiner Bundsgenossen zu Alstet
und Mulhausen.

Weyter ist er nicht gefragt worden / von seinen Revelationibus /   15
oder was yhn bewegt hette solchen lermen anzufahen / Es ist auch
unweißlich gehandelt / dweyl er sich gotlicher offenbarung gerumpt
hat / das man nicht hatt gefragt / ob er solches erdicht hab / oder ob
der Teuffel yn mit gesichten verfurt hab / solches wer nutzlich zu-
wissen.   20

Nach etlichen tagen synd die Fursten fur Mulhusen zogen / welche
stat sich yhn ergeben hat / da haben die Fursten ein hauffen auffrurischer kopfft / unnd under denen auch den Pfeyffer / da hyn
hat man Thomam auch yns leger gefurt / und yhn da kopfft.

Er ist aber seer kleinmutig gewest ynn der selben letsten not /   25
und also mit sich selbst verirret / das er den glawben nicht allein hat
kunden betten / sundern hat yhm Hertzog Henrich von Brunschwyg
vor gebet / Er hat auch offenlich bekant / er hab unrecht gethon /
und doch ym ring die Fursten vermant / sie wolten den armen
leuten nicht also hart sein / so durfften sie solcher far nicht furter   30
warten / und sagt / sie solten Libros Regum lesen / Nach sollicher
red ist er gekopfft worden / der kopff darnach auff ein spis gesteckt
yns feldt / zu einer gedechtnus.

Dis endt Thome Muntzers ist wol zu bedencken / uff ⟨CCiijᵛ⟩
das ein yeder dabey lern / das man nicht soll glewben denen die sich   35
rumen gotlicher offenbarung / so sie etwas fur haben wider die
schrifft / dann Got leßt nicht ungerochen wie geschriben stet ym
andern gebot / Non habebit Deus insontem etc.

Auch sollen wir lernen / wie hart Got straffe ungehorsam und
auffrur wider die Oberkeit / dann Got hat geboten die Oberkeit zu   40

eeren / und der selben gehorsam zusein Darumb wer dawider handelt / den leßt Got nicht ungestrafft / wie Paulus spricht zun Romern am xiij. capitel / Wer der oberkeit widerstrebt / der wirt gestrafft werden.

5 Also ist diß jar an andern orten allen wie ynn Thuringen auffrur gestrafft worden / unnd die Oberkeyt durch Gott wunderlich wider grosse macht der auffrurigen erhalten worden / Sollich exempel alls sunderliche geschicht von Got / billich sollen ynn gedechtnus der nachkommen bleyben / unnd mit hohem fleys uffgeschriben werden.

10 Getruckt zu Hagenaw durch Johannem Secerium.

Auslegung des

XIX Psalm. Coeli
enarrat/durch Thomas Mun
tzer an seyner besten iunger
einen/auff new prophetisch/
nicht nach der einfeltikeit des
wort Gotes/sonder aus der le
bendigen stimme vom hymel.

Auslegung des selben

Psalms/ wie yhn S. Pauel
auslegt nach der einfeltikeit
der Apostel/vnd nach der
meinung Dauids.
Johan Agricola Isleben
Wittemberg. M D XXV.

Auslegung des xix. Psalm. Coeli enarrant / durch Thomas
Muntzer an seyner besten junger einen / auff new prophetisch /
nicht nach der einfeltikeit des wort Gotes / sonder aus der
lebendigen stimme vom hymel.
5 Auslegung des selben Psalms / wie yhn S. Pauel auslegt nach
der einfeltikeit der Apostel / und nach der meinung Davids.
Johan Agricola Isleben
Wittemberg. MDXXV.

Dem wyrdigen Ern Johan Ruhel Doctor etc.
10 Johan Agricola Ißleben. Gnad und frid von Gott.

Der Prophete Hiob am .41. sagt von Behemoth unter andern
zeichen / man sol yhn da bey kennen / Das aus seinem munde
faren fackeln und feurige brende / aus seyner nasen gehet rauch
wie von heyssen tôpffen und kesseln / aus seynem munde gehen
15 flammen / seyn odem ist gluende kolen / Er hat eynen starcken halß /
und ist seyn lust wenn er etwas verderbt / Denn da zu Christus
zeytten und hernach das reyne klare Evangelion durch die apostel
ynn alle welt gepredigt ward / feyrete der Sathan nicht / und er-
wecket falsche aposteln und prediger / die mit mancherley Secten
20 und kezereyen das Evangelion verdunckelten / hetzten die weltt-
lichen fursten und Konige an die Christen / bis so lange das Evangelion / der glaube und Gotts gesetze geschwiegen / und die werck /
menschen gesetze / durch den Antichrist mit gewalt eyngefüret seyn
worden. So sich ⟨a ijr⟩ aber Gott auß hertzlicher barmhertzikeyt /
25 widderumb durch seyn Evangelion der welt und sonderlich Deutschen landen eroffnet hat / aus dem finsternis darynne wir gefangen
waren / durch seyn wort ynn das licht und hellen tag gesetzt hat /
wil der Sathan abermals seyner art nach / sich unterstehen / das
wort widder weck zunemen / erweckt newe geyster / die sich
30 rhûmen der schrifft / auch des heyligen geysts meyster / und wissen
doch nicht / die armen / elenden / blinden leutt / wo von sie sagen /
odder was sie setzen / wollen leren und konnen doch nicht leren /
brüsten sich und werffen sich auff / mit prechtigen / hohen / schwul-

stigen wortten / wilche der heylige geyst taddelt und fur eynen
grewel hat / als da sind / Studierung / Verwunderung Langkweyl /
Entgrobung / Besprengung / besitzer des besitzers stadt / und dergleichen / eyttele / unnutze / vergebliche wortt / damit sie dem
unordigen pöffel / maul und nassen auffsperren / gleich als sey es   5
eytel kostlich ding / und gleich als stünde von Christo nicht geschrieben psalm. lxxvij In parabolis aperiam os meum / das ist / Christus
sol feyn eynfeltig und mit gemeynen worten leren die leutte / wie
auch seyn gantzes leben nicht anders aussweysset / mit worten und
wercken.   10

   Von Christo und seyner leer sagt Esai. am xlij. Er sol den heyden
das gericht verkundigen / Er wird nicht zancken nach schreyen etc.
Das ist / wo Christus geprediget wird / da wird auch zugleich ver-
dammet alles was ausser halb ⟨a ij^v⟩ yhm ist / auff das / wer sich
bessert / zittert / erschrickt fur dem urteyl / das niemand könne   15
ausser halb Christus selig werden / nicht zustossen sondern angesteckt werde / nicht verlesche sondern denerst / ynn der tödtung des
alten menschen / durch das wort Gottes angangen / lebe und erfur-
breche.

   Vom teuffel und seyner lere sagt Hiob / Er solle hoch eynher   20
faren / mit hohen seltzamen worten / damit er gedenckt nidder zu
schlahen alles was Gott durch Christum eynfeldigk predigen lest
Gotts reych stedt ynn der krafft / wilcher die wortt folgen von yhn
selbs .i. Chor. iiij. des teuffels reych / stedt ynn ertzwungen / ge-
nöttigeten wortten / ohne krafft / Christus reych wirckt vergebung 25
der sunden / wo warhafftig sunde seyn / Des teuffels reych wirckt
beschwerung der gewissen wo keyn beschwerung ist / Dis alles aber
ist also war ynn allen diesen geystern / die sich ytzund also auff-
blasen / das sie auch Christum nicht annhemen / als der das gesetze
erfullet hab fur uns / wie denn diese auslegung des xviij. Psalms   30
Thomas Muntzers unverschampt meldet. Aus wilchem stuck ich
hochlich verursacht / Thomas Muntzers schrifft / durch den druck /
außzugehen lassen / auff das alle welt greyffen müge / wie sich der
teuffel Gote gedenckt gleich zumachen / Das das sprichwort ya war
bleybe. Der teuffel ist unsers Herrgotts affe / und das auch / Der   35
teuffel kan alles verbergen one die fusse / das ist / endlich mus er
sich sehen lassen / wie denn auch dise geyster eygentlich ⟨a iij^r⟩ genug sich dargeben / wie sie mörder seyn von anbegynne / wie yhr
vatter. Johannis am viij / Es sol aber aussgehen ynn ewrem nhamen.
Syntemal yhr neben andern gehörtt habt / und wisset wie jemmer-   40

45

lich die leurte bey euch / durch diesen geyst betört und verfurtt seyn / das sie / wen sie sollen yhrer lerhe ursach geben / widder keesen konnen nach eyerlegen / und wollen doch von yderman ankunfft haben des glaubens / und wie sie sagen / den glauben be-
5 rechnet nemen / die wort / lernen sie nach reden und bleyben wort / die krafft volget aber nicht / Darumb ist es nicht Gottes reych / wie wyr ynn diesem psalm klerlich sehen werden.

Suo dilecto Cris. Meni. Thomas Munczer

Der geyst der weysheyt / und die erkentnis Gottes kunst / sey mit
10 *euch / hertzenhafftiger Brueder.*

Erstlich habt acht auff des geystes weysse die leutte zu Gotte zu-bringen / Dieser man zu den Thomas Muntzer schreybt / hat gebeten umb eyn unterricht des rechten weges zur selickeyt / Darauff S. Jho. und S. Paul geantwortet hetten / henge dich an Christum / an den
15 gleube / so wirstu das ewige leben erlangen / So weisset yhn dieser geyst yns rauchloch / und wescht vom xviij. Psalm / der do lernt / wie sich Got lest durchs Evangelion erkennen das da krefftig ist durch Christus gehorsam / den er dem vatter geleystet hat / das niemandt weyß / er selbs auch nicht / ab es gehawen odder gestochen
20 ist / wie folgen wird.
   Sihe auch auff den newen grus / Christus saget zu seynen jungern / sie sollen seyns sterbens und aufferstehens zeugen seyn / Luce am letsten / wie sie auch mit der thatt beweyset haben / Und wo sie yn eyn haus gehen / sollen sie ⟨a iiij^r⟩ yderman den frid anbitten /
25 gnade wunschen Luce am .x. ynn seynem namen puss predigen und vergebung der sunden / Luce .xxiiij. also das er sey der weg zum vatter etc. So fertt dieser geyst frisch furuber / und wil one mittel ynn den geyst hyneyn / und ynn die kunst Gottes / also kucken dem teuffel die füsse herfur / das yr Christum den mittler und
30 gnaden thron Roma. iij. hinweg fetze / und sich selbs zu Christo mache / wie wol Gott keyn andere weyse hat sich mit uns zuver-sünen / denn durch das blutt seynes sones Eph .i. Coloss .i. daran wyr erkennen seynen gutten willen zu uns / Susse ding ist es also ym gedancken mit Gott spielen / aber es nimpt ein boss ende / wie
35 Salomo sagt / Wer zu viel honig ist / dem ists nicht gutt / und wer schweer dinck forschet / dem wirds zu schweer. Gott hat seynen son

46

eyn mal yns fleyschs / geworffen / da wird er sich finden lassen /
Wer nu hinnauff klettert ynn den hymel / und wil mit Gott one
Christum handeln / der wird den hymel leer finden / Gottes feylen /
und den hals sturtzen / Denn so sagt Christus. Niemand kômet
zum vatter denn durch mich etc. Menschen oren und augen konnen   5
Gott widder sehen nach hôren / odder mûssen sterben. Joha .i.
Niemand hatt Gott yhe gesehen / der eyngeporne son / der ynn des
Vatters schos ist / der hats uns verkundiget / Derhalben auch die
Aposteln wunschen den Christlichen gemeynen allenthalben / das
zu nhemen ynn dem erkentnis Jhesu Christi / wil- ⟨a iiijᵛ⟩ wilche   10
erkentnis uns zum vatter leytet / ynn wilchem wyr gewar werden /
wie der Vatter gegen uns gesynnet ist / Das wie er des sons verschonet / unser auch verschonen will / Den son lest er ynn die helle
sincken / sterben / vom teuffel auffs hohste versucht werden / alle
bossheyt und gifft auff yhn ausspeyen / und errett yhn dennoch /   15
furtt seyn sache aus / macht yhn zu eynem Hernn aller dinge ynn
hymel und auff erden / ynn wilchem spiegel ich gewiß bin / es solle
myr der keyns schaden / Dieweyl ich friede habe / den Christus
gemacht hat / mit allem das ym hymmel ist oben / und auff erden
hyrunden Ephe. i. Das were nach der Apostel weysse / die rechte   20
Studierung erkentnis Gottes kunst / und der geyst der weysheytt /
den Christus erworben hat / und gibt den die sich also / umb erret-
tung willen / von der sunde / yhrs gewissens / vom tode und zorn
Gottes / an yhn hengen / Syntemal aber dieser geyst ynn diesem
gantzen Psalm / der auff diese weyse gottes kunst lernet / wie wyr   25
dahinden hôren wollen / nicht mit eynem worte / der lere gedenckt /
ist es klar das er rasend und unsinnig ist / und nichts uber all weyss
von dem geyst der weysheyt / odder Gottes kunst / wie wol er die
wort mechtig und hoh eyn her furet.

Ich spûre yn ewrem brieffe gantz emsige begyr zur warheytt.   30
Darumb das yhr also manichfaltigen vleys fur- ⟨aʳ⟩ *furwendet*
zu fragen / nach dem rechten wege.

Hie sihestu / was dieser frum man gesucht hat / da er Thomas
Muntzer umb eyn unterricht / wie ich droben gesagt / durch seyn
schrifft gebeten hat / nehmlich / wie er sich yn seyne lere / die er   35
zum offternmal gehôret / schicken môchte / und des eynen rechten
waren grund uber kommen / darauff er bald antworten wird / das
es niemand widder verstehen nach außlegen kan.

47

Wilcher euch am aller sichersten zuerkennen wird / ynn der
reynen furcht Gottis am .xviij. Psalm. Celi enarrant etc.

Dieweyl sich dieser geyst unterstehet die leute / den weg der
warheyt zuleren / so müssen wyr recht zu treffen / und antzeygen /
5 wo mit er umb gehe /

Den spruch Proverbiorum am .ix. Der weysheyt anfang ist des
HERRN furcht / furet dieser geyst also / das ehr auffs leyden / das
sie yhn selbs erwelen / dringe / wilchs erweltes leyden Christus ver-
potten hat Mathei am .xv. / Die kinder des breutgams kőnnen
10 nicht fasten / dieweyl der breutgam bey yhn ist / etc. Denn Gott
wil / wyr sollen seyn also warten / das wyr das tragen / das er uns
aufflegt / und nicht tragen das wyr erwelen / So wil auch Salomon
nichts anders / den wenn die weysheyt eyn haus bawet / ⟨a v^v⟩ das
ist / eyne gemeyne berufft / so welet sie dazu sieben sewlen / das
15 ist / viel lerer und prediger / schlachtet yhr vihe / tregt weyn auff
und richt eyn tisch zu / Das ist / Gott lest durch seyn wortt beruffen
die albern / auff das sie klug werden / die unwitzigen auff das sie
weyse werden / Und das geschicht auff diese weysse. Gott lest durch
seyn wortt / die albern yhr alberkeyt erkennen / auff das yhn
20 gefalle die klugkheyt Gottes / dieweyl sie alle bekennen müssen /
yhre gedancken und furnemen sey eytel torheyt / und vermügen
nichts ynn den dingen die Gott angehen / ya furen sie von Gotte /
Also untergeben sie sich Gottes willen und wortte / gleuben /
trawen / lieben / und dancken Gott / der sie zu solchem licht und
25 erkentnis hat geruffen durch seyn wort. Fürchten yhn auch und
bitten / er wolt yhn diese erkentnis seyn selbs nicht widder entzihen.
Psalmo .l. Deyn heyligen geyst nym nicht von myr / Lernen also
mit liebe und furcht Gott dienen. Wie Psalm. .ij. geschrieben stehet /
Dienet dem HERRN mit furcht / und frewet euch mit zittern / und
30 Paulus schreybet Philip. .ij. Volstreckt ewre selickeyt mit furcht
und zittern / denn Gott ists / der ynn euch wirckt / beyde das wollen
und das thun / darumb das er eyn wolgefallen an euch hat. Auff
die weyse verstet man nu / wie der anfang der weyscheyt sey die
furcht Gottes / das ist / das man Gott machen lasse / und folge
35 ymmer fort seynem wort nach / denn es ist warhafftig. Dis folgen
und ⟨a6^r⟩ untergeben nennet die schrifftt den gehorsam / wilchen
das Evangelion auffricht unter allen heyden Roma .i. Und das
sonderliche werck Gottes Johan. am .vi. Das ist Gottes werck / das
yhr an den gleubt / den er gesand hat.

Nu feret dieser geyst zu / und macht eynen andern anfang zum werck Gottes / und fûret die furcht des HERRN auff yhre studierung wilches nichts anders ist / denn eyn erdichter lôsser gedancken / menschlicher vernunfft / geschweygt der liebe und glaubens / wilche entspringen aus der predige von der weisheit Gottes / wie kostlich und lieblich sie ist / und vernewert die alte sophistrey / wie alle die / die auff den weg Gottes treten / anheben an dem grewel yhrer sunden / auch / es stehe bey uns dis werck Gottes anzufahen / Aber Gott erkleret es darnach mit seynem gesetze / wie du bald horen wirst.

Aber was ist das anders / denn Gottes gnade und Christum verleugnen / und den freyen willen widder auffrichten. So lauffen ahn / alle die etwas newes wollen herfur bringen / davon Gott nichts lernet / auch nichts davon zu leren bevohlen hat.

S. Pauel sagt Ephe. .i. Coloss. .i. Wie Gott seyne heyligen auß dem reych der finsternis / ynn das reych des sons seyner liebe / gesetz hat / damit er betzeuget / es sey eygentlich und sonderlich Gottes werck / der kônne es alleyne / das hertze erleuchten / und zu yhm locken / ⟨a6ᵛ⟩ durch die freuntlickeyt uns ynn seynem son erzeyget / wie Christus sagt. Niemand kômmet zu myr der vatter zihe yhn denne. Noch ist disser teuffel also unsynnig / und errichtet eyne eygene studierung / darynnen er anfehet Gottes werck zuwircken / wilchs das gesetze und Gottes wortt hernach aller erst erklere / furhin ist es aber one das wortt Gottes da gewest / aber nicht verstanden / nicht erkandt / Diesen yrthum / wie ungôtlich er ist / wirstu erkennen wenn du dahinden diss Psalms rechte aus legung lesen wirst.

Da wird euch durch den heyligen geyst angesagt / wie yhr mûst lernen durch das leyden / Gottes werck / ym gesetz erklert / euch zum ersten die augen eroffnet werden mûssen /

Hie sihestu was ich gesagt habe / das sie ynn yhrem erwelten / ertichten / leyden / das werck Gottes anfahen / So doch das werck Gottes / der glaube / leyden mitbringt und gebierd. Psalmo .v. nicht das leyden Gottes werck /

Yhr mûst eyn wort ymmer jegen das ander halten / und die betrachtung ewres hertzen dahin richten / da die sonne aus warem ursprung auffgehet / nach der langen nacht. Psalmo .129. Wer die nacht nicht erlitten hat / kan nicht die kunst Gottes / die ⟨a7ʳ⟩

die nacht verkundiget der nacht / nach wilcher erst das rechte
wort erforer gezeygt wird am hellen tage. Johannis am .viij. und
am .xi.

Sihe lieber sihe / wie der geyst gauckelt / wie er das hunderte
ynns tausente wirfft / auff das es ja finster und tunckel sey / das
man yhn nicht ergreyffe / aber die fůsse ragen yhm herfur / er
berge sich wie er wolle. Hie lernt dieser geyst was die studierung
sey / nach der entgrobung / wenn sie sich nahet der verwunderung.
Entgrobung heyset er das waldrechten / das leyden / Mortificacio-
nem / tödtung des fleysches angefangen fur dem wortt Gottes und
gesetze / wilche tödtung sie bringet zur studierung / dadurch yhn
die augen erstlich eroffnet werden / wie er hie lallet / Da helt er
schrifft gen schrifft / sprüch gegen sprüch / richtet das hertz darauff /
lest sich důncken er richte es darauff / helt dich daran / doch also / das
er furhin sehe wo er hinnauss solle / denn hie trawen sie Got nicht
umb eyn har breyt / verwundern sich aber / der sprüche die sie von
Gott gehort haben / wie er solle der rechte besitzer seyn yn der seele /
sprechen / wie wen es nicht so were / Ey solt Gott eyn solcher seyn /
wie wen nichts dran were / wie wen es nicht so were? wer wolt dichs
gewiss machen / itzund bin ich ynn der nacht / wie kome ich zum
rechten liechte / und hie engsten / nottigen und zwingen sie sich
selbs mit gedancken / und haben mit dem lieben ⟨a7ᵛ⟩ Gotte / den
sie hie eben halten als eyn botzman / also viel zuschaffen als hetten
sie yhn ynn eyner reusen / were gefangen und můßte thun was sie
wolden / Hie kan der arme Gott nyrgend hyn / er muss halten /
heben an Got zu lestern / wilchs sie doch unter yhre tůgende
rechen / und heyssen es / ynn der beweglichkeyt stehen / und
sprechen / Dieweyl ich denn also ungewiss bin / was ich von Gott
halten soll / und er hat gesagt / er wolle es eynem ydern geben /
der es begert / so wird Gott nicht Got seyn / weil er mit mir selbs
nicht rechtet besitzt mich und bericht meine seele / wes sie sich
halten soll / gehen also etliche tage und wochen / beschliessen ynn
yhren gedancken / Sie haben schlecht keynen Gott nicht / Es sey
keyn Gott / das heyssen sie denn den tieffen unglauben / das er
denn eigentlich ist / und leider al zu tieff und gantz bodenloss.
Nach diesem gehen sie ynn eynen wald alleyne / odder krichen
sonst ynn eyn winckel / speyen gen hymmel / trotzen und puchen
Gott und sprechen. Herre hymmelischer vatter / gibt myr ynn meyn
hertz die ausgestrackte lust zu deyner gerechtikeyt / auff das ich den

tieffsten unglauben uberwinde / durch deyne gerechtikeyt / und
wisse wes ich mich halten solle / wo nicht so wil ich dich und alle
deyne Apostel verleugnen / das heyst hie dieser geyst mit ver-
blőmbten wortten (denn er schemet sich feyn / deck er es zu / und
lest doch die fůsse herfur ragen) die betrachtung des hertzen da hyn   5
richten / da die sonne aus warem ursprung auffgehe / nach ⟨a8ʳ⟩
der langen nacht.

Wenn nu dis geschicht / das sie gen hymmel gespeien und Gott
also getrotzt haben / So ist dem armen Gotte viel an den leutten gelegen / er mus fortt / er mus kommen / wo sol er hyn? Also kommet   10
der besitzer ynn das ynwendigste / ynn des besitzers stad / besitzet
sie / vergottet sie / und gibt yhn eyn gewiss urteyl ynn yhr hertz /
das sie von eym itzlichen wortt urteylen kőnnen / werden Got gleich
solche hymelische propheten / durch die lebendige stymme / und
engelische geyster / wie du hie leyder an diesem armen menschen   15
sihest / und ich an seynen bundgenossen itzt newlich gesehen habe /
die aller weltt leyb und seele verderben. Dis ist die besprengung
und bereytung / Und hie meynen sie denn sie haben die rechte kunst
Gottes uberkommen / die sonne ist yhn auss yhrem waren ursprunge
auffgangen / die nacht ist hyn / der tag hat yhn geleuchtet / sie seyn   20
des rechten besitzers satt worden / das wort scheynt am hellen tage /
Solche leute sollen predigen / denn sie seyn Gottskůnstener worden /
da die nacht der nacht (das ist der tieffe unglauben / gen hymel
speyen und Gott lestern) die kunst Gottes verkundigte / und seyn
Jacob gleich / davon der .cxxix. Psal. sagt / sie haben gewart die   25
nacht durch bis widder an den morgen / wie itzt folgen wird /

Aber lieber Hergott / Wen solt doch dieser leutte blindheyt / und
Gotts offentliche lesterung nicht erbarmen und erynnern / des schatzs
⟨a8ᵛ⟩ den uns Gott itzund durch seyn Evangelion widderumb geben
hat / davor yhm eyn itzlicher Christ genug zudancken hatt / die-   30
weyl es so leichtlich ist / und doch grewlich / von Gott abzufallen /
wenn er zulest / das uns unser ehr bestehet / gutt / gelt / odder
ander ding. Sie machen sich Christo gleich / treten an seyne statt mit
Got unerschrocken zureden / der doch so eyn hohe maiestet ist / und
den weg zu yhm zukommen / durch Jesum Christum unsern Hern /   35
auss milter gnaden uns gezeyget hat / also / das wer auff eyn andere weysse yhn fuche seyn feylen solle / Denn sie gedencken
Christus nicht eyn eyniges mal / den Sant Pauel mit solchem ernst
treybet an allen ortten / wo Gottes gedacht wird. Auch allegirt der
geyst den .c. und .xxix. Psalm / darynne er seyn Gotts lestern und   40

51

angenomene nacht und den tieffsten unglauben / dem harten tod-
kampff Jacobs / da yhm Gott absagt / vergleichet / So doch alle
schrifft das leyden wil getragen haben als sey es eyn gnediges murter
steupen / wenn es Gott aufflegt / darynen wyr stehen und rhůmen
5 uns der hoffnung etc. Wilchs leyden wirckt gedult / gedult gebyrtt
erfarung / die erfarung bringt hoffnung / hoffnung lest nicht zu-
schanden werden / Denn die liebe Gottes ist ausgossen ynn unser
hertz / durch den heyligen geyst wilcher uns geben ist / zun Rhô-
mern am .v. nicht das wyr erwelen / wie dieser teuffel thut mit
10 seynem ertichten wahn vom leyden.

⟨Br⟩ *Hymelische menschen mussen es seyn / die den preyss Gottes*
mit nachteyl yrhes namens suchen / man mus alle augenblick ynn
der ertodtung des fleyschs wandelen / sonderlich das unser name
den Gottlosen heßlich stincke / denn kan eyn versuchter / Gottes
15 *namen predigen / und der zuhorer / mus vorhin Christum haben*
horen predigen / ynn seynem hertzen / durch den geyst der forcht
Gottes / do kan ym der recht prediger zeugnis genung zugeben /
Die werck des hende Gottes mussen die ersten verwunderung von
von Gott uberweyset haben / es ist sonst alles predigen unde
20 *schreyben verloren / Wer ynn solchem ding stetlich geubt wird /*
der kan alle rede vornemen / mit unstrefflichem urteyl solcher
menschen namhafftige unterricht / mus erschallen ynn die gantze
welt an alle grentze der gotlosen / auff das sie sich mit yrher
unsinnigen ⟨Bv⟩ gewalt entsetzen / fur dem der sie durch den
25 *andern Jehu wird unterrichten .4. Regum .9.*

Bis hieher hat der geyst seynen glauben berechnet / und eynen
eyngang gemacht zum Psalm / wie du gehoret hast / Erst gryfft er
zum Psalm / und legt yhn aus / also geystlich / das sich der geyst
verleurt / und kan vor grosser verwunderung und langweyl / ya
30 wansinnikeit und rasen nichts anders sagen / denn die hymmel vôr-
kundigen den preis Gottes / das ist / hymelische menschen versucht
ynn leiden / die den creaturn entrissen seyn / als er und seyn
gleichen / felt Gott ynn seyn gerichte / heist die alleyne hymelische
menschen / welche berte tragen / ym anhangen / lassen sich von yhm
35 ausschreiben / die andern seyn alle Gottlose / für denen stincken sie
als die Gott durchgeysteten durch die verwunderung / gen hymelspeiung und lesterung Gottes / Das seyn die prediger.
Wo nu solche vorsuchte prediger seyn / die do aus der langen
nacht / ynn den kortzen tag / ynn den waren ursprung der sonnen

und des monds / und aller gestirn kommen seyn / do konnen sie alleyn verstanden werden / von den / die Christum furhin haben ym hertzen horen predigen / durch den geyst der forcht Gottes.

Da da horestu das brausen und schnauben der teuf- ⟨Bij^r⟩ fels nasen / da Hiob von sagt.

Erstlich massen sie sich an eyns Gottlichen wercks / und sagen sie seyn die leut die andere sollen frum machen / Zum andern setzen sie sich uber Christum / also das yhr predige hoher sey / denn Christus predige / machen aus Christo eynen Mosen der die leutte schrecke und verdamme / und yhn sey befolen als den rechten predigern (Christus ist eyn lincker prediger) Christus predige ym hertzen geschehen / zumeystern und zubestetigen.

Summa disser teuffel setzt sich an Gottes stadt / und understeht sich die leute from zu machen / und reyst doch hinwegk / das mittel / dadurch man sol from machen / wie auch disser Psalm klerlich außdruckt / Gott will man sol das Evangelion mit leiplicher stim predigen / man sol es auch mit leiplichen eusserlichen orhen horen / und wens also eusserlich predigt wird und gehort / so wirckt er durchs wort ym hertzen / und rufft die / die er wil haben / Aber disser geyst keret es umb / und geyget ymmer auff der alten ban / und sagt / Christus mus die furcht ym hertzen geprediget haben / ehr man das wort hore.

Ja dis ist der heuptpunct / darinne disser teuffel so greulich anleufft / Er sihet es geschicht ym schade durch die mundliche predig des Evangelij / die Gott widderumb gnediglich hat lassen auff gehen / man horet es / man gleubt yhm / ⟨Bij^v⟩ seyn reich wird gemindert / darumb wolt er es gern widder hinreissen / die leutte auff eyn winckel jagen / Gottes auff eyn andere weyse zu warten / den er befolen hat. Nu konnen sie nicht fur uber / disser Psalm dringet zuhart drauff / und spricht das dis sey die ankunfft aller seltkeit (yhr richtscheit ist ausgangen ynn alle land / und yhr rede an der welt ende / ehr hat der sonnen eyn hutten ynn den selben gemacht) Das ist / Gott schickt prediger / die gesand seyn vorkundigen Gottes wortt / man hort sie / Got ist neben dem eusserlichen wortt / ruret etlichen leiplichen zuhorern das hertze durch seynen geist wilchen Christus erworben hat durch seyn blut / Man gleubt dem wort / man erkennet Gottes gute / und hat lust am wort Gottes / man wird den sunden feind / man rufft umb hulffe / Gott gibt hulffe / das ist denn selikeit / Rhoma .i. und Rhoma .x. Und auff die weyse ist das Evangelion / das eusserlich geprediget wird und

gehort / wenn es durchs ohr ynns hertz fellet / eyne krafft Gottes
zur selikeit / allen die dran gleuben / Rhoman .i.

Von disser predige aber weicht disser teuffel zur seitten aus / hebt
eyn newes an / gehet mit der lebendigen stimme von hymel umb /
studiert die weil und verwundert sich / lest sich bereynen / und
werden so verstockt und ungelert / das sie wedder yhr trewme /
nach die reyne lere des Evangelij verstehen konnen / wie ich itzt
⟨Biij^r⟩ ynn den Ostern selbs gesehen und mit schmertzen gehort
habe.

Ich mus alhie ertzelen eyn exempel disses geistes / das eyn yder
sehen muge / wo mit disser teuffel umbgehet / und wie fern er den
creaturen entrissen sey. Thomas Muntzers weib hat yhm auff den
ostertag Anno etc. xxiiij. eynen jungen son bracht / Nun seyn etliche
aus der unsern die zeit zu Alstet gewesen / und ist das schossers
weib da selbst kommen zu Thomas Muntzer / und gesagt / Er
Magister / Gott hat euch eyn jungen erben geben / des solt yhr yhm
dancken / Darauff hat Thomas keyn wort geantwort / auch keyn
zeichen von sich geben / als sey es yhm lieb / das yhn Gott begnadet
hat mit eym sohn. Do aber die schosserin widder hinwegk ist gangen / hat sich Thomas umbkert zu den unsern / und gesagt / Nu
sehet yhr furwar / das ich den creaturen gantz entrissen bin. Ach
des elenden teuffels / regen yhm doch altzeit die klawen erfur / Gott
lest der natur yhren gang / wie er sie geschaffen hat / weil es seynes
namens ehre nicht betrifft / das auch die freude der lieben vetter und
Patriarchen / die sie hatten uber yhre kinder / hoch ynn der schrifft
gelobet wird denn Abraham hies seinen sohn fur freuden Isaac /
lachen / Und Gott will das wyr an der liebe / die wyr zu unsern kindern tragen / lernen sollen / wie seyne liebe gegen uns seynen kindern
gethan sey / wilche. S. Pauel Philostorgian ⟨Biij^v⟩ heist / ehre suchen
sie / und die wird vor yhn fliehen / Denn wer ehre sucht / fur dem
fleuhet sie / wer sie aber nicht sucht / zu dem kommet sie.

Dis seind nu die versuchten und geubten prediger / aus der langweil / mit yren zuhorern / ynn welchen die werck der hende Gottes
denn tiffsten unglauben ynn der verwunderung und lesterung uberwunden haben / das ist / wenn sie der teuffel also gefast hat / das sie
yhm nicht entlauffen mügen / Die prediger geben zeugnis genug /
die zuhorer entpfahen des gezeugnis / doch also / das Christus dahinten bleibe / darynne du fur augen sihest / wie disses teuffels art
ist / das geistlich zumachen und ynnerlich / das Gott euserlich und
leiblich haben wil.

Nu wirstu hie weitter sehen / wie sie das eusserlich und leiplich machen / das Gott ynnerlich und geystlich haben will / und hie wird sich der teuffel fein selbs fahen.

Der geyst sagt / wer ynn solchen dingen stetlich geubt wird / der kan alle rede vernemen mit unstrefflichem urteyl / unde solcher menschen namhafftige unterricht mus erschallen durch die gantze welt / an alle grentze der Gottlosen / auff das sie sich yhrer unsinnigen gewalt entsetzen / fur dem / der sie durch den anderen Jehu wird unterrichtem. iiij. Regum .ix.

Hie faren dem teuffel aus seinem munde fakeln / feurige brende und flammen / seyn hals ist hie starck / und hie euget die lust / die er hat ⟨Biiij^r⟩ etwas guts / zuverderben / Disse predige und disser geubter prediger stimme / die weil sie eyn unstrefflich urteil ynn yhren hertzen haben sal mit feusten dreyn slahen / und mit fussen auff die Gottlosen tretten / Das wortt Gottes und predig ampt sal die hertzen stil machen die hand zung und alle gelider / einzihen / yhn yhr luste benemen / todslag weren / hass und neid dempffen / die hende vom todslag / mord und reuberey abziehen / Ephe. vi. also das es wircke eynen geistlichen fride / So speiet disser teuffel hie fewr / und wil Jehu seyn aller Gottlosen / das ist aller die nicht berte tragen / die nicht eyn geschriben seyn / die nicht getrauwen zehen Gotlosen mit eynem filtzhutte zutodt zuwerffen / zuerwurgen / und wie Thomas itzt neulich geschriben hat / frisch hemmern / und binck banck binck banck spilen auff dem amboss Nymroth.

Doch bitte hie alle die dis lesen werden / sie wolten doch umb Gottes willen dissen teuffel kennen lernen / das er eyn morder ist von anfang / unde alle seyn studierung / verwunderung und langweil / da hyn gericht sey / das er wurge unde todslahe.

Sie haben drey bucher / darauss sie die urtteyl Gottes studieren / die funff bucher Mosi / dareyn sie rechen Josua und Judicum / die bucher Samuels / und Hiob / wu ynn dissen buchern gedacht wird eynes mordes / als vom Abraham / Josua et cetera / ⟨Biiij^v⟩ so deutten sie es auff sich / sie seyn Moses / Josua / Abraham etc. Widderumb alle die keyn berte tragen und widder sie halten / seyn Gotlose uber die haben sie recht zutodten und zu morden.

Anno .Mcxxv. Sonntag quasi modo geniti frue / ward eyn Thomist gefragt zu Eisleben / da hin der teuffel seynen samen starck gesehet hat / ist auch starck auff gangen / was er vom worte Gotts hielde / antwort er / wie ers von dissem teuffel gelernt hatte / er hette ynn seynem hertzen eyn unstrefflich urteil aller leere und

wortt Gottes / da fragt man weitter / was doch das urteil were /
antwort er wie vor / er hett es ym hertzen / und wust es gewiss.
Fragt man / ist denn das urteil der glaub? sagt er ja. Fragt man /
wie kompt man zum glauben? da schweigt er / Denn hie sollen sie
bekennen / wie sie gen hymel speyn / und aus der studierung ynn
verwunderung komen / wie ich droben ertzelet habe / so schemen
sie sich / bergens und schweigen / wie Thomas auch selbs thutt /
(Denn disser man zu dem Thomas dissen Psalm geschrieben / hat
mich bericht / er hab Thomam selbs gefragt / wie er doch zum
glauben komen solle / und Thomas habe geantwortet / er konne es
yhm nicht gesagen / sunder er muste dartzu komen / wie er darzu
komen were / Also machen sie die gewissen blöde / und wenn sy
sie trosten sollen / wissen sie widder weise noch rad / das thutt der
heylige geyst eygentlich nicht / sondern er lernt ⟨Bvʳ⟩ offentlich
und und trostet sichtiklich / Da ward er weyter gefragt / ob man
zum glauben keme durch das gehöre / wie S. Pauel lernet? Sagt er /
Ja. Was ist den das gehore? Das wort Gottes. Was ist denn das wort
Gotes / ist es nicht das Evangelion? Ja. Was ist Evangelion? Antwort er mit nidergeschlagenem kopffe / er wuste es nicht / er wer
der schrifft nicht fast bericht / er kunde auff solche frage nicht ant-
worrten / und disser war durchs gantze land beruffen / er hette
gesichte und trewme / und were under disser rotte eyn Capitener.
Also verfuret der teuffel die leutte / blendt und verstockt sie / das
sie widder Gott noch seynes sons Evangelion wissen / und schreien
sich doch aus / als seyn sie die ausserwelten.

Des andern tags hernacher war eyner aus den furnemsten disser
teuffels schülen / und do er raum gewan zureden / sagt er / da man
yhn fragt was er itzund von seynem schülmeister Thomas Muntzer
hielde / die weil er fur augen sehe / er ginge mir mordereye und
rottereye umb / er kunde es nicht richten / Denn alles was Thomas
auch eusserlich tette / wer eyn geistlich / nicht eyn leiplich / ynnerlich / nicht eusserlich todten und morden / Und do es weitter zureden kam / sprach er / man drunge seere auff Christum / was man
wol eym thun wolde / der eyn Jude were / und hielte / Christus
were nie yns fleisch auff erden geboren / ob er drumb nicht ⟨Bvᵛ⟩
kund selig werden / wenn er (per impossibile) ynn Gott gleubt?

Es ist lecherlich und doch grewlich / wenn man Gottes gericht
ansihet / das Thomas stedts bey sich hat / eynen alten man und eyn
jungen / die haben alle nacht trewm und gesicht / und des morgens
legt er die trewme und gesichte aus / dar von predigt er und schreiet

denn gleich als kund der teuffel / die armen leut nicht also mit larven und gesichten verfuren.

Das ertzele ich darumme / das eyn yeder sehe wie weit disse arme elende leute von Gotte sein abgelauffen / und wie yhnen / die weyl sie Gottes wortt verachten / new fundlin finden / und sundigen auff 5 Gotts barmhertzikeyt / mit zorn und ungnaden gelonet wird / und wyr / die wyr das liecht haben / ursach gewinnen uns fur Got zufurchten / ynn seynem erkentnis und liechte wandeln / und eynen vatter nennen / der uns fur solchem grewlichem fall gnediklich wolle behutten / AMEN. 10

Got ist eyn freuntlicher breutgam syner gelibten / er lest sie allererst verworffene dinstmegde seyn / bys das er sie bewere / do sicht er an die nydrigen ding / und verwirfft die hohen. Psal. Cxij. i. Regum .ij. Deuter .xxxij.

David ym geist verkundiget / wie es sol mit dem Evangelio zu- 15 gehen / nemlich das es verkun- ⟨B6ʳ⟩ digen werde Christum die ewige ware sonne / die do lauffen wird von eym ende der welt / bis ans ander ende / das ist / das Evangelion werde ausgepredigt werden uber alles was lebt auff erden / welche predigt das wircken sol / das sie verkundige Christus sey eyn breutgam / der do fried und 20 freud uns gemacht hat mit Gotte und allen das do ist ym hymel droben und auff erden herunden Eph. i. Coloss. i. welchs do seyen die reichen schetze die Gott durch Christum zugeben verheissen hatte / das ynn Christo alles das susse / lustigk / lieblich / und seliklich sey / das fur Christus zukunfft und ausgang aus der schlaffka- 25 mer / schrecklich war und verdamplich. Alse wan das gesetze Gottes sagt / du solt Gott lieben uber alle ding / adder must sterben / Du solt nichts begeren /adder must sterben / so ist es myr eyn unfruntlich wort / Wen aber das Evangelio kompt / und sagt der breutgam ist hie / wer des stymme horet der ist seyn freund Joh. iij. so ist myr 30 das gesetze nicht meer schrecklich sondern heilig / kostlich / gold und silber wie es hie auch auff die weyse der prophet ausstreycht / und Petrus beweisset auff dem berge Thabor Luce. x.

So fert dysser schwartze teuffel eynher mit seyner verwunderung / leiden tieffstem unglauben / lallet und schwatzt vergebens / und 35 weis selbs nicht was / furets entlich widderumb auff das eusserliche werck Gottes / auff die Gottlosen zutodten und wurgen wie folget.

⟨B6ᵛ⟩ Die allegat aus dem psalm / Samuel und Mose / lautten alle von den / die fur der welt unrecht und gewalt leiden beschwerd

57

und underdruckt werden / der schutzer wil Gott seyn / Denn hoch
sitzt er / aber tieff sihet her / So zeuhet er es wie du sehen wirst /
auff sich und seyne rotte / den Gott als den verachten und stinckenden fur der welt / gewalt geben habe / die gottlosen todtzuslahen.

5   *Es scheynt wie die Gottlosen / ewig solten das regiment behalten /*
    aber der breutgam kummet aus der schlaffkamer wie ein gewal-
    tiger der wol betzecht ist / der es alles verschlaffen hat / was
    seyn gesinde anricht / Psalm. lxxvij. Ach do mussen wyr bitten /
    ich meyne es sey tzeyt / Exurge quare obdormis. Da hat der
10 *HERRE ja ynn dem schifflein geschlaffen / das der storm wynde*
    der frechen gottlosen / das schyffleyn gantz schier zubodem ge-
    worffen hette / Do steht der breutgam auff von seyner schlaff-
    kamer / wenn man die stimme ⟨B7ʳ⟩ *des warhafftigen besitzers*
    ynn der sele horet / Johan. iij. Darnach frawen sich alle auser-
15 *weleten mit Jhesu / sagen Luce am. xij. Ich mus mit eyner andern*
    tauffe ubergossen werden / denn mit der tauffe Johannis / und
    ich werde seere gepeyniget / das ich solchs volfuere. Das stymmet
    gleych eyn mit dissem Psalm. Exultavit ut gigas / Er ist wunsam
    gewesen / wie ein riese seyne strasse / zuwandern.

20 Hie sihestu aber mals den dampff und rauch der teuffels nasen /
    denn er heist leiden nichts anders / denn die gotlosen zu todtslahen /
    der breutgam ist nu auch kein ander breutgam / denn ein blutbreut-
    gam / wie Moses weib uber Moses schreit / das ist / das sie blut
    vergiessen sollen / also gar kan der teuffel seyn eygen schalckheit
25 nicht schweigen / ja er mus aus Gottes gericht und urteil seyn eygen
    namen ausschreien / wie der kukuck / und wie der wolff schreiet /
    lam lam / also schreit der teuffel / slahe todt die Gott losen / slahe
    todt die Gottlosen / wenn er auch von der rechten leere / darynne
    er etwas vermeint zuseyn / sall reden / Disses greuwels und flammen
30 ⟨B7ᵛ⟩ des teuffels / hat Thomas zu Alstet zeichen gelassen / das /
    wenn man ynn der Messe die Epistel lass / so sang man alweg
    hinden dran / des teuffels reim / den er furet.

Man soll die fursten zu todt slahen / und yhr heuser vor-
brennen.

35 *Wan eyn mensche seynes ursprungs gewar wyrd / ym wylden*
    meer seyner begegnung / Wan erh nun mitten ym schwanck ist /
    so mus er thun wie eyn fisch der dem faulen wasser von oben

ernydder nachgangen ist / kert widderumb / schwymmet / klim-
met das wasser widder nauff / auff das er ynn seynen ersten ur-
sprung muege kommen / Die ausserweleten muegen nicht zu
weytt von Gote kommen Ehr sendet aus seyn fewer Luce .xij.
fur wilchem sich niemand verbergen kan / das es seyn hertz 5
seyne gewissen nicht ⟨B8ʳ⟩ *solt treyben / Wye wol die auser-*
welten mechtige grosse sunde thun / treybt sie doch das fewr
yhres gewissens / zum ekel und grewel der sunden / Wenn sie
solchs betrubniss und grewels wilfertig des selben pflegten / den
konnen sie nicht sundigen / Das heys ich die langweyll / die den 10
wollustigen schweynen so spottisch ynn die nasen geett.

Wie gerne ist doch der teuffel unsers Hergottes affe / wie gerne
wer der teuffel Gott / Disser man ist nun bericht des weges zu Gott /
auff das aller ertigst und so einfeltig und ordentlich / das es Thomas
gewislich selbs nicht verstehet / itzund leret er yhn weitter / wie er 15
sich halten sol / wenn er underweylen des wercks Gottes nicht recht
warnympt / das ist / das er die frechen Gottlosen nicht erwurget /
und wie er widder ynn seynen ersten ursprung komen sall / hie
mussen disse auserwelten eytel stockfische werden / feintlich lecken /
zappeln unde swimmen / auff das sie ja nicht vernunfftig bleiben 20
sonder thierer werden.
Ynn der Christlichen kirchen seyn zwey stucke / die Christus Luce
ultimo befylt seynen jun- ⟨B8ᵛ⟩ gern zu predigen ynn seynem
namen / buss und vergebung der sunden / Welche nun von yhren
sunden entpunden seyn / und gnad / trost und stercke yhrer ge- 25
wissen / erlanget haben / den gehort das sie ye mher unde mher
fortfaren yhren beruff zuvolstrecken / wenn sie dem volgen / der
ynn yhn / durchs wortt zuwircken hat angefangen / auff das von
yhn gesagt sey / Wer do hat / dem wirt gegeben werden / also /
wenn eyner aus dissen von fleisch und blut ubereylet / ynn sunde 30
fiele / widderumb auffstehe durch des namen und heyliges wort /
der yhn erstlich zu seynem liechte beruffen hatt / Jhesus Christus
unser HERR / das die zwo predigen von der buss und vergebung
der sunden / gehen sollen bis ans ende der welt an auffhoren / und
treffen alles was auff erden lebet / daran wyr zulernen uberley 35
genug haben / weil wyr hie seyn auff erden / das S. Pauel nennet /
zunhemen ym erkentenisse Christi / das wyr erkennen / das fleisch
und blut stets kempffe widder den geyst / Rhom. vij. Und ab es
schon etwas an uns erlange / doch nicht schade / die weil wyr gerne

wolten fleischs und bluts los seyn / Rhoman. viij. Daher denn gehoret der text Matthei. xvi. du solt nicht sieben mal vergeben /
sonder siebentzig mal sieben mal.

Dis alles das die schrifft gibt dem wortt Gottes / durch wilchs
5 Gott alleyne seyn gnade uns furtregt / schenckt und eyngeust / darnach ⟨Cʳ⟩ dreybt / ubet / schneyttelt / beschneyt die weynreben /
die do stehen ym weynstock / Johan .xv. wunschen zuletzt dis
fleysch zugelosen und mit Christo nach der todtung des alten Adams /
widderaufferstehen und ewigklich regiren / kurtzumb die busse /
10 die wyr thun unser lebenlang nennet disser geyst die langweyle /
und gibt es uber dem freyen willen / das es an den liege / die fische
seyn ym wilden merhe / widder uber sich zu schwimmen / wenn sie
gewar werden des eckels der sunde / das denn nicht war ist / und
Gott nicht leyden kan / des gnade durch Christum uns ertzeiget /
15 durch disse lere geschmehet / und auffs hoste gelestert wird.

Disser teuffel sagt / Wenn eyn mensch seyner sunde gewar wyrd /
so treybe yhn der eckel der sunde zu Gott / und ynn die studierung
und ynn die verwunderung / das ist auff gutt deutsch gesagt / der
mensch kan von yhm selbst Gott kennen / und bedarff Christus
20 nyrgend zu / Widderumb / wenn er auss seym ersten ursprung /
dareyn er eyn mal kommen ist / abfellet / so klimmet und wimnet
er so lange / und ist ynn der langweyle / bis er widder hyneyn
kompt / das ist auff deutsch gesagt / der mensche hat keyne sunde
so gross / er kan yhr von yhm selbst loss werden / und bedarff
25 Christus nyrgend zu / Das heyst ja / meyn ich / Got gelestert / Und
das durffen sie noch rhumen / Gott leere sie es / wenn er mit yhn
redet / unde dis sey die stymme des ⟨Cᵛ⟩ warhafftigen besitzers /
die ym hertzen gehortt wird.

Gott sagt aber / durch Christum ym Evangelio / kommen wir zu
30 yhm / und wenn wyr von yhm fallen auss schwacheyt unsers fleyschs
so rufft uns Christus geyst widder zu Gotte / der fur uns bittet und
flehet / Gott wolde uns unsere sunde nicht fur sunde rechen / hilfft
uns / reicht uns die handt ynn der nott und sterckt unser schwacheyt /
Rhoma. viij. disse hulffe aber haben die armen leutte nie entpfun-
35 den / darrumb mussen sie die Gotte recht vertrauwen wollustige
schweyne heyssen / denn sie sind disses geystes unwirdig / werden
auch von yhm nicht regiret / sondern von dem / der also durch sie /
aus seyner nasen rauch dampff und aus seynem halse flammen und
feur speyt / dardurch er des warhafftigen geysts lere gedenckt un-
40 terzudrucken / Aber Gott wird es yhm weren / Amen.

Welche vorfluchen das alte Testament / disputiren vil aus Paulo von wercken / verschumpiren das gesetze auffs eusserlichste / und haben dennoch nicht die meynung Pauli / solten sie auch zu prasten.

Sta hans sta / wie reist sich hie der geyst / wie lebt er / wie tobet er / wie ist er dem Paulo also feynd / er thut hie eben als wenn Christus ⟨Cijʳ⟩ von den menschen die teuffel austreybt / er weys yhe nyrgend zu bleyben / ist gifftig auff die / die langweyl nicht annhemen / die weyl sie Christum ym alten testament / den vettern verheyschen / annhemen und gleuben / der das gesetze fur uns erfullet / die wand zurissen / und unsere handtschrifft / erobert / das ist / uns von sund und gewissen erlediget / vom teuffel gefreyt / ym todt gestercket / Aber sihe zu / wie feyn er von dem gesetze predigen wird.

Das gesetze Gottes ist klar / erleüchtet die augen der ausserwelten / macht starblint die gottlosen / ist eyn untadliche lere / wenn der geyst der rechten / reynen forcht Gottes / dadurch ercleret wirdt / welchs geschicht / wenn eyn mensche seynen hals fur die warheyt setzet / wie Christus sagt Luce xij.

Sehe da hastus / wiltu nach mehr vom gesetze? Ich meyne ja sey anders aus S. Pauel getzogen / denn die wollustigen schweyne thun / der geyst kans / gesetze heyst nicht das den zorn wircke / ja es macht das eyn mensche seyn hals setzet fur die warheyt / also gar weys der geyst nicht was er lallet / gybt dem buchstaben und ⟨Cijᵛ⟩ dem freyen willen / das er sol Christo geben / der alles lieblich macht auch den tod / was sunst schrecklich ist / wie droben aus S. Paul. Ephe. i. beweyset ist / Das es war sey / wie ich ym ersten gesagt habe / des teuffels reich habe grosse / prechtige wort ane krafft / Christus reich aber hatt schlechte / eynfeltige / gerynge wortt / und vill krafft / Der teuffel wolt gerne auch offentlich / gleich wie ym hertzen Christum und alle seyne Apostell / das ist seyn Evangelion verleucken wie sie sich ynn der verwunderung / ym tieffsten unglauben / ynn der speyung gen hymel horen lassen / yhn auch leyder alltzubald widerfert / und mummelt doch / als wolt er sie bleyben lassen / denn sie liegen yhm ym weg / und er kan nicht furuber und wolt doch gerne / Nu er wird sich noch bas erfur thun.

Paulus hat solche werck des gesetzs gebotten / kurtzumb / sie seyn
auch von notten / wie wol die gottlosen eytel sophistischen und
den gedichten Paulum erfur brengen Das Paulum keyn mal ge-
treumet hat / mus yhr allegat seyn / aus zum teuffel mit solchen
predigern / Paulus sagt von den losen lumpen / do die gottlosen
die ausserweleten mit verfuren / do kommen den ⟨Ciijʳ⟩ unser
lose freche bachanten / und meynen sie haben es troffen / wan sie
nur das 4. Capittel Rho. allegirn / wie Abraham umbsunst Gottes
gnade uberkommen habe / nemen aber nicht dartzu das xv. Ca-
pitel genesis und den .31. psalm. Beati quorum / werden ym sel-
ben Capitel durch Paulum allegiret / wie der mensche durch
maniche stacheln seynes gewissens / von Gott zu erklerung der
gnaden / die schon vor hyn drynnen ym hertzen wonet / getrieben
wird.

Ich meyne ja er hab es yhm gesagt / lauff myr mehr nach / Aber
hilff Gott wie hewet sich der geyst selbs ynn seyne zungen / das
grosse stucke eraus fallen / Er solt hie das maul auff thun und recht
von dem ortt reden / denn es eben der ist / der unser selickeyt betrifft / und an welchem disser teuffel den tod frist / das weyss er
woll / darumb schewet er sich / und will nicht hynan / Das gehore
des worts sol er leyplich bleyben lassen / so macht ers geystlich /
unde wandelt die leyplich stymme des predigers ynn eyn lebendige
stymme des geystes / der ym hertzen redet / Hie keret er es aber
umb / macht die gere- ⟨Ciijᵛ⟩ chtikeyt / die alleyne fur Gott giltt /
die er sol ynnerlich und geystlich bleyben lassen / eusserlich und
leyplich / Denn er sagt unverschampt / wyr werden frum fur Gotte
nicht aus lauttern gnaden / sondernn durch maniche stachel unsers
gewyssens etc. Das ist durch werck und den fryen willen des menschen.

Er bewerd auch seyn ding hindersich / Denn der .31. psalm sagt ja
klerlich / wie ynn auch S. Pauel anzeuhet / das die alleyne selig
sind / welchen Gott die sunde zudeckt / unde nicht fur sunde rechnet / welchs ja gnade ist / nicht verdinst / Des gleichen thut auch
das .xv. capittel Genesis / da es klar wird / wie Abraham gegleubt
hat / und ist fur Gott gerecht geacht / ehe ehr yrgend eyn werck
than hatte.

Summa / der teuffel mus yhm selbs eyn eygens machen / und aus
Gottes gericht sich selbs mit seym eygen swerd slahen / wie er allzeyt pflegt also seyn lohn zuentpfahen.

So hoch als Paulus auff den glauben treybtt ane vordinst der
werck / also hoch treyb ich auffs werck Gottes zu leyden Esa. 5.
Joh. vi.

Was will hieraus werden / Itzund newlich hat er gescholden auff
die falschen deuter San. Pauels / und gesagt / er gepiete die werck /   5
ist ⟨Ciiijʳ⟩ auch ubel zu frieden gewest / das S. Pauel solt Abraham
frum machen ane werck / und hie bekennet er offentlich widder sich
selbs / S. Pauel gehe dar mit umb und dringe darauff / Es werden
alle menschen seligk aus lauttern gnaden / ane vordinst der werck /
setzet widder S. Pauel / das S. Pauel dort auffdringe / er hierauff /   10
Aber es gehet zu / wie er droben gesagt hat / yhr breutgam geet aus
der schlaffkamer / und ist wol bezecht / und hat es alles verschlaffen / ya freylich verschlaffen / er wird ynn dissen sachen die Gott
angehen / nymmer mehr auffwachen / die yhm auch folgen / werden
dissen weg nymmermer treffen.   15

Ich concordiere mit Paulo / und nicht mit unsern schriffgelerten /
die es stuckweysicher weyse / aus yhm gestolen haben wie die
thiere des bauches Philipp. iij / das ist / die vordampten leyden
nicht die wirckung Gottes.

Hie merck auff wie der teuffel schneubet   20

Darum tichten sie Christum zu eynem erfuller des gesetzes / auff
das ⟨Ciiijᵛ⟩ sie durch angebung seynes Creutzes / das werck
Gottes nicht durffen leyden / Darumb ist die selbige faule /
wormfressige Theologey / den alten phantasten allenthalben zu-
vergleichen mit dem meyster ynn der dornheck   25

Wie phantisiert der Sathan / wie gutte satanische possen reyst er /
Christus hat das gesetze nicht erfullet / sunder / wyr / wyr mussens
erfullen aus uns selber / als solt er sagen / Bibel / bubel / babel /
Christus / Chrestus / Chrima / Christus ist nie auff erden kummen /
es ist eyttell erlogen / erticht ding mit Christo / es ist eyn lautter   30
angebung seynes creutzes / ey es ist nichts darhinter. Umb Gottes
willen was wunderen wyr uns ab disser Sathan / solch mord und
ungluck ynn der welt stiffte / so er das unverschampt darff reden /
Syntemal S. Pauel / den ich nun allererst erkenne / warumb yhn
Gott vom hymel herab eyn auserweltes vas / nehmlich dem teuffel   35
zutrotz / geheyssen hatt / so klerlich spricht Rhoma. iij. Nu aber ist

ane zuthun des gesetzes / die gerechtikeyt / die vor Gott gilt offenbart / betzeugt durch das gesetze und die propheten / Ich sage aber
von solcher gerechtikeyt fůr Gott / die do kompt durch den glauben
an Jhesum Christ / zu allen und auff alle / ⟨C5ʳ⟩ die do gleuben /
5 Gal. ij. Doch weyl wyr wissen das der mensch durch die werck des
gesetzes nicht rechtfertig wird / sondern durch den glauben an
Jhesum Christ / so haben wyr auch an Jhesum Christ gegleubet /
auff das wyr gerechtfertiget werden / durch den glauben an Jhesu
Christ / und nicht durch die werck des gesetzs / Den so durchs gesetz
10 gerechtikeyt kompt / so ist Christus vergeblich gestorben / Gala.
iiij. Christus aber hat uns erloset von der vermaledeyung des gesetzes / do er ward eyn vermaledeyung fur uns etc.

Die gerechtigkeyt Gottes mus unsern unglauben so lange erwur-
gen / bys das wyr erkennen das aller lust sunde ist / und wie wyr
15 *durch die luste zuverteydingen also hoch vertocket werden / do*
mus der mensche emsig seyn / das yhm die heymlichen luste / die
mechtig / hinderlistig seyn / zuverstehen gegeben werden / Wenn
der mensche do keyn entsetzen hat / lest er sich die luste regieren /
Bebegen thut yhn genug / dan ist yhm widder zuratten nach zu-
20 *helffen / Das hat Paulus gantz sicherlich verkundigt 2. thimo iij.*
Er saget / es werden die leutte wollustig seyn / liebha- ⟨C5ᵛ⟩ *ber*
der luste / und werden sagen / man konne das werck Gottes nicht
erleyden / nicht verstehen / das ist / sie werden verleugnen die
studierung die betrachtung des gesetzs / das das werck Gottes
25 *erkant wird / Do habt yhr kurtze auslegung uber den 18. psalm*
sendet myr abschrifft adder copey des selben / Anno 1524 die
lune post primam dominicam trinitatis.

Wie trotzig redt der teuffel widder Gott / und ist sunst also ver-
tzagt / wenn er soll leyden / Des heyligen geysts rechtschaffene
30 kinder / seyn mutig ym leyden und sterben fur der welt / furchtsam
und erschrocken fur Gott / Psalm. cxlij. HERRE gehe mit deynem
diener nicht yns gerichte / Widderumb des teuffels gelydmasse laden
auff sich Gottes gerichte und gerechtigkeyt / denn sie seyn schon
bereyd drynnen / und Gottes gericht ist allbereyd uber sie gangen /
35 wenn er sie wannsinnig und blind macht / und wenn sie yrgend
sollen stehen fur der gewald / do es yhn das leben kost / so ver-
bleychen und verstummen sie / wie allen dissen geschehen ist / und
ich von .D. C. Th. M. D. S. und yhren genössen gesehen habe. Gottes

64

kinder trotzen auff Gott / denn sie haben eynen Gott / der uber yhn
⟨C6r⟩ heltt. Disse geyster sagen / wenn sie ghen hymel speyen / sie
haben keynen Gott / und wo er nicht will zu yhn kommen und mit
yhn reden / so wollen sie yhn verleucknen / das beweysen sie auch
groblich / das sie yhn verleucknet haben / und haben keynen Gott /   5
wenn es zum treffen kompt / denn er helt nicht ober yhn / sonder
lest sie sincken und vertzagen.

Er kompt hie widder ynn die langweyle / darynne der mensche
muss emsig und gemuehet seyn / gleych als sey es als an yhm gelegen / und sagt nicht eyn mal / wu man solle ym schrecken des tods   10
(Ja sie konnen es auch nicht) ynn far der sunden / ynn beschwerung
der gewissen / beladen mit sunden / hulffe suchen und finden / und
machen ubel erger.

Aber S. Pauel / mit dem hie disser geyst concordiert eben wie der
kreps fursich gehet / sagt / Der geyst der kindschafft / der ynn uns   15
hatt angefangen zu wircken / seufftzet und bitt fur uns / et auxilia-
tur infirmitatibus nostris / hilfft uns die burden tragen / auff das
wyr bestehen mugen ynn der anfechtung. Rhoma. viij.

Den spruch Pauli zu Timotheo furet er also / das alle die
wollustige schweyn seyn / und liebhaber der luste / die Christum   20
also predigen und gleuben / das er habe dem tode die stachel genomen etc. wie S. Pauel lernet aus Osea ij. Corin. xv. Auff das er ja
das leipliche luste mache / welche sollen ynn Christo geystlich seyn
⟨C6v⟩ wie seyn art ist / Er hatt lust dran / sagt Hiob / das er
etwas verderben muege.   25

Der xviij psalm.

Eyn psalm Davids hoch zu singen

i Die hymel ertzelen die ehre Gottes / und die feste ver-
kundet seyner hende werck.

ii Eyn tag sagts dem andern / und eyne nacht thuts der   30
andern kund.

iii Es ist keyne sprach nach rede / da man nicht yhre
stymme hőre.

iiii Yhr richtschnur ist aus gangen ynn alle land / und yhr
rede an der welt ende. Er hat der Sonnen eyne hutten ynn den   35
selben gemacht.

IIII Und dieselb gehet her aus / wie eyn breutgam aus seyner kamer / ⟨C7ʳ⟩ und ist frô wie eyn held zu lauffen den
weg.

VI Sie gehet auff an eym ende des hymels / und leufft umb
bis widder an das selb ende und bleybt nichts fur yhrer hitze
verborgen.

VII Das gesetze des HERRN ist on wandel / und erquickt
die seele / das tzeugnis des HERRN ist gewis / und macht
weyse die albern.

VIII Die rechte des HERRN sind richtig und erfrawten das
hertze / Die gepott des HERRN sind lautter / und erleuchten
die augen.

VIIII Die furcht des HERRN ist reyn und bleybt ewigklich
Die sitten des HERRN sind rechtschaffen allesampt gerecht.

X Sie sind kostlicher denn gold und viel feyns golds / Sie
sind susser den honig und honig seym.

XI Auch ist deyn knecht fursichtig durch sie worden Denn
er hats ⟨C7ᵛ⟩ grossen gewin wer sie heltt.

XII Wer merckt auff die feyle / mache mich reyn von den
heymlichen.

XIII Auch behalt deynen knecht fur den stoltzen / das sie
nicht uber mich hirschen / so werde ich on wandel seyn / und
unschuldig bleyben fur grosser missethat.

XIIII Las dyr wolgefallen die rede meyns mundes und das
gesprech meyns hertzen fur dyr.

XV HERR meyn hort und erlôser.

Disser psalm ist der psalm eyner darynne Gott das Evangelion
von seynem son durch seyne propheten ynn der heyligen schrifft versprochen hat zu geben / wie S. Pauel anzeugt Rho. i. Darnach legt
S. Pauel Rho. x. dissen psalm auff die weyse aus / das er eygentlich
beschreybe / wie durch die Apostell / die er hie heyst hymel und
festen / das Evangelion solle und ist ynn alle welt gepredigt worden / denn er spricht / der hymel richtschnur ist ausgangen ynn al-
⟨C8ʳ⟩ le welt? Auch was Evangelion sey und wurzu es diene.

Zum ersten mercke / wie der heylige geyst auszubreyten und zu
vormeren Gottes lob und namen / also ertig braucht seyner creaturen / denn wie er sonst pflegt zu seynen ehren / der schlangen
klugheyt / des lewen stercke / der tauben eynfalt / des senffkorns /
bienen / und emsen und anderer thierer eygenschafft und natur zu-

gebrauchen / also vergleicht er alhie auch die prediger des Evangelions den hymeln und festen des hymels und wie wol die geystliche
deuttung / das man nennet Allegoriam nicht sall stadt haben / So
zwinget hie doch der text mir gewalt / das man muss etwas anders
durch die hymel verstehen / den die hymel / die wyr fur augen   5
sehen.

1 Die hymel ertzelen die ehre Gottes und die feste verkun-
det seyner hende werck.

Die prediger heyssen darum hymel / das gleich wie die hymel
Gottes sitz und stuel seyn / Esa. lxvi. Also wonet Gott und ruwet   10
ynn den die seyn wort vorkundigen und seyner hende werck /
Festen aber darumb / das gleich wie das firmament und feste des
hymels schwebt und helt zwischen den wassern die uber und under
den hymmeln seyn / Ge. i. Also werden widder die / die Gottes ehre
bekennen / die pforten der hellen nichts vermugen / Matt. xvi.   15
Psal. ixc.

⟨C8ᵛ⟩ Hiraus volget das die selbigen Apostel fur Gott hymel
und festen seyn werden / fur der welt aber hellen und schwacheyt /
wie S. Pauel sagt .ij. Corin. vi. Wyr seyn wie die durfftigen und
machen doch vill leutte reiche / wie die do sterben / und leben   20
doch etc.

Disse hymel unde feste verkundigen zwey ding / Gottes erhe und
seyner hende werck. Das wortleyn verkundigen und ertzelen /
macht disse hymel zu predigern. Gottes erhe ist / wenn eym ydern
seyn schande und sunde durchs Evangelion eroffnet wird / welche   25
sunde unde schande Gott wenden will zu seyner ehre / das ist / er
will sie vergeben und nymmer gedencken / wu man yhm vertrawe /
und seynem wort odder Evangelio gleubet / Denn was kan man
erhlichers von Gott sagen / denn / er konne und wolle auch alleyne
helffen ynn allen notten / ym tod / ynn leyden und sterben /   30
Psalm .lxvij. Der Gott ist uns eyn Gott des heyls / und eyn HERR
dem tod zuentlauffen / Und Psalmo .iij. Bey dem HERRN stehet
die hulffe.

Seyner hende werck seyn die wunder / die er geystlich ubet und
wircket / nemlich das er disses wercks will gerumet seyn / das er   35
konne und wolle uber seynen heyligen halten / denne am aller
meysten / wenn sie zwischen den wassern stehen / das ist ynn der
hohsten nott / Die kunst kan und braucht er alleyne / das er gen
helle fure / und widder herauff / todtet und ma- ⟨Dʳ⟩ cht lebend /

Eyn solche feste ist David / die do verkundiget dise werck seyner hende / Psalm. iiij. Erkennet doch / das der HERR seyne heyligen wunderlich fůret / der HERR wirds horen / wenn ich yhn anruffe.

II Eyn tag sagts dem andern / und eyne nacht thuts kund der andern.

Nach des hymmels bewegung und lauff / endert sich tag und nacht / darumb ist also viel gesagt / Eyn tag sagts dem andern / und eyn nacht der andern / alse / disse ertzelung der ehr Gottes und seyner hende werck / wirt ewig weren / und nymmer auffhoren / das / gleich wie eyn tag dem andern volget / also wird und sol die erhe Gottes an underlas nachdrucken / nicht ablassen nach auffhoren / sonder gepredigt werden / von nun an bis ans ende der weltt / Gott wird stets etliche funcklin lassen seynes worts ynn der welt.

III Es ist keyne sprach nach rede / da man nicht yhre stymme hore.

Hie hebt der prophet an weytter zuverkle- ⟨Dᵛ⟩ ren / wer disse hymel und feste seyn / und wie dis verkundigen gehe vom tage zum tage / von eyner nacht zur andern / das ist / an underlas an alle die ort / wu menschen seyn / die sich tag und nachts gebrauchen / und sagt / die erhe Gottes und seyner hend werck sey erschollen und erschellen teglich an alle ende / da man sprach und rede habe / das ist / da vernunfftigen menschen seyn / die reden konnen.

Nu ist disser vers auff alle zeyt gericht / denn er spricht nicht / man werde yrhe stymme horen adder man habe yhre stymme gehoret / sonder man hore sie stets an underlas / und an allen enden / Got kent die seynen / die welt kent sie nicht / ja sie verfolget sie / Psalm .ij. Ich will dyr die Heyden zum erbe geben / und der welt ende zum eygenthum. Christus ward also verheyschen Abraham / das ynn seynen samen solten gebenedeyet werden alle geschlechte der erden / Gene. xv. Darumb must auch die predig von seym reich aus gehen ynn alle geschlechte der erden / wie disser Psalm singet.

IIII Yhr richtschnur ist ausgangen ynn alle land und yhr rede an der welt ende.

Wie hubsche wortt braucht der prophett aus- ⟨Dijʳ⟩ zulegen die herlickeytt des Evangelij / Verkundigen / ertzelen / reden / ab-

messen / teylen gibt er den hymeln / horen aber und sagen verkundigen / ertzelen / reden lassen gibt er allen reden / allen sprachen /
allen landen / und aller welt enden / das ist allen heyden / Denn
ynn den zweyen stucken / reden und horen bestehet das reych Christi. Luce iij. Das ist meyn geliebter son Ynn dem ich eyn wol- 5
gefallen habe / den solt yhr horen. Christo und seynen Aposteln /
ist auffgelegt Gottes ehre und seyner hende werck zuverkundigen /
uns aber und allen heyden ist auffgelegt das zuhoren /

Das er sagt richtschnur / unterscheydet er die gleubigen von den
gottlosen / funiculus / richtschnur auff Ebreisch heyst / teylung / 10
Also das wiewol das Evangelion ynn alle land und an der welt ende
erschalle / dennoch nur die troste / die zum erbtteyll beruffen seyn
Deut. xxxij. Jacob ist der strick adder die richtschnur des erbteyls
des HERRN.

v Er hatt der Sonnen eyne hutten ynn den selben gemacht. 15

Des hymels und der festen groste zier und schmuck ist die sonne /
die die gantze welt mit yhrem scheyn erleuchtet und frolich macht /
also ⟨Dijᵛ⟩ das des hymels gestalt und alles was auff erden ist /
sich fast betrubt / wen durch regen und ungewitter der scheyn der
sonnen verhindert wird / So ist auch eyn ytzlicher mensch frolicher 20
wenn der hymel hubsch ist / denn wenn er tunckel ist.

Auff die weyse predigt nu Christum das Evangelion durch der
Apostel und aller prediger mund / das er ynn unsern hertzen
leuchte / Johan. i. und uns frolich mache / Syntemal er also helle
scheynt und leucht / das uns durch yhn fried ist widder faren / mit 25
Gott und allen creaturen / engeln und teuffeln / Ephe. i. Colosi .i.
Wyr werden auch durch disse erkentniss und disse klarheyt holdt
allem dem wyr vormals feynd gewesen seyn / Was wyr forhyn fur
feynde gehalten haben / werden nach disser klarheyt die besten
freunde / Das gesetze Gottes / wilchs uns fur dem auffgang disser 30
Sonnen zur helle furte / ynn dem das es ubel erger machte ist nu
eytel gold und silber / eytel honig und susse / wie wyr hernach
horen werden / und das alles darumb / die weyl Jhesus Christus
yn den hymeln wonet. ij. Pet. i. Yhr tut wol / das yhr darauff
achtet / als auff eyn liecht / das da scheynet ynn eynem dunckeln 35
ort und der morgenstern auffgehe ynn ewern hertzen / Luce. i.
Durch die hetzliche barmhertzi- ⟨Diijʳ⟩ keyt unsers Gottes / durch
welche uns besucht hat der auffgang aus der hohe.

v Und die selb gehet heraus wie eyn breutgam aus seyner
kammer /und ist fro wie eyn held zulauffen seynen weg.

Die hymel und feste / auch die Sonne welche ynn den hymeln
wonet und die hymel zieret / hat der prophete bis her ausgericht.
5 Ytzund beschreybet er / was diese sonne wircket und wurtzu sie
diene.

Die sonne gehet heraus wie eyn breutgam aus seyner kamer / das
ist / der ausgang ist also freudenreich / das er alle / die der sonnen
gewar werden / frolich mache / Denn hochzeyt machen / und eyn
10 tisch bereyten heyst ynn der schrifft freud anrichten / Psalm. xxiij.
Du bereytest fur myr eyn tisch gegen meyne feynde / du machst
meyn heupt fett mit öle / und schenckest myr vill eyn / Breutgam
seyn / heyst voll freuden seyn / und andere frölich machen / Des
breutgams stymme horen / heyst erfullet werden mit freuden und
15 friede / Johan. iij. Also ist Christus / eyn frolicher freudenreicher
breutgam / der freude austeylet und gibt / lest sich darumb sehen /
und thut sich herfur / das er yderman mit freude und friede uber-
schutte. Das seyn die hymelischen benedeyung / damit uns Gott gebenedeyet hat / Ephe. i.

20 ⟨Diij^v⟩ Und ist frö / wie eyn helt zulauffen seynen weg.

Disser frolicher ausgang der sonnen gleych als eyns breutgams
aus der schlaffkamer / ist alleyn frolich denen / die von der welt
veracht und underdruckt werden / den wird auch disser trost gegeben / der breutgam sey fro wie eyn tettiger muttiger helt adder
25 riese / seynen weg zulauffen / der sich nichts hyndern lest / sondern
ist willig und bereyt seynen lauff zuvolstrecken / dem auch niemandt umb seyner stercke willen / widderstehen muge / Disses mut-
tigen heldes reym / den er offentlich furet / schreybt der .cx. Psalm.
Dominare in medio inimicorum tuorum / Der HERRE wird die
30 rute deyner stercke senden aus Zion / hersche unter deynen feynden .i. Regum .iij. Ich will eyn ding anrichten ynn Israel / das / wer
es horet / dem sollen beyde oren klingen / Esaie .xl. In fortitudine
veniet Das Evangelion wird nachdrucken und sich nicht seumen.
Esaie. lv. Meyn wort wird nicht ane frucht widder zu myr komen /
35 von dem ort / da ichs hyn gesand habe.

VI Sie gehet auff an eynem ende des hymels / und laufft umb
bis widder an das selb ende / und bleybt nichts fur yrher
hitze verborgen.

70

Wie bescheyden kan der heylig geyst von seynen eygen wercken reden / Die hymel verkun- ⟨Diiijʳ⟩ digen die ehre Gottes / und die feste ertzelen seyner hende werck / und das verkundigen und ertzelen gehet ynn aller welt unde mechtiglich und mit freuden / und doch also das disser hymmel zier und schmuck die sonne sey die 5 ynn den hymeln auffgehe / und lauffe von eynen ende zu dem andern ende / und kere widder ynn das selbe ende / das gleych wie die hymel verkundigen / also auch an underlas und ewig / disse sonne auffgehe und lauffe ynn den hymeln / welche der sonnen halben hubsch und frolich seyn / sunst weren sie feyndseligk und unlustig 10 anzusehen.

Der sonnen art und natur ist werme / hitze und licht zugeben / Des Evangelion art und natur ist / das hertz zu erleuchten und anzustecken Lu. iij. Er wird euch teuffen mit feur und mit dem heyligen geyste. 15

Disser vers zeuget starck / das der heylige geyst sey ynn die gantze welt ausgegossen durch die predige des Evangelij / Die erhe Gottes und seyner hende werck / verkundigen die hymel / Apostel und prediger / Ynn den hymeln wonet die sonne / Christus Jhesus / welchs namen muste nach der aufferstehung gepredigt werden / zur 20 busse und zur vergebung der sunden Luce am letzsten / Die hitze der sonnen aber ist der heylige geyst / den der ist sampt dem Evangelio gegeben / ynn gestalt gespaltener zungen Also gehet die sonne und leufft ynn den hymeln / schmuckt und zieret sie / dacht sie voll fried ⟨Diiijᵛ⟩ und freuden / yhn ist alles lieplich nichts erschreck- 25 lich / wie volgen wird / von wegen der hitze die von der sonnen gehet / das ist / von wegen der krafft / die durch das Evangelion von Christo der heylige geyst wirckt ynn aller menschen hertze Psalm. cxlvij. Er sendet seyn wort und zuschmeltzt sie / er lest seynen wind komen / so fliessen wasser. 30

VII Das gesetz des HERRN ist one wandel / und erquickt die seele / Das zeugnis des HERRN ist gewis / und macht weyse die albern.

Hie erzelet er die fruchte / die do volgen / wenn Gottes ehr erkand / das hertze erleucht / erfreut und angesteckt wird durch den 35 heyligen geyst / Denn als dan erfert das hertz / wie trewlich es Gott gemeynet hat / auff das wyr ursach hetten von yhm zugewarten / seyntemal wyrs durch uns selbs nicht erlangen mochten / hulff und beystand ynn allem unsern anligen / und singt den vers des .xxxi.

Psalms / Wie gross ist deyn gut / das du verborgen hast denen die dich furchten / und hasts verschafft fur den menschen kindern / deren die auff dich trawen.

Was man Gott singet adder sagt / ist alles schrecklich und verderblich / wu disse sonne du- ⟨Dvʳ⟩ rch yhre hitze unser hertze nicht erleucht und antzund / das wyr die reiche barmhertzickeyt Gottes sehen und erkennen mugen / Denn wu die erkand wird / da ist eytel selikeyt / und nichts lieblichers denn verstehen und erkennen Gottes willen ynn seynem gesetze und wortt / das er zum zeugniss seyner liebe / seyne rechte / sitten / gebott zulernen gegeben hat / Und hie wird denn erfullet Gottes willen Rho. xiij. Die erfullung des gesetz Gottes ist die liebe / das wyr uns lossen alle werck und wortt Gottes wolgefallen zu dienst unserm nehsten Psal. i. Dem ist wol der seyne lust hat am gesetz des HERRN / und redet von seynem gesetz tag und nacht.

Gewonen mussen wyr der sprach / die do sagt / das gesetz ist on wandel / das zeugnis des HERRN ist gewis etc. das wyr sagten / das gesetz wird denn aller erst erkant / das es reyn on wandel / gewiss / susse und lieblich sey / wenn uns Gott ynn unser hertz seyn gnad und gutten willen scheynen und leuchten lest / sonst wirckt es sund / und macht ubel erger / Gal. iiij. Das gesetz ist geben umb der ubertrettung willen / Rhoma. iiij. Das gesetz wirckt zorn.

Er braucht aber hietzu auserlesene wortt / alse one wandel / das ist / untadlich / unstrefflich / reyn / lautter / gesund und rechtschaffen / Darumb erquickt es die seele. GEWIS. Das ⟨Dvᵛ⟩ ist / es feylt nicht / es treugt nicht / es verfurt nicht / wer sich dran helt / den lest es nicht wancken / es erhelt yhn. MACHT Weyse die albern / Das ist / den heyligen und den weysen ist es eyn schand und torheyt / Den albern aber / weyßheyt und selikeyt Rhoma. i. Das ist denen / die das schlecht wortt / von schlechten leutten geprediget / gleuben und volgen / wie die Juden sagten zu den / die sie hatten aussgesand Christum zu fahen / Johan. vij. Welcher unter den fursten und schrifftgelerten / hat ahn yhn gegleubt?

VIII Die rechte des HERRN sind richtig / und erfrewen das hertze / die gebott des HERRN sind lautter und erleuchten die augen.

Richtig heyst das wol gebent ist also das nichts hindert / Auff die

weyse sind die rechte des HERRN richtig / das sie yderman auff
der ban behalten / und lassen niemands gleytten / adder ynn abweg
von der ban kommen / Daher auch kommet eyn richtig hertz zu
Gott / das auserhalb Gottes und seyns worts nichts achtet noch hoch
helt / Psalm .lxxviij. strafft Gott die Juden das sie nicht eyn richtig   5
hertz zu yhm ⟨D6ʳ⟩ hatten. Aber yhr hertz was nicht recht adder
richtig bey yhm / und waren nicht rechtschaffen ynn seynem bund /
Item / wilchs seyn hertz nicht richtet / und des geyst nicht rechtschaffen war an Gott.

Die gebott des HERRN sind lautter / das ist / auserlesen kŏr gut /   10
Und erleuchten die augen / das ist / sie machen und geben rechten
underscheyd der ding / die Gott gefallen adder misfallen / das San.
Pauel zun Ephesern nennet Phronisin / prudentiam / cautionem /
das man des wercks der hymelischen gnaden und benedeyung / des
glaubens und heyligen geysts ynn gutte acht neme / wie der volgend   15
vers weyter wird auslegen / Denn dis licht macht / das man sich
lerne fur Gotte furchten / und handele ynn Gotts gescheﬀten mit
furcht und zyttern.

ıx Die furcht des HERRN ist reyn und bleybt ewigklich
Die sitten des HERRN sind rechtschaffen allesampt gerecht.   20

Die furcht des HERRN heyst darumb reyne / das sie wechst und
entspringet aus der liebe / das / wenn wyr yemand von hertzen
holdt seyn / ymerdar besorgen und furchten / wyr mochten etwas
thun / das yhm zu widder were. Also wenn man friede und freude
und Gott durchs Evangelion empfangen hat / hat man stets sorge /   25
man thu zuwenig / wie es denn war ⟨D6ᵛ⟩ ist / fur solche wolthat /
seyn alzyt sorgfeltig / das wyr yhn nicht erzurnen.

Die Gottlosen mussen auch Gott furchten / auch der teuﬀel selbs /
aber yhre forcht ist nicht reyne / sonder beﬂeckt / Denn sie seyn
Gott von hertzen feynd / Die heiligen aber / lieben Gott zugleiche   30
und furchten yhn auch / als den den sie ehren.

Und hie sihestu / wie die propheten / davon wyr furhin gesagt
haben / nichts uber alle wissen was gesetz adder Gotes forcht sey /
die weyl sie disse furcht den tieﬀsten unglauben vergleichen etc.
und heben den grund der selikeyt hie an / so du doch fur augen   35
sihest / das disse furcht hernaher volge / wenn Gott recht erkandt
ist / und nicht eher.

x Die sitten des HERRN sind rechtschaffen und alle sampt gerecht.

Die furcht des HERRN wechset hyraus / das man nicht kan leugken / alle werck / die Got ye geubt hat und noch ubet / das er
5 den fallen lest / und yennen auffhebt / seyn alle gerecht / und nyemand kan sie taddeln adder straffen / Recht geschicht dem / den er sincken leest / denn er ist yhm nichts schuldig / denn das er yhn umb seyner sunde willen verdamme / Recht geschicht dem / den er auffhebt / denn er leest yhm seyne gnade widderfaren aus barm-
10 hertzikeyt / Es steht bey yhm zuseligen und zuverdammen / und ⟨D7ʳ⟩ alles beydes also / das er seyn gut recht und fug hat zu uben welchs er wil / wer nu das erkennet / wie denn seyne sitten und gesetz leren / der volstreckt seynen beruff mit furcht und zittern Philip. ij.

15 x Sie sind kostlicher den gold und viel feyns goldes / sie sind susser den honig und honig seym.

Der prophet will also sagen / Wer Gottes werck ym Evangelio durch Christus freuntlikeyt erkennet / dem ist das gesetz / zeugniss / rechte und sitten Gottes lieber denn silber und goldt das ist / er acht
20 alle ding / die gros / hoch / suss / und lieplich seyn vor der welt fur nichts / gegen dissem schatze / Er kan auch umb disses liechts willen verlassen weyb / kind / haus und hoff / und alles was die welt liebet und gross acht / wie es Christus vergleicht ym Evangelio eym schatz / der ym acker verborgen leytt.

25 xi Auch ist deyn knecht fursichtig durch sie worden / Denn er hat gros lohn wer sie helt.

Hie setztt sich der prophet zum exempel / da mit er durch seyn eygen person dargebe / wie es umb die sitten Gotts gethan sey / Ich halde / sagt er / deyne sitten kostlicher denn goldt und feyn gold /
30 denn ich hab weyßheyt und fursichtikeyt an deynen sitten geleret / also das ich ge- ⟨D7ᵛ⟩ wis bin / es werde dem reichlich vergolten / wer sie helt / Ja HERRE du wilt selbs das lohn und vergeltung seyn des / der sie helt. Also sagt Gott zu Abraham / Ich will deyn reiche belonung seyn / Gene. xv. Wer nu die sitten Gottes helt / der
35 verleurt die welt / leyb und leben / uberkomet aber Gott und das ewige leben.

XII Wer merckt auff die feyle? Mach mich reyn von den heymlichen.

In dyssem vers druckt er mit hellen / klaren worten aus / die fursichtickeyt und vergeltung die der umberkomet / der die sitten helt / nehmlich vergebung der sunden / welchs die sunung ist des gantzen Evangelij Luce. i. und erkentnis der selikeyt gebest seynem volck / die do ist ynn vergebung yrher sunden / Viel sunden haben wyr auff uns die wyr nicht erkennen / aber des bin ich ynn deynen sitten bericht / du weldest heymliche und offentliche sunde vertzeygen und vergeben / An welcher belonung ich eyn solchen gefallen habe / das sie myr lieber ist denn alles was gros ist auff erden.

XIII Auch behalt deynen knecht fur den stoltzen / das sie nicht uber mich hirschen / so werd ich on wandel seyn / unschuldig bleyben fur grosser missethat.

Behalt deynen knecht / schutz / bewar / hand- ⟨D8ʳ⟩ habe yhn das yhm die stoltzen nicht schaden Eyn hoher kampff ist es ynn dem stucke widder die welt fechten / und sich mit dem das die welt grosacht nicht besuddeln / Darumb ist es wol nott das wyr mit furcht Gott bitten / er welle uns hie erhalten / auff das wyr yhr nicht folgen / Welchs so Gott thutt / wyr sicher seyn fur allem ungluck.

Grosse missethat nennt der prophet / die heymlichen ym andern vers / Denn er heyst das gros das die welt kleyn heyst / nemlich / den greuel des unglaubens da die heuchler sicher fur uber gehen / und meynen sie seyn frum und heylig / wen sie nicht steelen / morden / ehbrechen / achten dieweyl nicht den balcken yrhes hertzen / den Christus alleyn sunde heyst Joh. xvi. wan der heylig geyst kompt so wird er die welt straffen umb der sunde willen / das sie nicht gegleubt haben ynn mich / Summa es ist keyn gutt werck denn glaube Es ist auch keyne sunde denn unglaube.

XIIII Las dyr wolgefallen die rede meynes mundes / und das gesprech meynes hertzen fur dyr.

Die erste frucht des Evangelij und gesetz ⟨D8ᵛ⟩ Gottes ist das wyr eyn solch erkentnis Gottes uberkomen die mit silber und gold wedder betzalt nach erkaufft mag werden / das selbige erkentnis gibtt fursichtikeyt. Also das wyr erstlich wissen Gott wolle keyne

sunde / sie sey heymlich adder offentlich fur sunde rechen / dar zu
gibt sie underscheyd der rechtschaffen und falschen leer fur welcher
sie behutt die yhr folgen /

Die ander frucht aber ist / das wyr hiedurch mottig werden Gott
eynen vatter zu nennen / fur zu tretten und fur seynem angesicht
beten / mit der zuversicht / er welle uns horen / und las yhm unser
ding wolgefallen / Also bitt nu David / Las dyr wolgefallen die
rede meynes mundes / und das gespreche meynes hertzen fur dyr.

Sihe zu / Gottes kinder betten mit dem hertzen und mit dem
munde / Die Gottlosen betten mit dem munde ane hertze / wie
Esaias sagt.

xv HERR meyn hort und erlöser.

Mit dissen worten beschleust der prophet den Psalm von der
reichen gnaden des Evangeliij und seyner frucht / zeygt mit wenig
worten an / was man von Gotte halten solle / und ⟨Er⟩ wafur er
von den seynen gehalten seyn will / nemlich das er yhr fels und
schutz sey ynn allen anstössen / auch der sie erlössen wolle und
konne / wenn es sich begebe / das sie verfurt und verleytet wurden.

Volget eyn lateynische Epistel Thomas Muntzers
an Philippon Melanchton.

*Christiano homini Philippo Melanchtoni sanctarum scripturarum
professori / Thomas Muntzer nuncius Christi.*

*Salve organum Christi / Theologiam vestram toto corde amplector /
nam de funibus venantium animas electorum eripuit multas. Quod
uxores presbiteri vestri ducunt / commendo / ne larva Rhomana
vos amplius constringat / sed in hoc repro-* ⟨Ev⟩ *bo / dum os
domini mutuum adoretis / nescientes an electi vel reprobi sint de
ignorantia vestra propagandi futuram ecclesiam penitus respuitis /
in qua domini scientia orietur plenissime / Is quippe error vester
charissimi / totus sumitur ex ignorantia vivi verbi / Respicite scrip-
turas / quibus nitimur mundum deprimere / manifestissime dicant.
Non in solo pane vivit homo / sed in omni verbo / quod procedit
de ore Dei / Videte / de ore Dei / et non ex libris proficiscitur /*

76

*Testimonium equidem verbi veri ex voluminibus est / Nisi enim in
corde oriatur / verbum hominis est / damnans scribas versipelles /
qui furantur oracula sancta / Jere. xxiij. Nunquam eis dominus
locutus est / et ipsi usurpant verba eius / O charissimi operam
navate ut prophetetis / alioqui Theologia vestra non valebit o-* 5
*bulum / Considerate Deum vestrum e vicino et non a longe / credite
liben-* ⟨Eijʳ⟩ *tius Deum loqui quam vos paratos ad percipiendum /
Sumus pleni desiderijs / hoc impedit digitum viventis ne scindere
possit tabulas suas / Suasionibus vestris trahitis ad coniugia homi-
nes / Cum iam non sit thorus immaculatus / sed sathane lupanar /* 10
*quod tam vehementer Ecclesiam nocet / quam maledictissimi un-
guenti sacerdotium. Nonne passiones illorum desideriorum im-
pediunt sanctificationem vestram? Quomodo potest spiritus effundi
super carnem vestram / et eloquia viva habere cum Deo potestis
cum negaveritis talia? Nullum preceptum (ut sic dicam) augustius* 15
*stringit Christianum / quam sanctificatio nostra / Nam illa primum
ex voluntate Dei animam evacuat / dum delectationes anima infe-
riores / nequaquam in falsum possessorem sumere possit: Utimur
uxoribus tanquam non habentes. Debitum reddite non ut gentes /
sed sicut scientes* ⟨Eijᵛ⟩ *Deum vobis loqui / iubere / monere / ut* 20
*firmiter sciatis / quando tribuendum sit pro prole electa / Ut timor
Dei et spiritus sapientie impediat bruti concupiscentiam / ne ab-
sorbeamini. Phiala tertij angeli (timeo et scio) effusa iam est in
fontes aquarum / et tota scaturigo sanguinis effecta est / Immo
lectio eorum in carnem et sanguinem versa est. Electi sunt quidam /* 25
*sed ratio eorum aperire non potest ob caussas iam relatas. Hinc
habent opera cum reprobis communia / excepto Dei timore / qui
eos separat ab illis. Duo in uno lecto iacent / unum opus delecta-
tionis perpetrant / Talia enim opera in vobis reperio / dum conten-
tiones inter vos sint de abroganda missa. Papistici sacrificij abomi-* 30
*nationem / quod quidam detestati sunt / extollo et commendo / ex
spiritu sancto effecerunt / Sed in hoc erroribus involuti sunt / quod
Apostolicum ritum ad amussim non sunt imitati /* ⟨Eiijʳ⟩ *Nam
qui iussione dominica semen proijciunt / metere debent / examinare
debent auditores predicantes / dum verbum finierint / et qui fruc-* 35
*tum intelligentie sue reddiderint / manifestandi sunt hominibus / et
tribuendus panis et potus / quod hij verum possessorem habeant /
quibus intellectus testimoniorum Dei largitus sit / non mortuarum
ex chartis sed vivarum promissionum. Martinus noster charissimus
ignoranter agit / quod parvulos non velit offendere / qui iam par-* 40

vuli sunt sicut pueri centum annorum maledicti / immo angustia
Christianorum est iam in foribus / Cur esse expectandunt censetis /
ignoro / Lieben bruder last ewer merhen es ist zeyt / Nolite tar-
dare / estas est in ianua / nolite vobis conciliare reprobos / ipsi im-
pediunt ne virtute magna operetur verbum. Nolite adulari prin-
cipibus vestris / videbitis alioqui subversionem vestram / quam a-
⟨Eiijᵛ⟩ *vertat benedictus Deus: Si negaveritis purgatorium Christia-*
num / ostenditis vos ignorantes in scripturis et studijs spiritus / sed
quod Papisticum respuitis phantasma / commendo. Nullus potest
ingredi requiem / nisi adaperiantur septem gradus rationis septem
spiritibus. Abominabilis est error de purgatorio negando / Cavete.
Si volueritis / omnia mea scripturis / ordine / experientia / aperto-
que verbo Dei / roborabo. Yhr zarten schrifftgelerten seyt nicht un-
willig / ich kan es nicht anders machen / Valete / quinta Annuntia-
tionis.

Vide obsecro quanta insania / statuat iste propheta. non esse per-
solvendum ius matrimonij / nisi vocem de celo audieris / futurum
ut ex ista compressione uxoris / nascatur proles a Deo electa /
contra apertum locum Pauli Quisque propter fornicationem suam
uxorem habeat et suum queque virum habeat / Uxori vir debitum
reddat / similiter autem et uxor viro / Uxor proprij corporis ius
non habet / sed uxor etc. Con- ⟨E4ʳ⟩ tra fornicationem remedium
est matrimonium Fieri enim non potest / quin / sicut effluunt cor-
pora et emittunt eos humores / qui sunt onerosi nature / pus per
nares / salivam per os / ciborum et stomachi feces per anum / urinam
per suum quendam meatum / ita semen eijctundum est / per genita-
lia. Iam si caro te sollicitaverit ad fornicationem aut stuprum / fac
Pauli consilium sequaris / uxoremque ducas Melius est enim nubere
quam uri. i. Chor. vij. Sed facit suo more sathanas / solet enim /
ubi nichil opus est / subinde illaqueare conscientias / ne sint libere
sed captive Si maledici merebantur ab Esdra / qui male Judaice
loquebantur / quam maledictionem merebitur Thomas Muntzer /
tanta portenta verborum effutiens in hoc solummodo ut imperite
multitudini (quod aiunt) frigidam suffundat.

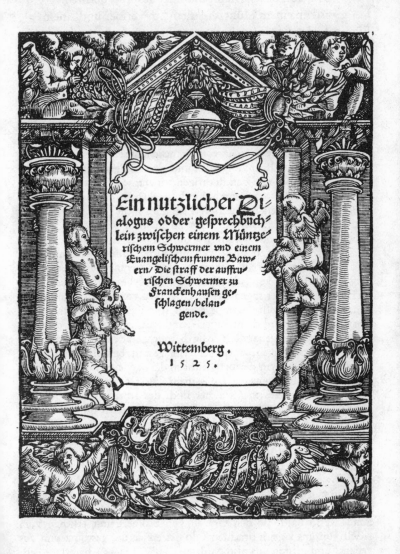

Ein nutzlicher Di=
alogus odder gesprechbüch=
lein zwischen einem Müntze=
rischem Schwermer vnd einem
Euangelischem frumen Baw=
ern/ Die straff der auffru=
rischen Schwermer zu
Franckenhausen ge=
schlagen/belan=
gende.

Wittemberg.
1525.

Ein nutzlicher Dialogus odder gesprechbuchlein
zwischen einem Müntzerischem Schwermer und einem
Evangelischem frumen Bawern / Die straff der auffrurischen
Schwermer zu Franckenhausen geschlagen / belangende.
Wittemberg. 1525.

WOlff Schwermer. Gutten tag liber bruder gutten tag. BAUWEr. Danck hab mein bruder danck hab / wan her so frue morgen? SCHWERMER. Ey ymmer von Franckenhausen herein. BAWER. Du hast ja ein gesaltzens angesicht und einen langen barth / ich hallt du seist auch einer von den fluchtigen schwermern / die man gestern do geschlagen hat / warumb hinckest du? SCHWERMER. Ach lieber bruder schweig still und verrath mich nicht / ich bin ya einer / und hab woll viertzehen wunden an meinem leibe / die Reutter haben mich vor todt lassen liegen. BAWer. Ey man hatt euch schwermern recht gethan / Ir habts nicht anders wollen haben. SCHWERMEr. Lieber was sagst du newes / wann kumbst du ytzet her? BAWer. Ey von schlothern das hart bey Mulhausen leidt. SCHWER. Ich hoer sagen das hertzog Jorg von Sachssen und graff Ernst von Manssfellt / sampt einem schreiber und hencker allein den Müntzern peinlich befraget / und mit yhm ym abwesen der andern herschafft gehandellt / durch welchs auch der Müntzer verursacht das Sacrament untter einerlei gestalt bewilliget zuempfahen / denn es hat ym der orth nicht anders gedeien mugen / wer es denn nicht billich gewesen / das mehr Fursten und sonderlich der Landtgraff von Hessen / welcher doch der schrifft gegrundet ist / auch dazu gefordert weren? BAW. Lieber do sechst du sein bestendigkeit / und spurest seinen glawben /und wie yn sein teuffelischer geist seins gefallens betrogen hat / das er auch das heilig Evangelion aller vier Evangelisten verleugcknet hat / denn es ist ynn ym ⟨Aijᵛ⟩ kein fundament des glawbens gewesen / wie denn auch leider ynn euch schwermer allen ist. SCHWE. Nu wolan ist das auch erlich von den Fursten und Herren / das sie uns drey stunde zu bedencken frist gaben / und doch nicht ein virteil stunde glawben hiellten / Sonder also baldt sie den Grafen von Stolberg mit etlichen vom Adell von uns zu sich brachten / do liessen sie das geschütz ynn uns gehen / und griffen uns also baldt an. BAW. Lieber schwermer / ich gebs wol zu das du es sagest / und weist villeicht nicht anders / Aber es helt sich vill anders denn du sagest. SCHW. Wie hat es denn zugangen? BAW. Das wil ich dir sagen / es hatt die gestalt / der loblich / Christlich Furst Hertzog Henrich von Brunschweig auff anregen des Christlichen Graven Albrechts von Manssfelt / welche yr doch fur blutdůrstig acht / die furwar fur solche blutvergissung hochlichen / wie yr denn aus der schrifft Graven Albrechts von Manssfelt etc. vernomen / gesorget / und gern aus Christlichem gemueth verkummen hetten / der hat ein schrifft an euch yns lager gethan / ynn welcher er begert yr wollet den Můntzer odder ewer haubtleut heraus geben so solt yr zu genaden genomen werden / Aber yr habt ym seinen bothen als eigensinnige verstockte leuth und schwermer erbarmlich erwurget / und den bluttigen brieff von yme genommen und ewerer etlich als die Capitaner gelesen / und solchs seinen Furstlichen gnaden abgeschlagen / als aber ewer blintheit und hertmutigkeit vermerckt / seit yr als baldt wie billich angegriffen / Denn yr habt es nicht anders / sondern ewrn verdieneten lon / wie denn der euch gegeben / wollen haben. SCHWE. Ich hoer doch der Můntzer hab ein gut ende auff anregen der loblichen Christlichen Fursten des Landtgraven von Hessen / welcher vil Christlicher Disputacion mit yhm ⟨Aiijʳ⟩ gehalten / dergleichen des Hertzogen von Brunschweig genomen. BAW. Es mag wol sein / denn man sagt noch neben solchem das er auch sein yrthumb / die er getriben hat mit ausslegung und felschen der schrifft widder Gott und sein eigen gewissen / Ja auch wie er das arm volck erbarmtlich betrogen und verfurt offentlich bekant / auch die Fursten / und Herren umb gnad dem armen volck gebetten / wie sich denn auch ettlich Fursten / Nemlich der von Brunschweig gegen seinem volck zuthun erbotten auch beweiset. Ist nu sein ende gutt so ists mit ym alles gut. Denn Gott allein ist das gericht und straff vorbehalten / Darumb wollen wir auch Gott allesampt umb sein Gottlich gnad / die zuertzeigen das er sampt andern mit ym verfurt / das ynn der selen nicht entgellten wol lassen / bitten. SCHwer. Ich hab nicht anders gemeint / sein sach were recht wir wolten das Evangelion verfechten / vor den gottlosen und Tyrannen. BAwer. Ir seit ferwar lose blinde leut / wolt yhr das Evangelion mit leiplichem schwert vorfechten / was gebt yr fur mit solchen losen lamen fratzen / ist nicht Got mechtig gnug sein Gottlichs wort zu erhalten on menschlich hilff? Lieber sag doch welcher Apostel odder Prophet hat yrgent mit leiplichem schwert gefochten? wolt doch Christus Sant Petro solchs / do er yhn

als das lebendig Evangelium verteidigen wolt / nicht zulassen / und
heist yhn das schwert einstecken / do Petrus den Malchum strafft /
und ein ohr abhiebe / Darzu spricht Sant Paulus / ynn der andern
Epist. zum Corin. 10. Cap. Unser wappen sind nicht fleischlich odder
leiplich / sonder geistlich / Dergleichen zun Ephesern ym .6. Capi.
spricht er / Wir sollen in allen anfechtungen / den schilt des glawbens fur uns nemen / und domit fechten. SChwer. Sol man denn die
gottlosen nicht ausroden? BAwer. Was ⟨Aiij^v⟩ gottlos gotlos / wer
kan unter uns wissen auff erden / wer gottlos sey? S. Paulus spricht
.2. Timothei. 2. Der Herr weis welchs die seinen sind / wie wollt yr
schwermer denn einem menschen in sein hertz sehen / kundt yr doch
ynn ewer eygen hertz nicht gehen / noch das erkennen / Denn Gott
sagt ja durch den Propheten Jeremiam am .17. Capit. Des menschen
hertz sei unaussforschlich / und niemant kan es erforschen / denn er
allein /darumb last es bleiben mit ewern losen fratzen es ist lautter
schwermerei / die yr furgebt. SCHwer. Ey so hoer ich woll / man
solle die Herren und Fursten / lassen bleiben yn yrem sode das sy
uns schinden und schaben / das wirt nicht gutt / denn also behalten
wir zu letzt nichts yn haws und hofe. BAw. Ja das ist ewr vorgeben
wen man mit euch redet / das yr schwermer gern woltet frei sein /
niemant nichts geben kein gehorsam yn euch wer / allein zufallen
und den leuthen das yhr mit gewalt nemen / auff das yr nicht dorffte arbeitten / sonder wie die wilden untzamen thier ewer buberei
mit fressen / sauffen / spilen und hurerei treiben / SCHwer. Ey hatt
doch Gott alle zeittliche gutter gemein gemacht. BAw. Liber wer
sagt das / odder wo ists geschriben / Irgent ynn der kolkamer odder
ym Rauchloch? SCHwer. Stet doch geschriben ym buch von der
Aposteln leben Act. ij. Cap. das sie alle sampt die do Christen wurden yhre gutter fur die fusse der lieben Aposteln legten / und teiltten sie gleich auss / das keiner reicher war denn der ander / sonder
hatten alle genugh. BAw. Ja recht aber setz ein prill auff die nasen
liber schwermer und sich dasselbige Capittel recht an / es spricht S.
Lucas doselbst sie haben yhre eigene gutter und habe dar bracht
nicht der anderen / Sie sind nicht yn Annas Pilatus / Caiphas odder
Herodes heusser gelauffen und derselbigen yhre gutter gerawbt und
genomen / und die ⟨A4^r⟩ selbigen gemein gemacht / und unter sich
geteilt / sonder yhre gutter / yhre habe spricht der text haben sie
zusamen bracht / und lassen unttereinander teilen / aber yr schwermer nempt andern leutten das yhre und behalt gleich wol das ewer /
ist nicht das teuffelischs? SCHw. Also hat uns der Müntzer nicht

gesagt odder vorprediget / sonder er sprach / wir sollten fest stehen /
er wollt uns alle frey machen. BAw. Ja recht / aber yr blinden
tollen narren habt es nicht recht verstanden / er hat es also gemeint /
das wen euch die Karthaunen Buchssen odder Schlangen die kopff
abstiessen so wurdt yr hynfurt frey sein / das yr niemant nichts   5
mehr geben dorffet / keiner weltlichen obirkeit mehr gehorsam sein /
sonder allein dem Teuffel yhn der hellen. SChwer. Ey hat ers also
gemeint mit uns so danck ym der teuffel / es gieng schön also her.
BAw. Noch seit yr schwermer so toll und blindt / das yr nicht greiffen kunth / das der Müntzer ein falscher Prophet were / Und yr   10
wollet mit sehenden augen blindt sein. Schwer. Ich habs meines teils
an yhm nicht kundt spüren / predigt er doch das gottlich wort ynn
der Biblien. BAwr. Ja gleich wie es der teuffel dem Herrn Christo
ynn der wustnus deutet / do er yn versucht / Matthei. 4. also deutet
auch der Müntzer sein schrifft / was weis war / das must ym schwartz   15
gelten / das schwartz war / das must weis sein / Und vermocht auch
yn allen seinen crefften nicht ein einiges wörtlein clar und lauter
predigen / Uber alles diss war sein predig allein aus dem alten
Testament / do wolt er uns Christen widderumb zu Juden machen /
leiplich zustreitten und mit dem schwert zufechten / so wir doch   20
keinen sonderlichen befelh von Gott davon ym newen Testament
haben / als die Juden hatten / Und mit der weis musten wir uns
Christen auch lassen beschneiden / nach dem ge- ⟨A4ᵛ⟩ setz der
Jüden / Denn wen man eins hielt so must das ander auch
halten / so were Christus umb sunst kumen und uns erlost / also wer   25
kein new Testament / do sei Gott vor. Schwer. Mit solcher weiss hör
ich wol sein wir gar nicht frei / was spricht denn S. Paulus Galat.
am .5. cap. und S. Petrus .1. Petri 2. von unser freiheit wie man die
erhalten soll / das wir nicht widder yns knechtisch joch kumen?
BAwer. Ja Sant Petrus wil aber das es nicht ein fleischliche odder   30
eusserliche freiheit sey / Sonder ein innerliche der selen und der
gutten gewissenn / das man durch Christum erlangt hab die gerechtickeit / und wir durch unsern glawben / ynn Christo frei sind /
von todt / hell / teuffel und aller menschlichen tradition / die gewissen belangend / Und also uns Christus geschenckt sei mit allem   35
das er ist / und hat / dadurch sind alle die an yhn glawben frei am
gewissen vor Gott und dem menschen an alle unser verdinst / aus
lauter gnaden und barmhertzigkeit / die yn Christo Jhesu uns mit-
bracht ist / Und solche edle freiheit des geists wolt yr schwermer
uns gern zum schandtdeckel machen / und ewere bossheit mit be-   40

schutzen / ist das auch Gottlich? Schwer. Wen kumpt denn solche
freiheit zu uns? BAw. Wenn uns die warheit wirt frey machen
spricht Christus / Johannes am .8. so werdet yr frei sein / Die warheit spricht Christus mus uns frei machen / nicht wenn der Můntzer /
5 Carlstadt odder irgent ein Rotten geister ein rotten loser buben zusamen treibt / Lant und leut mit mort und blutt vergissen verterbt /
Sonder wen euch die warheit frei macht / das ist gutte gewissen
durch den glawben ynn Christum auffrichtet / das ist eine Christliche freiheit / Do sollen alle menschen nach streben / Denn solche
10 freiheit uberkumpt man durch die predig odder bottschafft des
trostlichen Evangelij / Derhalben sagt ⟨Bʳ⟩ der Herr Christus daneben Johannes am achten / Und yr werdet die warheit erkennen /
das ist / durchs predigen odder hören des Evangelij / werdet yr erkennen was Christus mit all seiner gerechtickeit / warheit und mit
15 allem das er hat und ist / sei ym glawben. SCHwe. Ich sehe nichts
das wir frei sein / man predig das Evangelion wie man wil / so
mussen wir noch ymmer schoss zins und zehenden geben / mit der
gestalt wurden wir wol nimer mer frei / wenn man nicht mit der
fawst dazu thet. BAWE. Do sicht man wol das du ein rechter
20 schwermer bist / ich sag dir von geistlicher freiheit des gewissens /
so wilt du ein fleischliche freiheit haben / und thust gleich wie der
Wolff der schreit immer lamb lamb man sag yhm gleich was man
ym sage. SCHwe. Ich rede wie ich vom Můntzer gelernt hab.
BAWER. Ist doch der Můntzer kein Gott nicht. SCHWERMer. Er
25 kunt gleichwol die Fursten und Herren hubsch schelten das doch
sunst keiner nihe gethan hat. BAWEr. Scheltten und fluchen ist kein
kunst / ist auch kein Evangelion / ya es hats auch kein Apostel
odder Prophet irgent gethan / Ein hur auff dem sande / und ein
holl hippentrager die kunnen gleich so woll schelten / als der Můn-
30 tzer / aber zu letzt ist das des hippentragers lohn / wenn er einen
biderman woll gescholtten hat / so macht man yhm ein ascherbath
und begeusset yhn / das er vor unfladt stickt. Also ist der Můntzer
auch eins schentlichen tods fur sein scheltten und fluchen betzalt
worden. SCHWERMER. Er hat aber gleichwoll nicht also geheu-
35 chelt / als der Luther thut / der fůchschwentzt ymmer mit den Fursten und Herren / das macht er fůrchtet der hautt / darumb halt ich
nichts von yhm. BAWER. Lass du den guthen Martin Lu- ⟨Bᵛ⟩
ther mit friden / Er predigt das Evangelion recht mit der arth wie
die Aposteln gepredigt haben / als mit fride / sanfftmut / gedult und
40 lieb / wie es die schrifft fordert / Er strafft wo es strefflich ist einen

jederman / er sei Herr / Furst odder konig / aber doch alles mit
gemach das er es verantwortten kan vor Gott und der wellt.
SCHWER. Ich habs nicht vernomen sein straffen. BAWe. So must
du ya nicht gelesen haben was er von weltlicher obirgkeit und vom
kunge von Engellandt geschrieben hat. SCHW. Do weis ich nicht 5
von / gibt er yhn denn ym selbigen frey auff? BAW. Ich mein ya
er kerth denn Tirannischen Fursten und Herrn die leuse ab und
vertzelt yhn yhre arth. SCHW. Ach ob gleich der Muntzer unrecht
wer / so solten doch die Herren und Fursten nicht so schentlich mit
yhm ynngehalten haben. BAWER. Ey er hats wol verdint / wer 10
hatt yhm die gewalt geben / das er die leut sol entheubtten lassen /
und mit dem schwert richten / er hat ya etlich ytzet zu Franckenhausen lassen richten / ist das Evangelisch / welcher Apostel odder
Prophet hatt solchs gethan? SCHW. Ja es war einer ein edelman /
der hatt es wol verdient / denn er hatte manchem armen man viel 15
leides gethan / und halff das Evangelion verfolgen / wo er kunth
und mocht / man sollt den Fursten und Herren auch also mit faren /
wenn sie das Evangelion verfolgen. BAWEr. Lieber schwermer / yr
seit sehr frech / yr wollet Gott die rutthen auss der handt mit gewalt
nemen und hinweg werffen / aber glawbt mir es wirt euch nicht 20
helffen / denn alle schrifft yn der Biblien zeiget an / das Tirannisch
obirgkeit umb der sunde der menschen willen gegeben werden von
Gott / als Osee am .8. geschrieben ist / und Job am .34. Ja auch
Christus / Luce am .22. hat ⟨Bijᵣ⟩ es selbs gesagt / das Heidnische
Fursten uber uns hirschen sollen / dennoch ist yhre gewalt von Gott / 25
wie bose sie ymmer sind / als S. Paulus Roma. am dreytzehent beweiset / und wer yhn widderstrebt der widderstrebt Gottes ordi-
nung/ und erlangt sein verdamnis / wer wil aber nu so verstockt
sein Gott sein rutthen / das ist / die bose obirgkeit aus der handt
nemen und weg thun / odder sagen du solt mich nimmer steupen? 30
Nimpt man yhme aber sein instrument sein rutthen / und thut sie
mit gewalt hinweg / so ist gewiss Gott unser Herr woll so gewaltig /
und macht uns viel einen scherffern besen auff die haut / den der
vorige yhe gewesen ist / und steupt uns und plaget uns viel sehrer
domit / das ist sein gewalt / Denn er kan wol aus steinen Gottes 35
kinder machen / Matthei am dritten / So kan er auch bald ein straff
uber uns zubereithen ehe wir uns umbsehen / wie dunckt dich darumb lieber schwermer. SCHWEr. Wie thun wir ym denn das wir
der Tyrannen loss werden? BAW. Es mussen Tyrannen auff erden
sein weil die welt steth denn Christus muste seine Herodes / Pilatus / 40

Annas Caiphas und der gleichen haben / wo solten sonst so viel
merterer ym anfang der Christenheit worden sein wen nicht Dio-
clecianus/Maximianus/Nero/Claudius und yhr gleichen untter den
Christen gewesen weren. SCHWEr. So hör ich wol wir werden yhr
nimer mer löss? BAWEr. Das steth yn Gottes gewalt / mit der faust
fechten wirt man nichts ausrichten / die kinder von Israhel namen
kein schwert noch leiplich waffen fur sich / da sie Pharao plagte mit
grosser muhe und arbeit / sonder mit hertzlichem bitten langtten
sie Gott an umb hilff und erlosung / Derhalben santte yhn Gott
auch einen mitler / der sie aus Egypten an yr zuversicht furt. ⟨Bijᵛ⟩
Ich halt es wird mit uns auch nimer nicht anders werden / mit
freveler faust des menschen wird nicht aus. SCHWERMER. Ey sie
machen ya soviel zinse zehenden / und ander ungelt / mit zoll und
geleid / das es der arm man schier nimmer tragen kan. BAWER.
Was geht dich das an / ists doch zeitlich dingk / daruber wir allein
von Gott als knechte / und nicht als herrn gesetzt sein / hatt doch
Christus gesaget Matthei am .6. Wir sollen nicht umb zeitliche
narung sorgen / sonder das reich Gottes und seine gerechtigkeit erst
suchen / so sol sich das zeitlich wol finden / und Sant Paulus leret
zun / Colossern am dritten Capittel das wir nicht nach disen dingen / die auff erden sind trachten sollen / sonder also streben / das
wir die himlischen ewigen gutter nicht verlieren. Nu sind ya die
ding daruber weltliche obirgkeit zugepitten haben allein zeittliche
ding / und dar ynn sol man yr gehorsam sein / Aber uber unser gewissen und glawben sollen sie uns nichts zugepietten noch zuverpie-
tten haben / Wir sind yhn auch ynn solchem fall nicht gehorsam
schuldig / sonder Gott mehr denn den menschen / wie die Apostel
sagten / Inn denn dingen aber die zeitlich sind / als die narung betreffend / zinse / schoss / zehenden / gleid / zoll und alles anders
was zeitlich ist / sind wir yhn schuldig gehorsam zuleisten / unan-
gesehen einicherlei entschuldigung odder ursach / Denn solcher
massen ist Christus auch dem Keiser gehorsam gewesen von jugent
an bis ins alter / und hat den zins pfennig fur sich und Sant Peter
gegeben / und zugeben einem ytzlichen Christen zugebillicht als geschriben ist Matthei am .22. SCHWERMER. Wo zu sind sie auff
erden nütz / denn das sie gewalt uben mit pracht und hoffart?
BAWER. Was geht dich das an / ⟨Biijʳ⟩ wir mussen sie haben zur
straff der ubelthetter / sonst kundt kein mensch vor den unglew-
bigen menschen leben und ein mensch mocht wol das ander fressen /
wo nicht straff were / Darumb sind sie gesatzt zur rach und straff

der ubelthetter. SCHWERMER. Wir sind ja nicht ubelthetter /
denn wir haben umbs wort Gottes willen gefochten. BAWER. Seit
yr nicht ubelthetter warumb seit yr denn also auff dem Eissfeld
umbhergezogen und geraubt / gemordt und gebrandt / Closter /
Schlosser / und dorffer ausgebrant und gesturmt / Und dazu die leut 5
mit gewalt getzwungen euch antzuhangen und wer solchs nicht thun
wolt / der hat euch mussen durch einen spiess lauffen. Ist das nicht
teuffelisch? Solt das weltliche obirgkeit nicht straffen? ya wen ein
herr ynn solchem fall hundert tausent schwert hett / so soltten sie
alle getzuckt werden / solche buben / reuber / diebe und morder 10
zuwurgen / Das ein erbarer frid untter den Christen erhalten wurde /
Denn darumb sind die Herren und weltliche obirgkeit der gemeine
diener / wan Sant Paulus saget Roma .13. und Sant Petrus yn dem
andern Capittel der ersten Epistel. SCHWE. Was sollt ich thun?
der Muntzer sprach offentlich / Gott het yhm solch befolhen zu- 15
thun / sonst wolt ich yhm nicht gefolget haben. BAWEr. Ja der
teuffel ynn der helle / wo mit wolt ers beweisen das yhm Gott solchs
befolhen hette? SCHWErmer. Wo kan das sein / hat ers doch mit
der schrifft beweist? BAWEr. Er hat sich für einen Gedeon auss-
gegeben und nicht fur einen Christen / das Evangelion hat er 20
verleugknet / und sein eigen trewm gepredigt aus dem alten Testament / wie yhn der teuffel gefuret hat / und er hett furwar fast
den todt allein darumb verdint / das er die schrifft felschet.
⟨Biij�v⟩ SCHWEr. Ey solt er denn den todt darumb verdint
haben ob er yrret? BAW. Ja freilich verdint / weil er nicht hatt 25
wollen umbkeren / und sein yrtumb erkennen / denn Gott sagt
clar ym .5. buch Mosi am .13. Capit. Wen untter euch auffstett ein
Prophet / der sich der treum rumet odder sagt / er hab gesichte gesehen / so solt yr seine stim nicht hören / denn Gott versucht euch
ob yr yhn von gantzem hertzen lieb habt / odder nicht / Aber den 30
selbigen treumischen Propheten sol man tödten / denn er hatt euch
wollen von Gott ewrm Herrn abwenden. Sihe do lieber schwermer
do beiss dich mit / wilt du nicht glawben das der Muntzer ein solcher gewesen sey / so magst du es greiffen und mit schaden gewar
werden. SCHWEr. Solt er denn gar unrecht sein / wart er doch ynn 35
vergangnem jare zu Weimar fur den Fursten verhöret / und liessen
yhn bleiben wie er war / wer er unrecht gewesen / sie hetten yhn
wol gestrafft. BAW. Ja lieber gesel wie stundt er aber da / war er
doch wie ein stumer mensch fur den Fursten und rethen gestanden.
SCH. Wo von weist du das? BAW. Solt ichs nicht wissen und war 40

auff die zeit ein wagen knecht zu Weimar auff dem schloss / und hab
yhn auss und ein gehen sehen / und er war nicht anders denn als ein
todter mensch gestalt / als er aus der Cantzlei gieng. SCHWE. Ey
was sol ich ymmer mehr sagen / und ich hab von yhm gehört er
5 were wol bestanden. BAW. Ja gleich wie butter an der sonnen.
SCHWEr. Das sollt der schosser und der Schultheis von Alstedt wol
wissen / die waren ya mit yhm da. BAW. Ich stund ym hoff und
machte einen wagen zu / do hort ich / das der Schosser den Müntzer
fragte / als er auss der Cantzlei gieng / von den ⟨B4ʳ⟩ Fursten und
10 rethen / wie es ym gangen were / aber der Müntzer war unter
seinem angesicht so gelb wie ein todter mensch / und sprach zum
Schosser / Ey wie sol es gehen es geht also / das ich ein ander Fur-
stentumb besuchen muss / und er war gar verzaget. SCHWEr. hat
er denn so gar kalt gestanden / und er rhumet sich doch vill als er
15 heim gen Alstadt widder kam / wie er die Fursten gescholten hett /
und wer herlich bestanden. BAWer. Ich wil dir wol anders sagen /
ich sahe yhm nach do er aus der Cantzelei kam / da folgetten yhm
die stal buben hintten nach und umbringtten yhn untter der thor
boden / und fragtten yhn mit viel hubschen sprüchen aus der schrifft /
20 wusten mehr von Christo / denn der Müntzer / Also das er gar
erstummet und nichts antwortten kont / Do schryen die stal buben
all auff / und sageten mit lauter stim / Sihe Müntzer wo ist nu dein
Gott und dein geist? Wenn der heilig geyst ynn dir were / so must
ya das ynn dir war werden / das Christus allen predigern ver-
25 heischen hatt / Luce am ein und zweintzigsten Capittel / Ich will
euch eyn mund / das ist / das aussreden geben / und die weissheit
welchem all ewer feinde nicht mugen widder stehen / Und Matthei
am zehenden Capittel sagt er / Ir seyt nicht die do reden / sonder
der geists ewers vatters redet ynn euch etc. Wie bist du denn nu so
30 gar stum? Zu solchem spectacel kamen auch die Thumherren auff
dem schloss und belachten yhn und sprachen / Ey sein geist und sein
Gott ist itzet nicht doheimen / er ist zu Schlungkenhagen zur kirben / Die andern sprachen Ja es muss irgent ein alter teuffel aus der
hellen sein / und also stundt er wie ein schaff untter den wolffen.
35 SCHWEr. Wie nam es denn mit ym ein ende? ⟨B4ᵛ⟩ BAWEr. Sie
stissen yhn mit schanden aus dem schloss und sprachen zu yhm / Gehe
hin und such deinen Gott von schaffhausen / wo du den gelassen hast /
Christus ist dein Gott nicht / denn du vorleugknest seiner / darumb
will er deiner widder verleugknen. SCHWE. Ey da hat es schal
40 aussgangen / Do hett der Müntzer wol mugen ein bein schutteln /

ich mein das heist bossen gerissen / das hab ich nicht gewust / ich
meint nicht anders / denn er wer wol bestanden / ich kam ein mal
fur seine kamer do er zu Alsteth auff dem thurm wonet / und er
war ynn der kamer allein / do hôret ich zwey miteinander reden do
er nu aus der kamer kam / fraget ich yhn wer bei yhm ynn der   5
kamer wer gewesen / do sprach ehr / Ey ich hab itzt meinen Gott
gefraget / was ich morgen thun soll. Do sprach ich zu yhm / Ey gibt
er euch denn so bald bescheid? Antwort er mir / Ey liess ich doch
den Gott tausent teuffel haben und hellisch fewr / wen er mir nicht
solt bescheid geben / wenn ich yhn fragte. BAWER. Noch seit yhr   10
schwermer toll und blind / und wollet nicht sehen / Und wir wissen
doch allesampt / das Gott nicht ander weiss mit uns menschen auff
erden zureden furnimpt / denn durch die heilige schrifft / und durch
Christum seinen lieben sôn ynn der heiligen schrifft / wie die Epistel
zun Hebreern am ersten Capit. clar antzeigt / was ander weise fur-   15
genomen wird / das ist lauter teuffels gespenst. SCHWERmer. Wie
denn sein leher vom glawben und andere war die auch unrecht?
BAWER. Freilich war es unrecht / es steth kein buchstab ynn der
gantzen Biblien von dem gauckelspiel do er von saget / als von verwunderung studirung / langweil. etc. SCHWERMEr. Ey hat er   20
doch zu Alsteth offentlich auff dem schloss vor den Fursten von
Sach- ⟨Cʳ⟩ ssen gepredigt und sie recht wol gescholtten. BAWE. Es
ist den Fursten und Herren nicht seltzam / das sie von narren gescholten werden. SCHWERMER. Warumb griffen sie yhn denn
auff selbig mall nicht an / er dorfft yhn doch kalck ynn die kurschen 25
geben und sprach / wen sie die gottlosen nicht woltten mit dem
schwerdt todten / so must man yhn ynn die scheiden weis nicht was
thun. BAWER. Die Fursten und Herren sind wol so redlich und
sonderlich ynn solchem fall das sie einem bosen buben konnen ein
zechen borgen / bis auff ein ander zeit / wenn der Mûntzer ein   30
redlicher man wer gewesen / und irgent ein Gottlich forcht yn seinem hertzen gewesen / er het sich wol solcher wort yn sein hertz
geschembt. SCHWERMER. Er sagte yhn die warheit. BAWER.
Das ist nicht die warheit / das man die obirgkeit schendet / und
unehret wenn sie gleich bôss ist / denn Gott sagt ym andern buch   35
Mosi. Du solt dem Fursten des volcks nicht fluchen / odder uneher
thun / Man sol die obirgkeit yn aller reverentz halten / nicht der
person halben / sonder der administration / die sie von Gottes ordnung haben. SCHWERMER. Du wilt dem Mûntzer nichts zulegen /
ich halt du seist yhm sonst feyndt. BAWER. Was solt ich dem nar-   40

ren und fantasten zulegen? SCHWE. Wo mit hatt er sich denn so nerrisch gehalten? BAWER. Ist das nicht nerrisch gnug? das er zu Alstedt die nacht zuvor ehe denn er weg lieff / harnisch / eisenhutt / krebs und helbarthen name / und ym fleck Alstet ynn der nacht wie

5 ein toller rasender hundt umblieff. SCHWER. Ja man wolt yhn greiffen do must er sich zur wehr stellen. BAWER. Haben das auch die Apostell gethan? SCHWER. Ich weiss es nicht sonder Gott weis es. ⟨C^v⟩ BAWER. yr schwermer seit also gesinnet / das yr euch duncken lisset man solt sich fur ewern langen bertthen furchten.

10 SCHWERMEr. Nein darumb haben wir sie nicht lassen wachssen. BAWEr. Warumb denn? SCHWERMER. Ey der Muntzer predigt / das ein Christen mensch seinen bart nicht sollt barbiren lassen / sonder solt yhn lassen wachssen wie die altvetter haben gethan / denn wir lesen das Samson sich sein lebenlangk nicht hatt lassen

15 barbiren Judicum am ein und dreisichsten Capittel. BAWEr. Semper sane / so hor ich woll yr schwermer wollet Samsons kinder / nicht Christi kinder sein / wenn das Evangelium auff langen bertthen tragen stund / so musten die zigenbock die besten Christen sein. SCHWERMEr. Ja ich weis wol das yhr Lutherischen spottig gnug

20 seit. BAWER. Ich bin nicht Lutherisch / ich wil Christen sein odder werden / gan mirs Gott mein Herr Christus. SCHWER. Ich hoff unser sach sol auch noch gut werden. BAWER. tragen ewere gesellen odder bundgenossen auch noch lange bertthe? SCHWER. Ich halt ya und ynn sonderheit zu Alstett / die mit ym bunde sind. BAWER.

25 wer sind sie denn alle? SCHW. Ach ich mag yhrer verrether nicht sein. BAWER. Ich wils nicht nachsagen / es sol bei mir wol bleiben / Lieber sag mirs ich wil dich heindt frey halten yns wirts hauss. SCHWERMER. Die furnempsten sind / Baltzer stubener und Bartel krumpe / Valentin krumpe / Bartel wollenschleger / Ulrich we-

30 ber / Erhardt weber / Wiprecht bogk / Bartel schramme / Wolff gang pfaff / Hanns schneider von schaffstat / Peter behr / Dise tragen alle lange berthe / aber sie haben sie nu lassen alle abscheren weil das wasser uber die korbe ⟨Cij^r⟩ wolt gehen. BAWER. Lieber was war doch yhr furgeben mit solcher narren weise? SCHWERMer.

35 Nicht anders denn sie sagten sie woltten das Evangelion ynns werck furhen / Es must nicht allein bey dem wort bleiben. BAWER. O yr stock narren / ych mein ya yr habts ynns werck gefurt / das hintten und forhnen ansteth / ist das ynns werck ge-furt so ists des Teuffels werck? denn nach solchem werck hatt den

40 teuffel langst gedurstet. SCHWERMEr. Wir haben gethan wie uns

der Můntzer gepredigt hatt. BAWEr. Sind denn auch ettliche von den Alstettischen schwermern noch am leben? SCHWERMEr. Ja ettliche aber nicht viel / einer heisset Bastian Lorentz und einer mit namen Bartel schramme / die zwen sind noch am leben / denn sie waren fur der schlacht hein gelauffen / und woltten der suppen nicht 5 erharren / sie hatten nisswurtzel gessen. BAWEr. Ja haben sie den bratten gerochen so haben sie die schnauden nicht gehabt. SCHWER-MEr. Ich weiss sie werden noch fest bei der Můntzerischen sachen stehen und schwerlich davon lassen. BAWEr. Ey man wird wol rath finden / die Herren haben schwert / reder und galgen gnug ynn der 10 wellt. SCHWERMEr. Ich sage das die weiber zu Franckenhausen mit yhren gabelln geschickt waren. BAWEr. Ja das richte der Můntzer zu Alstett auch also an. SCHWERMEr. Ja sie hofften yhre menner soltten auch ein mal Herren werden. BAWE. Nein do wirt nicht aus / und wen wir bawern und alle schwermer so lange schne- 15 bel hetten / als die stôrch noch werden wir des pratten nicht geniessen. ⟨Cij^v⟩ SCHWERMEr. Das gefiel mir dennoch wol von dem Můntzer / das er sein sachen altzeit mit dem gemeinen man hielt / und nicht mit den grossen Hansen. BAW. Ja freilich mit dem groben pôffel / denn die verstendigen und gelerten verstunden sein 20 list woll / und lissen sich nicht so bald verfuren und betrigen / wie der gemein pôffel / wer yhm aber nicht volgen wolt der must sein schrifft gelertter sein / und sein gottloser mensch / den solt man todt schlagen. SCHW. Das Evangelium lernt das nicht / sonder allein gedult / fridt sanfftmuttigkeit darumb ists ya teuffelisch gespenst 25 mit uns schwermern. BAW. Bekennest du es auch warumb treibst du denn sein sachen? SCHW. Ey ich hing darumb so fest an yhm / denn er sprach ein mal zu mir zu Alsteth ich solt mir nicht grawen lassen / denn Gott hett yhm befolhen / er solt die gantze Christen- heit reformiren. BAW. Ja deformiren / das ist / ungestalt und voller 30 blutvergissung machen / das muss yhn der Gott von Schluncken- hausen geheissen haben. SCHW. Das weis icht nicht er was auffs selbige mal wol getruncken. BAW. Ja all recht zu einem truncken Propheten / gehort auch ein trunckenner Gott / so ist denn der teuffel seiner mutter gleich. SCHW. Ich hette gern gesehen das er zu 35 Alstet bliben were / er hatte gutte tag da und war wol gehalten von allermenniglich. BAW. Ja ich glawbs ich wolt auch wol gutte / faule / fressige tag haben / wenn man mir also zutruge / und schlei- ffet wie man dem Můntzer do thet. SCHW. Ich hab yhm nichts sehen zu tragen. BAW. Ey so hab ichs gesehen / das man yhm alle 40

tag zu trug / puttern / kess / eyer / bier / wein / fleisch / semeln /
korn / gelt / flachs etc. SCHW. Ich halt nicht das er gelt nam.
BAW. So hab ichs gesehen und ⟨Ciij^r⟩ sonderlich das etliche reiche
hansen yhme ein handt voller grosser groschen gaben ynn sein
5 handt. SCHWE. Ach ich wils nicht glewben / sprach er doch er wolt
nicht mer / denn ein stuck brots und fleisch begeren. BAWer. Wie
sollt ers nicht annemen / hat er doch ynn allen dingen seinen eigen
nutz gesucht / man sagt noch darzu er hab vil guts und gelts auff
dem Eisfeldt erlangt / do er die Closter und Schlosser gesturmet hat.
10 SCHWEr. Ich halt bei elfftausendt gulden / geldt und silber. BAWer.
Das wer gutt Evangelisch / also kundt der teuffel auch wol gutt
Evangelisch sein / aber das Evangelium leret es nicht. SCHWErmer. Der hauff lies yhm gern nach wie ers machet / so sagtten sie ya
dazu. BAWER. Wo hatt er denn die messe gewandt hin gethan /
15 und die kaseln die er ynn clostern hin und her hat erlangt?
SCHWER. Er liess seinem weib cleider jacken und koller davon
machen. BAWER. Habt yr denn vil closter auff dem Eisfeldt gesturmet. SCHWERmer. Nicht mehr denn funfftzehen. BAWEr.
Habt yhr auch ein schloss gesturmet auff dem Eisfeldt das heisset
20 Scharpffenstein. SCHWErm. Ey das war ein fests schloss / Und do
wir davor kamen / do wart die zog brucken auffgetzogen und war
niemants darynn / do stigen wir hinein uber die graben und uber
die mauren und kamen ynn einen weinkeller do durstet uns sehr /
funden darynn wol .20. fass weins / der war gar vergifftet und
25 truncken ettliche eilents davon / und filen von stundan nidder und
sturben untter unsern henden / do wir das sahen do namen wir mes-
ser und hellparthen und hieben die fesser auff stucken / und liesen
den wein yn den keller lauffen. BAWER. Seit yr schwermer nicht
buben ynn der haut / das yr nicht allein plun- ⟨Ciij^v⟩ dert / son-
30 der auch mortt brennet / Ich hab verstanden yr habt alle schlosser
mit fewer verbrant / ach wer hinter euch schwermern her gewesen
were / und hett euch mit gutten schlangen buchssen gesteubt das die
lufft das fleisch het weg gefurt / das were ewer verdinther lohn gewesen. SCHWE. Ey der Müntzer wolt es also haben. BAW. Was
35 gab er euch denn zur aussbeut? SCHw. Nichts uberal / allein wir
holten dort wol achthundert schaff die teiltten wir do wart iglichem
ein schaff und die verkaufften wir iglichs schaff umb funff groschen.
BAW. Ach yr elenden narren wolt es nicht anders haben / yr seit
mit sichtlichen augen blint / niemant kan euch ratten noch helffen.
40 SCH. Der Müntzer sprach also zu uns / Lieben bruder das gelt und

gutt das wir erlangt haben / wollen wir dem ratth zu Mulhaussen
uberantwortten / auff das so uns ettwas von notten sein wurd / das
wir zu yhn mochtten zuflucht haben / denn es wirt nicht nach bleiben
die Tirannen werden uns angreiffen. BAWer. Hettet yr dem Mŭntzer seinen kopff uber ein kalt eisen lassen springen odder hettet   5
yhn gefengklich den Herren uberantwort / so were alle ewere sach
gutt worden und beigelegt. SCHWEr. Was sollten wir thuen / er
kont so kostliche wort furgeben / das wir meinten sein sach were
gerecht. BAWer. Ey also muss es gehen / wen man nicht mit dem
Gottlichen wort gegrundet ist / so muss man offt dem teuffel an   10
Gottes stat glewben / und volgen. SCHWER. Hatt er doch das
Gottlich wort vor yhm. BAWer. Ja wenn ers nicht falsch hett auss-
gelegt / man weis wol wie er sich allenthalben gehaltten hatt wo er
gewesen ist / Nemlich zu Braunschweig / zu Zwigkaw / Prag ynn
Behmen / zu Halle und an vilen orthen mehr / er ist alle- ⟨Ciiijʳ⟩   15
wegen wie ein ertzbube entlauffen. SCHwerm. must doch Sant
Paulus auch entlauffen und wart uber die mauern von den Aposteln
weg gesant. BAW. Ja lieber / Sant Paulus hatt geliden / ist verfolget worden umb Evangelions willen / aber Mŭntzer hat kein
Evangelium recht gepredigt es ist lautter schwermerei gewesen /   20
darumb hatt er nicht geliden wie ein Christ odder Apostel Christi /
sonder wie ein ubelthetter / das vergeb yhm Gott. SCHWEr. Wolan
ich hab so viel mit dir geredt und du kanst mer untterricht aus der
Biblien denn irgent ein pfaff / ich wil dir folgen / sag mir doch umb
Gottes willen / wie soll ich yhm doch nu thun das ich widder auff   25
die rechte ban kum und selig werde? denn ich vermerk das der
Mŭntzer unrecht ist aus allen deinen wortten. BAWER. Thue yhm
also / lass schwermerei zum teuffel faren und gehe zur predigen / do
man Christum und das Evangelion des newen Testaments predigt /
sonst must du ewig verdampt werden mit aller deiner schwermerei.   30
SCHWERmer. So sol ich mich gar nichts mit der obirgkeit zancken /
soll sie schlechts lassen mit mir machen was sie wollen? BAw. Wenn
die obirgkeit allein nach deinem leib / guth und ehren stehet und
strebt / so soltu dich nicht wider sie streuben / sonst strebst du widder Gottes ordenung / und fellest ynn die verdamnis wie Sant Paulus   35
sagt Roma. am dreytzehenden Capittel / derhalben auch unser Herr
Christus sagt Luce am zwolfften. Ir sollet die nicht furchten die euch
den leib wurgen / denn die selen mugen sie nicht todten / das sind
weltliche regenten. Aber spricht der Herr / ich will euch zeigen den
yr sollet furchten / furcht den / wenn er ewern leib getodtet hatt /   40

93

so hatt er auch gewalt die selen yn die hellischen pein zu senden /
⟨Ciiijᵛ⟩ den den den spricht der Herr solt yr furchten etc. Darumb
weil weltliche Herren nicht gebieten noch verbieten / das widder
das gewissen und den glawben ist / so sollen wir yhn yn allen din-
5 gen gehorsam sein / yn denn dingen aber die das gewissen und den
glawben verhindern / sollen wir Got mehr gehorsam sein denn den
menschen. SCHWERM. Ich hör wol aber / das ist ya nicht recht / das
die Herren so prechtig leben und niemant gleichs thuen. BAWER.
Ach lieber lass zeitliche regentten zeitliche gutter regiren lass dir
10 gnugen an Christo deinem Herren / der dir ym glawben vorbehalten hatt alle ewige / unvergenckliche gutter er wirt dich auch nicht
lassen leiplichen hungers sterben / wo du yhm von hertzen ver-
trawest. SCHWERmer. Ja es ist ya war / wo mit nere ich denn
mein weib und kinder / wen die Herren wollen alle ding haben?
15 BAW. Trawest du Gott den stinckenden bauch nicht zuerneren / wie
wilt du yhm denn vertrawen / das er dir das ewig leben geb / welchs
noch viel ein grosser glawb ist. SCHWER. Traw hin traw her / ich
seh niemants der mir was umb sunst gibt / wenn ich nicht hab.
BAWER. Ja ich glawbs wol / du mochtest so viel verschlemmen
20 und verprassen / toppeln und spilen / es wer dir wol aller welt gutt
zuwenig. SCHWER. Ich verzer ya nicht vil allein / das ich gutte
kleidung zeuge. BAW. Das ist auch eben davon ich sage / ist doch
schir nirgent ein armer betler und bauer yn der welt er wil ein
pireth fur .ij. gulden haben mit muscheln .1. hembt fur .1. gulden
25 .1. rock mit buntten ermeln / und ist der hoffart nu mehr unter den
gemeinen bawern denn untter den Herren und Fursten / do gehort
denn auch viel gelts zu / Es solt billich weltliche obirgkeit mit ernst
darein ⟨Eʳ⟩ sehen und verbieten / das nicht ein iglicher scheffel
drescher odder bawer dem Adel und Herren odder Fursten sich mit
30 der kleidung vergleichet / es muss ya ein untterschid sein / darnach
der standt ist / darnach zimbt sich auch die kleidung / und sag noch
furwar / es bedeut nichts gutts / das itzet ein itzlicher pöffel ein
puntten ermel tregt / ynn kleidung / als einen weis oder grund / den
andern schwartz odder praun / Es ist ein gewisses zeichen / das weil
35 sich der pöffel eusserlich den Herren vergleichen wil / das der teufel zu fall / und schon verhanden hab / das auch die obirgkeit sol
und wil dadurch veracht werden / Und wo die Herren und weltliche obirgkeit mit diesem cleinem missbrauch nicht auffsehen haben / wirt baldt volgen / das war wirt / was der heilig Prophet Job
40 am .12. Capittel sagt / Das die verachtung uber die Fursten wirt

aussgegossen werden / do mugen sie wol zu sehen / denn der teuffel
ist ein solcher gesel / wo man yhm eines fingers lang nach gibt nimpt
er gewislich zehen ellen lang. SCHW. Wo kumpt denn die bôse
obirgkeit her? BAW. Gott hatt sie unser sunde halben uber uns gesetzt / und wen wir nu gutte Christen werden so dorffen wir yhrer   5
nymmer / denn dem gerechten ist kein gesetz von nôthen / sonder
die bosen die nicht frid haben wollen / die mussen der obirgkeit
untterthan sein / darumb unser sund und unglawbens halben / gibt
uns Gott bôse unchristliche regenten / Das exempel magst du lesen
am ersten buch der konig am .8. Capittel / do wirstu es clar finden.   10
SCHWer. Ja wens also soll zugehen / so muss ich mich lenken lassen / und bist mir heut furwar wol so nutz gewesen als ein gutter
prediger. BAWE. Wir sind es schuldig eins das ander zu untter-
richten umb Gottes willen. SCHwer. Also hatt uns der ⟨Eᵛ⟩ Mûntzer nicht gepredigt / sonder er sprach altzeit / liebs volck denck   15
nicht / das die gelerthen mein lehr werden annemen. BAWEr. Wer
solt sie denn annemen? SCHWEr. Der gemein pôffel wurdt sie annemen. BAWE. Ja freilich vor blinden ist gut schirmen und wer
vorhin bôse augen hat dem mag man leichtlich yn die augen stauben / das er vollendt blindt wird. SCH. von wem hastu doch solche   20
lehr gelernt / die du mir itzet furgesagt hast? BAWE. Ich kan ein
wenig deutzsch lesen / drumb bin ich zu Erffordt zur predigen gegangen und hab mein buch altzeit bei mir / das new Testament und
wen doctor Lang predigt so such ichs denn und behalts. SCHWER.
Wolan Gott geb dir das ewig lohn darumb / das du mich untter-   25
weiset hast / ich hoff ich wil mich mit Gottes hulff bekeren / wo mir
Gott mein gesundtheit widder gibt. BAWEr. Hast du auch gelt das
du dich kanst heilen lassen / bei dem barbirer. SCHWEr. Nein warlich ich hett nicht einen einigen heller / es ist mir alles genomen.
BAWEr. Sihe do hast du ein gulden umb Christus willen und kum   30
mit mir ynn die herbrig / ich wil dich auch die nacht frei aushalten.
SCHWEr. Lieber bawer des danck dir Got ich sehe wol das du ein
Christlicher man bist / Gott gebe uns allen solche prediger wie du
gehabt hast. BAw. Wolan so gehe hin zum barbirer und hab eine
gutte nacht und sei Gott befolhen / bitt Gott fur mich armen sunder   35
das wil ich altzeit widder thun. SCHWEr. Ich wils gern thun / damit Gott befolhen.   AMEN.

Gedruckt zu Wittemberg durch Hans Lufft.

Ein gloub:wir

dig / und warhafftig underricht
wie die Dhoringischen Pawern
vor Franckenhawszen umb yhr
miszhandlüg gestrafft / und bey
de Stett / Franckenhawszen und
Molhawszen erobert worden.

M.D.XXV.

Ein gloubwirdig / und warhafftig underricht wie die
Dhoringischen Pawern vor Franckenhawßen umb yhr
mißhandlung gestrafft / und beyde Stett / Franckenhawßen
und Molhawßen erobert worden.
M.D.XXV.

NAch dem (wie der weyße Catho saget) vil leuth / vil reden /
und man eyner yeden sache / pfleget entweder aus gunst zu
zulegen oder aus neyd abzubrechen / und sonderlich von der
schlacht / die itzo newlich und koum vor dreyen wochen / vor Franckenhawsen ym Land zu Dhoringen ergangen / mancherley geredt
wirt. Dann etzlich die der sach recht underricht / sprechen das den
Paweren recht geschehen / und das sie den tod wol verschuldet
haben. Die andern aber / die der Pawernsach anhengig / und inen
iren unchristlichen handel frevel / und gotslesterung billichen / die
versprechen und tadeln die Fursten und Herren / so gemelte schlacht
gethan / und sagen sie solten die Pawern zu gnaden genomen / unnd
nit also erschlagen und erwurget haben. Derhalben unnd damit die
warheit an tag komme / unnd ein itzlicher unpartheyischer leser /
bey im selbst ermessen mog. Ob die schuld der Fursten / oder der
Pawern gewest / ist dis nachvolgend gloubwirdig underricht / ob
gemelter schlacht und handlung von denen die dabey gewest / alle
ding gesehen / gehort und tzum teyl selbst gehandelt haben / yn die
feder angegeben / und tzu ewiger gedechtnis dis handels / yn truck
gebracht worden wie nachvolget.

Ürstlich nach dem Thomas Montzer weylund / eyn auffrurischer /
vorfurischer und ketzerischer pfaffe / von wegen seyner falschen
lehr / und verkerung des heiligen Ewangelions und Gotes worte /
von Zwickaw / von Prage / von Halle / von Allstet / und andern
orten vertriben / unnd sich entlich gen Molhawsen gewendet / hat er
die zu Molhausen / und ander umbligende flecken ym Land zu
Dhoringen mit seynem schwermenden geist und falscher lehre /
dahin geredt / und als die / denen (wo sie sust lust zu tantzen
haben) ⟨Aij^r⟩ leychtlich zu pfeyffen ist / ouch leychtlich vermocht /
das sie allen Gotes dinst / in allen iren kirchen abgeworffen / ire
geistlichen Monch und Pfaffen ausgetriben / die kirchen beraubet /

der heiligen bilder zu stucken gehawen / unnd das doch Christlichen oren erschrecklich zu hören ist, das heylig hochwirdig Sacrament an vil orten an die erden ausgeschutet / mit fuessen getretten / und mit Gots lesterlicher schmach gesaget / Bistu unser Got / so where dich unßer mit vil andern unchristlichen / unmenschlichen / und unsynnigen worten / hendeln / tzerstörung und verwustunge vil Clöster Clawsen und Goteshewser / dartzu mit mord / brand / roub und nhome / den sie dermassen getriben / das sie ouch weder der kindtbetterin oder sechswocherin / noch der unschuldigen kleynen kinder in der wiegen verschonet / Sonder sich aus geytz und begirde frombder güter ye lenger ye mher von den Pawern unnd Stetten ym Land tzu Dhoringen zu sammen geschlagen conspirirt / und geschworen haben / Sich ouch an der geistlichen güter / die sie schier aus allen Clöstern ym Land tzu Dhoringen geroubet / und under sich selbst verpewtet / nit lassen settigen / Sonder volgend ouch understanden / die weltlichen oberkeit und sonderlich die Graven tzu Stolberg / Schwartzburg / und Honsteyn / sampt etzlichen andern von dem gemeynen Adel yn gemeltem Land zu Dhoringen anzugreyffen / zufahen / zu bestricken / und sie entweder yn iren bund und secte zu dringen oder gar zu vertreyben. Wie sie dann yre etzlich aus iren eygen Schlossern / als nhamlich von Schletheym / Ebeleben / Bissingen / Almenhausen / Sebach / Arnszberg / auff dem Eyszweld und andern orten verjaget / und sich allenthalben als die ungehorsamen / und offenbare Straß und kirchen rewber erzeigt haben / Alles wider ir gethan pflucht und eide wider Got Ehr und rechte / und sonderlich wider die guldin Bulla / und Keyserlicher Majestat und des gantzen hey- ⟨Aij^v⟩ ligen Reyches gemeynen Landtfriden / aus wölches innhalt und aus crafft beider rechten / sie mit der that / in die acht und aberacht eyngefallen und leyb und gut verwurckt haben.

Do nu solich ir Gotslesterung / frevel / ungehorßam / unchristlich und unmenschlich mißhandlunge / durch vilfaltige clag der beleidigten / an den Durchlauchten Hochgebornen Fursten und Herren / Hern Görigen Hertzog zu Sachssen Landtgraven yn Dhoringen / und Marggraven tzu Meyssen gelanget / Hat seyn Furstlich genad / als ein Christlicher Gotsforchtiger und Keyserlicher Majestat und des heiligen Römischen Reyches gehorsamer und getrewer Furste / behertziget / die grosse not der vertriben / verjagten / gefangen und beroubten personen / beider stende der Geistlichen unnd

der Weltlichen / Doneben ouch den grossen gewalt und frevel der
Pawern / und tzuvoraus die unchristlichen grewlichen schmach unnd
lesterung Gotes und seyner liben heiligen / Und sich von stund an
aus seynem Furstlichen hoflager zu Dreßden erhaben / gen Leyptzick verfuget / und aldo etzlich seyner Ritterschafft und Man-
schafft versamelt / Daneben ouch etzliche Fursten und Herren /
seyner Genaden Oheymen / Sône und Schweger umb hilff und beystand ersucht, die dann seyner F. G. ungewegert auffs furderlichst
zugetzogen / Und von aller ôrst der Durchlaucht und Hochgeborn
Furst und Herre / Herr Philips Landtgraff zu Hessen etc. sampt
dem Durchlauchten Hochgeborn Fursten und Herren / Herren
Heinrichen Hertzogen tzu Brunschweyg etc. am Sontag Cantate
nechst verschinen fur Franckenhawsen kommen / Aldo seyn F. G.
der Pawern bey acht tawset auff eym hauffen gefunden / mit denen
er so bald ein scharmitzel desselben tages angefangen / yhm wolchem
doch auff beyden teylen ⟨Aiijʳ⟩ wenig schaden geschehen.

Nach volgenden Montages ist obgemelter Hertzog Georig zu Sachssen mit seynem volcke dis orts ouch ankommen / Und als die
Pawern vermarckt das der ernst vorhanden / haben sie ein sticklichen berge neben Franckenhawsen gelegen / darauff sie dann iren
vorteil ersehen / eyngenomen / und den Fursten ein brieve tzuge-
schriben / nachvolgenden lawtes.

Wir bekennen Jesum Christum

Wir sint nicht hie yemant was tzu thon Joannis am andern /
Sonder von wegen Gôtlicher gerechtikeit / tzuerhalten / Wir
sint ouch nit hie / von wegen blut vergiessung / Wolt ir das
ouch thon / so wôllen wir euch nichtzit thon / darnach hab
sich ein yeder tzu halten.

Nach vorlesung dis brieves / Haben die Fursten den Pawern
widerumb geschriben und geantwurt lawth nachvolgender tzedel.

Den brudern von Franckenhawsen tzu handen.

Dieweyl ir euch aus angenomner untuget und vorfurischen
lere / ewers felschers des Ewangelions / vilfaltig wider unsern erlôßer Jesum Christum mit mord / brand / und
manicherley mißbietung Gotes / und sonderlich dem heiligen

Hochwirdigen Sacrament und ander lesterung ertzeyget /
Darumb sint wir / als diejhenen / denen von Got das schwert
bevolhen / hie versamelt / euch darumb als die lesterer Gotes
zustraffen. Aber nichts des weniger aus ⟨Aiij^v⟩ Christlicher
lieb / und sonderlich das wir dafuer halten / das manich   5
arm man / bößlich dartzu verfurt / So haben wir bey uns
beschlossen. Wue ir uns den falschen Propheten Thomas
Montzer sampt seynem anhange lebendig heraus antwortet /
Und ir euch in unser gnad und ungnad ergebet / So wollen
wir euch dermassen annhemen / Und uns dermassen gegen   10
euch ertzeygen / das ir dannocht nach gelegenheit der sachen /
unser gnad befinden sollet / begern des ewer eylent antwort.

Do diser brive yn der Pawern versamlung verlesen / hat Thomas
Montzer herfur getretten unnd die Pawern gefraget / ob sie das
thon / und yne ubergeben wolten / Haben sie all geschrien Neyn / 15
Neyn / Wir wollen tod unnd lebend / bey einander bleyben / Darauff er sie getrost und inen verheissen hat / er wolte alle pfeyl und
geschoß des widerteyls in seyn ermel auff fahen / und den veynden
wider tzu ruck in ir getzeld treyben.
Hie tzwuschen haben die Fursten geratschlagt und beschlossen /   20
das man die Pawern / dieweyl man mit dem reysigen tzeug nit an
sie kommen möcht / örstlich mit dem geschutz aus irem lager treyben / und darnach tzu roß unnd tzu fusse angreyffen wolt.
Als nu die Pawern vermarckt / wie sie auff allen seyten umb-
ringet / Haben sie eyn Edelman mit namen Caspar von Ruckes-   25
leben an dye Furstenn geschickt unnd genad gebetten / Denen die
Fursten bey gemeltem irem botten geantwurt / das sie ynen gern
gnad ertzeigen wolten / aber anderst nit dann lawt des obgemelten
ires brieves / und das sie ynen Thomas Montzer vor allen dingen
lebendig uberantwurten solten.   30
⟨A4^r⟩ Do seynt Graff Wolff von Stolberg sampt etzlichen Edel-
lewten von den Pawern / zu den Fursten kommen / wölche sie von
stund an bestrickt / und weyl sie von inen verstanden / das die
Pawern den Montzer in keynen weg ubergeben wolten / er wurde
dann zu vorn uberwunden / Haben sie den Pawern durch der sel-   35
bigenn bestrickten Edellewt eynen / mit namen Hanßen von Werder
tzu embotten / das sie sich in keyn disputation mit inen oder Mön-
tzer begeben wolten / Dann es kan ein itzlicher leßer abnhemen /
das da von tzu disputirn ane not gewest / dieweyl Möntzers unnd

der Pawern frevel ungehorsam und mißhandlung offentlich am tag /
unnd die heilig schrifft allenthalben clerlich außtruckt / das man die
ungehorsamen straffen / und eine yede seel der Oberkeit under-
worffen seyn soll.

Dieweyl dann die Pawern auff irem furnhemen verstockt / mit
iren auffgerichten fehnlin / unnd gewappenter hand gestanden / und
sich tzur whôre geschickt. Haben die Fursten ôrstlich das geschutz
lassen yn sie gehen / und wol getroffen / dadurch die Pawern ge-
drungen / iren vorteil zu ubergeben / ire ordnung zu trennen / und
mit flûchtigem fusse der Stat zu zulouffen / Mit wôlchen sich der
Fursten reysig und fueß volck mit eyngedrungen / und also gemelte
Stat Franckenhawsen / erobert / Und alle so sie darin gefunden
unnd sich tzur whôhr gestalt haben / als der Pawren geschworn und
verbruderte helffer und auffhalter / tzu todt gestochen und erschlagen / sampt den vilgemelten Pawern / deren uber die sechs
tawsent auff der walstat beliben und tod befunden worden.

Nach volendung der schlacht / ist Thomas Môntzer wunderberlich
an eim bette zu Franckenhawsen gefunden und den Fursten uberantwort worden. Der dann alle sach ⟨A4ᵛ⟩ bekant / gros rew und
leid uber seyn sund gehabt / gebeycht / und das heilig Sacrament
under eyner gestalt nach Christlicher ordnung empfangen / und
darnach aus Furstlicher gnad und nachlassung mit dem schwert gericht worden / so er doch wol ein andern todt unnd schwerere straff
verdint hette.

Der gleychen sind auch etzlich ander / die gemelten Pawern zu
diser empôrung und auffrur geraten und geholffen haben / irem
vordinst nach / ouch mit dem schwert gericht worden.

Nu bedenck ein itzlicher frommer Christ bey yhm selber / ob die
Pawern umb ir unchristliche verhandlung / verstockt gemût / und
verhartung in irer boßheit / den tod nit wol verschuldet / Und ob
die Fursten in dem recht / oder unrecht gethan / das sie das schwert
tzu straff der bôsen und schutz der frommen gebraucht haben /
dartzu ynen dann Got ougenscheynlich gnad verlihen und bey-
gestanden ist / Dann wo solich frevel ubelthat und Gotslesterung
nit gestrafft / wurde Tewtzsch Land gar bald / gar wûst unnd oed
werden / und keyn from biderman vor solichen buben sicher bleyben
môgen.

Wie Molhawßen eyngenommen.

Nach dem Franckenhawßen erobert / und die Pawern dis orts
geschlagen worden / Hat der Durchlauchtigst und Hochgeborn Furst
Hertzog Hans Churfurst tzu Sachssen etc. Den obgemelten Fursten
tzu embotten / Wo sie willens weren / die zu Molhawßen ouch tzu   5
straffen / wolt inen seyn Churfurstlich gnad dartzu helffen / und
sel- ⟨Bʳ⟩ ber mit inen da fuer tzihen / Dann seyn Churfurstlich
gnad nit weniger mißfallens trůge / ob deren von Molhawßen unbillichen hendeln / dann sie / Darauff gemelte Fursten / seyn Churfurstlich gnad gen Schlotheim zu ynen bescheyden / Wôlchs / als die   10
von Molhawßen vermarckt / haben sie sich understanden die Fursten tzu trennen / Und dem obgenanten Churfursten geschriben /
das sie seyner gnaden handlung sampt der von Erfurt und Nort-
hawsen tzwuschen Hertzog Georgen / dem Landtgraven zu Hessen
und ynen erdulden kônden / Wôlchs dann seyn Churfurstlich gnad   15
nit angenommen / Sonder seynem vorigen erbieten nach tzu den
andern Fursten gen Schlotheim kommen / mit ynch fuer Molhawßen tzutzihen / Die dann / als sie all tzusammen kommen / drey-
tawsent wolgeruster pferdt / ein mercklich antzal zu fus / unnd
ein gros geschutzs mit aller notturfft wol versehen bey einander   20
gehabt haben.

Do nun die burger / die grossen macht unnd einikeit der Fursten
vermarckt / und das ir wenig in der Stat die tzur whôr geschickt
weren (Dann der schwarm vorhin aus dem Bynstock außgeflogen /
unnd vor Franckenhawßen erschlagen was) Sint etzlich aus den   25
nhamhafftigisten aus der Stat / den Fursten ym feld entgegen
kommen / sich gedemůtiget und gnad gebeten / Dartzu die Fursten
geantwurt / das sie die grossen schmach und lesterung die sie Got
und seynen heiligen ertzeigt / darzu den frevel und ungehorsam
denn sie wider Keyserliche Majestat und sie geůbet hetten / nit   30
wůsten ungestrafft tzu lassen. Nicht dester weniger wo sie sich und
die Stat in ir gnad unnd ungnad ergeben / wolten / sie die also
annhemen / doch unabbruchlich Keyserlicher Majestat und das heiligen reychs gerechtikeit.

Als nu die Burger mit diser antwurt wider yn die Stat ⟨Bᵛ⟩   35
komen / die gemeyn beruffen / und inen die vermeldet / Hat sich
eyner / mit namen pfeyffer / ein außgelouffen Monche Wôlchen
Montzer als tzu seynem stathalter doselbist hinder im verlassen
het / sampt etzlichen andern auffrurischen dawider gesetzt / und

nit dareyn willigen wöllen / das man die Stat solt auffgeben. Aber die andern frommen leute / haben aus tzweyen bösen / das eyn gekieset / und beschlossen es were besser mit gnaden gestrafft werden / dann mith ungnaden leyb und gut sampt der Stat / auff ein
5 mal tzuverließen.

Do das Pfeyffer vermarckt / Hat er in der nacht eyn thor an der Stat geöffet / unnd mit vierhundert mannen seynes anhangs heimlich davon getzogen.

Als nu die Burger morgens des gewhar worden / sint sie erschro-
10 cken / Und haben von stund an ein grossen hauffen irer weyb und thöchtern zu den Fursten ins hör geschickt / sich lassen entschuldigen / Und aber mal gnad gebeten.

Diße weyber und jungfrawen sint von den Fursten tzu verhör zugelassen / aber ir bit und werbung nit erhört. Sonder ist inen
15 bevolhen wider heym tzu tzihen / und iren mennern anzusagen. Sie solten sich eyntweder yn ir gnad unnd ungnad zustraffen ergeben / Oder sie wolten die Stat anfahen tzuschiessen / und in grund tzuschleyffen.

Daruff die geschickten / des vorigen tages selbs widder tzu den
20 Fursten heraus kommen / den handel beschlossenn /und nach ergangem handel / Haben die Burger den Fursten örst recht angetzeigt / Wie der Pfeyffer hinweg kommen Des die Fursten beschwerung getragen / Und dem nach sie sich wol vermutet / das sich gemelter Pfeyffer mit den seynen / nach den Frenckischen auffrurischen Paw-
25 ern hin- ⟨Bij^r⟩ aus wenden wurden / haben sie inen ym Ampt Eyßenach vorbogen lassen.

Am tag Ascensionis domini / das ist der hymelfart Christi / Sint die Burger all samptlich zu den Fursten ins feld hinaus kommen / ynen tzu fußen gefallen. Die schlössel tzur Stat uberantwurt / Und
30 sich den obgenanten dreyen Fursten / Namlich dem Churfursten tzu Sachssen / Hertzog Georgen / und dem Lantgraven tzu Hessen yn ir gnad und ungnad gentzlich ergeben / Wölche die Fursten also angenommen / und die Stat darauff eynnhemen lassen / doch Keyserlicher Majestat und dem heiligen Reych / an irer gerechtickeit
35 (wie oblawt) unabbruchlich.

Diser stund ist den Fursten ym feld kund worden / das der Pfeyffer sampt xcij. Mölhawßnern nahet bey Eyßenach gefangen / Die inen dann des volgenden tages gepracht und uberantwurt worden / Wölche sie (außgenomen was junge lewth gewest / denen aus Furst-
40 licher gütikeit gnad beweyst / und irs lebens gefrist worden) die

andern / all / mit dem schwert richten lasßen / unnd ßonderlich den ausgelouffen Monch Pfeyffer / Wölcher ane Beycht und Sacrament / wie ein unvernunfftige Bestia hat sterben wollen / Dann es von anbegyn nye erfaren / das ein Apostata und abtrynniger ye ein gut end genomen het.

Dis alles ist zu underricht der warheit tzu ewiger gedechtnis dis handels / und zu eynem exempel und warnung der nachkommenden / damit sie sich vor schaden wissen tzuverhuten / Und sich wider ir herschafft ßo leychtlich nith auffleynen / gutter meynung yn truck gegeben / Montags nach dem Sontag Trinitatis / Nach Christi unsers lieben Herrn gepurt / Tawsent funffhundert / und im funff und tzweyntzigisten Jaren.

Erläuterungen

Die Anmerkungen enthalten zum einen die sprachlichen Erklärungen, die unbedingt erforderlich schienen, um die Benutzung der Texte auch ohne allzu viele Hilfsmittel zu ermöglichen; den größten Teil jedoch machen die Sacherläuterungen aus, in die die Ergebnisse der Müntzer-Forschung eingearbeitet sind, um vor allem gegenüber den Entstellungen der Pamphlete auf den historischen Sachverhalt zu verweisen, soweit er inzwischen ermittelt ist. Die Erläuterungen mußten möglichst knapp gehalten werden. Für die genauere Information und für die Einarbeitung in die wissenschaftliche Diskussion sind deshalb Literaturangaben beigefügt.

Zu ›Eyn brieff an die Fürsten zu Sachsen‹

Eine genaue Datierung des Briefes ist nur indirekt möglich, aus den Bezugnahmen verschiedener Briefe und Schriften im Umkreis Luthers, der Fürsten und Müntzers aus der fraglichen Zeit.

Müntzer wurde vom Rat der Stadt Allstedt (am Harz; kleine, auf Landwirtschaft ausgerichtete kurfürstlich-sächsische Stadt, Enklave im Gebiet der Grafen von Mansfeld und des katholischen Herzogs Georg von Sachsen; wichtig die Nähe zum mansfeldischen Bergbaugebiet) um Ostern 1523 zunächst versuchsweise, dann definitiv zum Prediger an der Hauptkirche bestimmt, »ohne daß er dem Kurfürsten, dem das Patronatsrecht an der Johanniskirche zustand, präsentiert und von ihm bestätigt worden war«. (Hinrichs, Luther, S. 5 f.; vgl. a. Bensing, Thomas Müntzer (1965), S. 48 f.; Karl Hohnemeyer: Müntzers Berufung nach Allstedt. In: Harz-Zeitschrift. 16. Jg. Goslar 1964. S. 103–111). Müntzer erhielt außerordentlichen Zulauf und geriet im Herbst 1523 deswegen bereits zum erstenmal in eine Kontroverse mit dem katholischen Grafen Ernst v. Mansfeld, der seinen Untertanen den Besuch von Müntzers Messe verbieten wollte und sich in dieser Angelegenheit auch an den Kurfürsten wandte, ohne jedoch die geforderte Verhaftung Müntzers zu erreichen (dazu im einzelnen Hinrichs, Luther, S. 6 ff.). Müntzer rechtfertigte sich in einem Brief vom 4. 10. 1523 (Schriften (Franz), S. 395 ff.) vor dem Kurfürsten und warnt diesen gleichzeitig: Die Fürsten sollten »den frummen nicht erschrecklich« sein, sonst würde »das swert yhn genommen werden und wirt dem ynbrunstigen volke gegeben werden zum untergange der gotlosen« (a.a.O., S. 396 f.). In Allstedt erreichte Müntzer eine außerordentliche ›Machtstellung‹ (Hinrichs, Luther, S. 11), Bürgermeister und Rat nahmen seine Lehre auf, und auch der kurfürstliche Einnehmer Hans Zeiß, der auf dem Allstedter Schloß residierte, scheint Müntzer zeitweise gefolgt zu sein (vgl. Briefe: Schriften (Franz), S. 397 f., 416 ff.), schwankte aber in seiner Haltung sehr stark.

Am 24. 3. 1524 wurde eine in der Nähe von Allstedt befindliche, zum Nonnenkloster Naundorf gehörige Kapelle zerstört; die Fahndung nach den Schuldigen, vor allem von Herzog Johann, dem Bruder des Kurfürsten, betrieben, verlief ergebnislos. Wahrscheinlich deckten Rat, Bürgermeister und auch Schösser Zeiß die Schuldigen, obwohl Zeiß – vielleicht zum Schein – vorübergehend ein Ratsmitglied verhaften ließ (zum einzelnen Hinrichs, Luther, S. 12 ff.).

Wahrscheinlich schon vor dem Kapellensturm hatte Müntzer in Allstedt einen ›Bund der Auserwählten‹ gegründet, dessen Mitglieder auf das Programm einer urchristlichen Gleichheit und Gütergemeinschaft schworen und die Abgaben an Klöster verweigern wollten (Genaues bei Hinrichs, Luther, S. 18 ff.; Bensing, Idee und Praxis, S. 461 ff.). Nach der Festnahme des Ratsmitgliedes durch den Schösser (4. oder 11. Juni 1524?) kam es am 13. 6. zu einer Art Aufruhr in der Stadt – Müntzer läutete die Sturmglocke, die Bewohner versammelten sich unter Waffen, Zeiß mußte die ihm vom Herzog aufgetragene weitere Verhaftung von Verdächtigen fallenlassen. Die Rolle des Schössers, der die Freilassung des Verhafteten beim Kurfürsten erreichte, ist undurchsichtig (vgl. Briefe von Zeiß an Herzog Johann v. 19. 6. 1524, an den Kurfürsten v. 26. 6., an Herzog Johann v. 28. 7.; Herzog Johann an den Kurfürsten v. 22. 6. 1524; Förstemann, Neue Mitteilungen, S. 161 ff.). Erst nach entschiedenem Vorgehen Herzog Johanns rückte er von Müntzer ab, definitiv wohl erst mit dem Verhör Müntzers und des Rats in Weimar am 1. 8. 1524, zu dem der Herzog nach der ›Bundespredigt‹ Müntzers und dem Bericht von Zeiß (28. 7. 1524, Franz, Quellen, S. 485 ff.) vorgeladen hatte (s. o. 87, 35 ff.).

In der Zeit der Auseinandersetzungen um die Vorgänge bei der Mallerbacher Kapelle und die Folgeereignisse hatte Luther am 18. Juni in einem langen Brief an Kurprinz Johann Friedrich, den Sohn Herzog Johanns, bereits über den »Satan von Allstedt« gehandelt (WA Briefe 3, S. 307 ff.) und eine Disputation mit Müntzer – wohl in Wittenberg – gefordert, die dieser jedoch ablehnte mit der Begründung, er wolle nicht allein »vor den von Wittenberg« verhört werden, sondern auch die »heyden dobey haben« – weil er »die unverstendig cristenheit zu podem« tadele, d. h. just die Lutherischen anzugreifen gedachte (Brief an Herzog Johann v. 13. 7. 1524, Schriften (Franz), S. 407; dazu Hinrichs, Luther, S. 30 ff., 96 ff. – s. u. zu 5,10 ff.). Luther war über die Vorgänge in Allstedt durch den befreundeten kurfürstlichen Hofprediger Georg Spalatin und andere informiert (dazu WA 15, S. 203 f.).

Bestimmte Stellen im vorliegenden Brief klingen fast wörtlich an Passagen im Brief vom 18. 6. an den Kurprinzen an (s. o. 5,10 ff.). Am 3. August beziehen sich Müntzer (an den Kurfürsten, Schriften, (Franz), S. 430 ff.) und Schösser, Bürgermeister und Rat von Allstedt (an den Kurfürsten, Förstemann, Neue Mitteilungen, S. 186 ff.) bereits auf Luthers

Brief an die Fürsten. Die Abfassung ist also zwischen diesen beiden Daten anzusetzen, womöglich »nicht erst gegen Ende, sondern schon in der ersten Hälfte des Juli, wenn nicht gar schon Ende Juni« (WA 15, S. 203 f.).

2,5 f. Friedrich III. der Weise (1463–1525, Kurfürst von 1486–1525) regierte zusammen mit seinem Bruder, Herzog Johann (1468–1532, Kurfürst 1525–1532), das Kurfürstentum Sachsen. Wittenberg war kursächsische Landesuniversität, Luther also des Kurfürsten ›Untertan‹.

2,9 *glück* = Schicksal

2,10 *auffgeht* – bezieht sich auf das Gleichnis vom Sämann Mt 13,3 ff.

2,10 *dempffen* = dämpfen: zurückhalten, aufhalten, unterdrücken.

2,18 *merterer* = Märtyrer.

falsche Propheten – vgl. z. B. Off. 16,13 f. u. ö.

2,21 *Antichrist* – bezieht sich auf die apokalyptische Geschichtsvorstellung (s. etwa 1. Joh. 2,18; 2. Joh. 7; Off. 12,7 ff. 19,20 f.). Zu Luthers Geschichtsanschauung – in der die Teufelsvorstellung eine wesentliche Rolle spielte – im Unterschied zum Geschichtsverständnis Müntzers vgl. Hinrichs, Luther, S. 152 ff. (dort auch Verweise). Weiterhin Hans Preuss: Die Vorstellungen vom Antichrist im späteren MA, bei Luther und in der konfessionellen Polemik. Leipzig 1906; Jakob Taubes: Abendländische Eschatologie. Bern 1947.

Von Luther wird zunächst vor allem der Papst als ›Antichrist‹ gesehen, vgl. ›Von dem Papsttum zu Rom wider den hochberühmten Romanisten zu Leipzig‹ (1520), WA 6,285 ff., und ›De captivitate Babylonica ecclesiae praeludium‹ (1520), WA 6,497 ff.

2,28 *trotz* = Stolz, Widerstand, Anmaßung.

2,29 ff. – Ps. 2,1–5.

2,34 Luther hatte bereits 1522 mit ›Eine treue Vermahnung zu allen Christen, sich zu hüten vor Aufruhr und Empörung‹ (WA 8,676 ff.) auch »die Fürsten und Herrn« (a.a.O., S. 680) zum einen auf ihre Verantwortung als Hüter der weltlichen Ordnung hingewiesen, zum anderen vor Willkür und Übermut gewarnt. In ›Von weltlicher Obrigkeit, wie weit man ihr Gehorsam schuldig sei‹ (WA 11,245 ff.) verschärfte er 1523 die Argumentation in beiden Richtungen und griff im ersten Teil der Schrift die Fürsten wegen ihres »Mutwillens« und der Unterdrückung des »armen Manns« – was er als »Lästerung göttlicher Majestät« interpretierte – scharf an (a.a.O., S. 247) und suchte den rechten Gebrauch der aus göttlichem Befehl in der Schrift abgeleiteten obrigkeitlichen Funktion zu erläutern. Die Wirren in Deutschland leitet Luther in dieser Schrift aus der Willkür der Feudalherren ab, bestreitet gleichwohl dem ›geschundenen‹ Volk das Recht zum tätlichen Widerstand; in den Bauernkriegsschriften führt dieser Ansatz zwangsläufig zur Verdammung der Erhebung und zum Aufruf an die Fürsten, die Unruhen mit äußerster Härte niederzuschlagen. Zu Luthers Argumentation und Verhalten vgl. die völlig unkritischen Arbeiten von

Paul Althaus: Luthers Haltung im Bauernkrieg. Darmstadt 195
(Neudruck v. 1925) und Walter Elliger: Luthers politisches Denke
und Handeln. Berlin 1952; weiterhin Karsten Klaehn: Luthers sozial
ethische Haltung im Bauernkrieg. Diss. Rostock 1940; Friedrich Lüt
ge: Luthers Eingreifen in den Bauernkrieg in seinen sozialgeschicht
lichen Voraussetzungen und Auswirkungen. In: Jahrbücher für Natio
nalökonomie und Statistik. Bd. 158, 1943, S. 369–401.

3,7 *fehet* = fängt.

3,9 f. 1. Kor. 11,19.

3,11 Bezieht sich wohl auf Müntzers Ausweisung aus Zwickau, womög
lich auch auf die weiteren Vertreibungen aus Prag, Nordhausen, Hall
und anderen Orten (vgl. Bensing, Thomas Müntzer (1965), S. 38 ff.)
Müntzer war 1520 zur Zeit erheblicher innerstädtischer Unruhen nac
Zwickau gekommen – Spannung bestanden vor allem zwischen de
Bürgern und dem mit Privilegien ausgestatteten, aber zerstrittenen un
teilweise verkommenen Klerus, aber auch zwischen den Patriziern un
den lohnabhängigen Tuchmachern. Müntzer war zunächst, auf Ver
mittlung Luthers hin, Vertreter des Hauptpredigers Johannes Wilde-
nauer (Egranus). Es kam sehr bald zu heftigen Fehden zwischen Münt
zer und dem von ihm angegriffenen Klerus – Müntzer wandte sich ir
dieser Sache auch an den von ihm damals noch als Autorität und refor
matorischen Gesinnungsbruder betrachteten Luther (Brief v. 13. 7. 1520
Schriften (Franz), S. 357 ff.). Nach der Rückkehr von Egranus gerie
Müntzer auch mit diesem in einen theologisch begründeten Konflikt
über dessen Bedeutung für die Ausbildung von Müntzers eigene
Theologie in der Forschung Uneinigkeit herrscht (vgl. Smirin, Volksreformation, S. 85 ff.; Lau, Prophetische Apokalyptik, S. 164 f.; Lohse
Auf dem Wege, S. 128 ff.; Maron, Thomas Müntzer, S. 214; Ebert
Theologie, S. 59 ff.). Entscheidend in diesem Zusammenhang war Müntzers sich entwickelnde Verbindung zu den kleinbürgerlichen und ›ple-
bejischen‹ Schichten der Stadt, besonders zu den Tuchwebern und de
sich dort ausbildenden spiritualistischen Bewegung. Müntzers – übri-
gens von Luther angeregte – Beschäftigung mit mystischen Schrifte
(dazu Boehmer, Thomas Müntzer, S. 201 ff.; Smirin, Volksreforma-
tion, S. 207 ff.) fand Bestätigung und Resonanz im Kreise der ›Zwickauer
Propheten‹, deren führende Vertreter Nikolaus Storch und Markus
Stübner im Winter 1521 nach Wittenberg gingen und im Verlauf der
Unruhen im Frühjahr 1522 heftige Dispute mit Luther hatten (vgl. nur
Bender, Die Zwickauer Propheten, S. 266 ff.; Stupperich, Geschichte,
S. 92 ff.; Smirin, Volksreformation, S. 89 ff.; Nikolaus Müller, Die
Wittenberger Bewegung 1521 und 1522, Leipzig 1911). Inwieweit be-
reits in Zwickau durch die ›Tuchknappen‹ hussistisch-taboritische Ein-
flüsse prägend auf Müntzer einwirkten, ist umstritten (vgl. Boehmer,
Thomas Müntzer, S. 203 ff.; Smirin, Volksreformation, S. 272 ff.; Wer-
ner, Messianische Bewegungen, S. 606; Nipperdey, Theologie, S. 277;

Maron, Thomas Müntzer, S. 214, 224). In der Auseinandersetzung mit Egranus und im Umgang mit Storch und seinen Anhängern muß sich bei Müntzer zumindest in Ansätzen die theologische Differenz zu Luther ausgebildet haben – bei allen inzwischen tiefen Unterschieden im theologischen Konzept schreibt aber Müntzer noch am 9. Juli 1523 an Luther, den er mit »sincerissime inter ceteros pater« und »charissime patrone« anredet, um sein Verhalten in Zwickau zu rechtfertigen und sich gegen Verleumdungen zu verteidigen (Schriften (Franz), S. 389 ff.). Der Streit zwischen Müntzer und Egranus verschmolz mit dem Konflikt zwischen den Unterschichten und den Patriziern, auf deren Seite sich der Rat schließlich stellte. Die Bürgerschaft der Stadt spaltete sich in zwei Lager, es kam zu Schmähbriefen und Anwendung von Gewalt. Der Rat sah in Müntzer den Hauptschuldigen an der Unruhe und gab ihm am 16. 4. 1521 den Abschied. Daraufhin versammelten sich die Tuchknappen unter Waffen, der Rat ließ 56 von ihnen verhaften. Der Aufruhr wurde dann Müntzer in die Schuhe geschoben, der jedoch in seinem Brief an Luther beteuert, zur fraglichen Zeit ›im Bade gesessen‹ zu haben (Schriften (Franz), S. 390). Er verließ aber noch in der gleichen Nacht Zwickau. Zum Verlauf der Zwickauer Ereignisse vgl. die – durchaus parteiische – Schrift Wapplers, Thomas Müntzer, S. 19 ff.

3,12 Müntzer mußte während der Jahre 1521–1523, in denen er an verschiedenen Orten immer nur für kurze Zeit Betätigungsmöglichkeiten fand, zeitweise unter großen Entbehrungen leben, zudem waren er und seine Begleiter wie Freunde ständigen Verleumdungen und Angriffen ausgesetzt (vgl. etwa Briefe an Hausmann, 15. 6. 1521, und an unbekannte Anhänger in Halle, 19. 3. 1523, sowie die Briefe an Müntzer aus der fraglichen Zeit: Schriften (Franz), S. 371 ff.; s. a. Bensing, Thomas Müntzer (1965), S. 42 ff.; polemisch Boehmer, Studien, S. 11 ff.; Steinmetz, Deutschland 1476–1648, S. 118 ff.). Müntzer verstand sein ›Leiden‹ als Heimsuchung Gottes, d. h. als Moment der ›Erwählung‹ und Berufung, seine nun entwickelte ›Kreuzestheologie‹ sah er an sich bestätigt (s. u. zu 3,21 ff.). Er griff Luther später wegen dessen ›Wohlleben‹, d. h. als sich Gott verweigernden und von Gott verworfenen ›Schriftgelehrten‹, scharf an (›Hochverursachte Schutzrede‹, Schriften (Franz), S. 321 ff., bes. 334).

3,15 Herzog Georg der Bärtige (1471–1539), seit 1500 Regent im albertinischen Sachsen, blieb im katholischen Lager.

3,19 f. Könnte sich auf die ›Protestation‹ beziehen (Schriften (Franz), S. 237) oder auf Luther u. U. bekannte Briefstellen (an den Kurfürsten, 4. 10. 1523, a.a.O., S. 395 f.; an Hans Zeiß, 2. 12. 1523, a.a.O., S. 397 f.; an Herzog Johann, 7. 6. 1524, a.a.O., S. 406). Vgl. dazu Müntzers Antwort auf den Vorwurf Luthers (Hochverursachte Schutzrede, a.a.O., S. 337 f.).

3,21 ff. Zu Müntzers Kreuztheologie, in der das von Gott gesandte und gewirkte reale Leid und die den Menschen ergreifende Verzweiflung nicht aber die mystisch-asketisch selbstbereitete Kasteiung die unabdingbare Voraussetzung für den Geistempfang, d. h. den wahren, erfahrenen Glauben sind, vgl. schon Holl, Luther, S. 433 ff.; des weiteren Lau, Prophetische Apokalyptik, S. 164; Schmidt, Selbstbewußtsein S. 27 ff.; Nipperdey, Theologie, S. 262, 274; Elliger, Thomas Müntzer (1965), S. 14 f.; Lohse, Auf dem Wege, S. 130; Goertz, Innere und äußere Ordnung, S. 61 f., 102 ff., 121 ff., 126 ff.; Ebert, Theologie S. 74; Maron, Thomas Müntzer, S. 206 f. Luthers Vorwurf an dieser Stelle mußte Müntzer am zentralen Punkt treffen, in der Frage der Echtheit des Glaubens und der Realität der Auserwählung durch Gott um so mehr, als Müntzer gerade Luther vorhielt, der Wittenberger habe einen ›erdichteten‹ Glauben und predige eine billige, bequeme Rechtfertigung, indem durch das ›ein-für-allemal‹ des Kreuzestodes Christi und das bloße Annehmen einer zugesprochenen Gnade die reale Erfahrung von ›Kreuz‹, Leid und damit des den Menschen ›vernichtenden‹ Wirkens Gottes wegeskamotiert werde. Deshalb konzentriert sich Müntzers Gegenangriff auf Luther genau auf diesen Zusammenhang, was schon im Titel der ›Hochverursachten Schutzrede und Antwort wider das geistlose, sanftlebende Fleisch zu Wittenberg‹ zum Ausdruck kommt.

3,25 ff. Müntzer betrachtete sich bis in die Zwickauer Zeit hinein durchaus als Schüler Luthers (vgl. die Unterschrift – nach Konjektur – unter dem Brief v. 13. 7. 1520, Schriften (Franz), S. 361). Die Abhängigkeit der theologischen Konzeption Müntzers von Luthers Ansatz ist in der Forschung umstritten (s. o. zu 3,11).

Eine entscheidende Differenz besteht, in der Allstedter Zeit bereits sehr scharf ausgeprägt, tatsächlich im Offenbarungsverständnis: Müntzer war der Ansicht, daß der wahre, ›erfahrene‹ Glaube auf dem unmittelbaren Wirken des Geistes Gottes im Menschen beruhen müsse, in Analogie zu den in der Bibel bezeugten Glaubenserfahrungen, während für Luther die Offenbarung prinzipiell abgeschlossen war und nur in der Predigt, d. h. in der Auslegung der Schrift, der Glaube ›zugesprochen‹ werden könne, so daß Gott mittelbar den Menschen anrede (zum Schriftprinzip s. folgende Anm.). Allerdings setzte Müntzer voraus, daß es dem Menschen außerordentlich schwer werde, Gott an sich wirken zu lassen, daß Verzweiflung, Leid und Auslöschung der ›Selbstigkeit‹ bis an die Grenze des physisch Ertragbaren von Gott geschickt würden, bevor Gott ›mit dem Finger im Herzen schreibe‹ (vgl. Schriften (Franz), S. 498). Luther versucht hier also, Müntzers Offenbarungsverständnis lächerlich zu machen, indem er den Gedanken einer ständigen Zwiesprache mit Gott sozusagen auf fast gleicher Ebene unterstellt – daran hat Müntzer nie gedacht (wichtige Stellen: Prager Manifest, a.a.O., S. 496 ff.; Vom gedichteten Glauben, a.a.O., S. 221 ff.; Protestation, S. 233 ff.). Müntzer weist Luthers Entstellung scharf zurück: Hochverursachte Schutzrede, a.a.O., S. 338, Zu Müntzers Glaubensbegriff vgl. nur Nipperdey, Theologie, S. 246, 267; Goertz, Innere und äußere Ordnung, S. 48, 66 ff.

3,32 Bei Müntzer heißt es im Prager Manifest: »Ich becrefftige unde schwere bey dem lebendigen Goth: wer do nicht horeth auß dem munde Gots das recht lebendige worth Gots, was bibel und Babe, ist nicht anders denn ein todt ding.« (Schriften (Franz), S. 501). Agricola übertrumpft dann noch Luthers Version (s. o. 63, 29).
Luther verfälscht auch hier Müntzers Ansatz: Zwar bestreitet Müntzer, daß mit der Bibel die ein für allemal abgeschlossene Offenbarung vorliege und daß Gott sich nicht mehr unmittelbar durch sein Wort im Herzen den Menschen offenbaren könne, aber als Zeugnis für solches Offenbarungsgeschehen gilt ihm die Bibel überaus hoch. Und wo nicht die ›Buchstabengelehrten‹, sondern die mit dem wahren Glauben Begnadeten die Schrift auslegen, eröffnet sich erst das rechte Verständnis, so daß dann das Zeugnis der Schrift wörtlich genommen und unmittelbar als Anweisung und Befehl verstanden werden kann – weshalb man Müntzer dann sogar Biblizismus nachgesagt hat. Zum Schriftprinzip bei Müntzer s. Nipperdey, Theologie, S. 242 ff., 249 ff., 271; Goertz, Innere und äußere Ordnung, S. 31 f., 49 ff., 64 ff., 73 ff., 90 f.; Maron, Thomas Müntzer, S. 208 f.

3,33 f. Müntzer maß der ›Beispielhaftigkeit‹ des Leidens Christi die entscheidende Bedeutung zu, wehrte sich aber gegen den Gedanken der einfach stellvertretenden Tat Christi, bei der sich der Christ gefahrlos, bequem und ohne Folgen für ihn selbst beruhigen könne. Daher verlangt er, der Gläubige müsse im Ertragen des gottgesandten ›Kreuzes‹ Christus ›gleichförmig‹ werden. Dadurch wird das eigene Leiden jedoch nicht ›höher‹ als das Christi gewertet. Zur Frage der ›imitatio Christi‹ bei Müntzer vgl. Elliger, Thomas Müntzer (1965), Sp. 14 f.; Goertz, Innere und äußere Ordnung, S. 121 ff., 126 ff.

4,2 *vorhyn* = früher, zu einem früheren Zeitpunkt.
»zwey mal« könnte sich auf die Begegnungen Luthers mit Storch und Stübner in Wittenberg beziehen (s. o. zu 3,11), deren Lehre er mit der Müntzers gleichsetzt (vgl. Steinmetz, Müntzerbild (1971), S. 32 ff., 57 ff.; s. a. Müntzers Bekenntnis, Schriften (Franz), S. 546 f.; und WA 15, S. 212).

4,5 Über die Informanten Luthers s. WA 15, S. 203 f.; Steinmetz, Müntzerbild (1971), S. 17 ff. An Schriften Müntzers könnte Luther gekannt haben eine Abschrift des ›Prager Manifestes‹ (s. o. zu 3,25 f.), die gedruckten liturgischen Schriften und die Anfang 1524 erschienene ›Protestation‹, vielleicht auch – über Georg Spalatin, Johann Agricola, den mansfeldischen Rat Johann Rühl und den mansfeldischen Kanzler Kaspar Müller – eine Reihe von Briefen, vor allem an den Kurfürsten und an Herzog Johann (s. o. S. 108). Hinrichs jedoch kommt zu dem Schluß, »daß Luther seine ganze Anschauung von Münzers revolutionärer Gewaltanwendung nicht aus der Kenntnis von dessen Lehre, sondern aus der Mallerbacher Affäre gezogen hat.« (Luther, S. 157, vgl. S. 143 ff., 158 ff. – dort der Nachweis, daß Luther sich hier auf die oben erwähnten Briefe an den Kurfürsten und dessen Bruder bezieht).

4,6 ff. Da Luther die Fürstenpredigt noch nicht gekannt haben kann (Hinrichs, a.a.O., S. 143 f.), bezieht sich die Stelle wahrscheinlich auf den Schluß des Briefes an den Kurfürsten v. 4. 10. 1523 (Schriften (Franz), S. 396 f.).

4,9 f. *den schalck kicken* = die Arglist hervorschauen.

4,11 f. *vorhyn* – s. o. zu 4,5.

4,12 Möglicherweise spielt Luther hier schon auf eine angebliche Begegnung mit Müntzer in Wittenberg an (s. u. zu 5,27 ff.), oder aber er meint an dieser Stelle die ›Schwärmer‹ allgemein (daher das ›sie‹ Z. 14?) und denkt an seine Dispute mit Storch und Stübner (s. o. zu 3,11).

4,16 f. Joh 18,36.

4,17 f. Mt 20,25 f.

4,24 ff. Luther nimmt hier fast wörtlich Ausführungen aus seinen Schriften ›Eine treue Vermahnung zu allen Christen . . .‹ (WA 8,680) und ›Von weltlicher Obrigkeit . . .‹ (WA 11,250 f.) auf und gebraucht andererseits Formulierungen, die später in der Schrift ›Wider die räuberischen und mörderischen Rotten der Bauern‹ auftauchen (WA 18,360).

4,28 Röm 13,4; zur unterschiedlichen Interpretation der Römer-Stelle durch Luther und Müntzer vgl. Hinrichs, Luther, bes. S. 32 ff.

4,30 ff. Wohl eine hypothetische Formulierung Luthers, aufgrund der Kenntnis der Vorgänge um die Mallerbacher Kapelle (s. o. S. 108).

4,37 ff. Luther verallgemeinert hier die Ereignisse beim Mallerbacher Klostersturm (s. o. S. 108) und bringt sie vielleicht auch in Zusammenhang mit den Wittenberger Unruhen von 1522, da er Karlstadt, die Zwickauer und Müntzer gemeinsam als ›Schwärmer‹ betrachtete und bekämpfte (vgl. den Hinweis in WA 15, S. 204, auf den Brief der Orlamünder an Herzog Johann, 12. 9. 1524).

4.39 f. *ergisten* = ärgsten.

5,2 *Dreßen* = Dresden, Residenz des katholischen Herzogs Georg v. Sachsen,
Berlin – Residenz des ebenfalls katholischen Joachim I. (1484–1535), Kurfürst von Brandenburg seit 1499.
Ingolstadt – die dortige Universität, an der auch Johannes Eck, Luthers Disputationsgegner von Leipzig, lehrte, wurde zum Zentrum der Gegenreformation.

5,4 f. 1. Joh 4,1.

5,10 ff. Der gleiche Vorwurf schon im Brief an den Kurprinzen Johann Friedrich v. 18. 6. 1524 (s. o. S. 108). Müntzer antwortet – mit wörtlichem Bezug, wohl auf die Vorhaltung bei Gelegenheit der ›Fürstenpredigt‹ hin – im Brief an Herzog Johann v. 13. 7. 1524 (Schriften (Franz), S. 407). Müntzers Ablehnung ist theologisch begründet (dazu Hinrichs, Luther, S. 96 ff.) – Luthers Diffamierung Müntzers als feige zieht sich durch alle Pamphlete (s. u. zu 41,25 ff.; 88,2 ff.).

5,17 ff. Am Ende der ›Protestation‹ (Schriften (Franz), S. 239 f.).

5,18 *ungeferlichen* = ohne böse Absicht (so Franz, Schriften, S. 239).

5,22 f. dass.

5,23 f. Müntzer weigerte sich nicht, ›vor zweien oder dreien‹ zu erscheinen, sondern ausschließlich von seinen theologischen Gegnern verhört zu werden, denen er ja gerade das rechte Schriftverständnis und das Wissen um den wahren Glauben absprach, damit auch ein Urteil über seine eigene Theologie nicht abnehmen konnte (s. o. S. 108). Luther mußte das aus Müntzers Schriften wissen (vgl. Vom gedichteten Glauben, a.a.O., S. 223 f.; Protestation, a.a.O., S. 236 ff.).

5,25 *geferliche* = gegnerische, böse Absichten hegende – s. o. S. 108.

5,26 *reucht* = riecht.

5,27 ff. Diese Behauptung Luthers ist unbewiesen. Müntzer entgegnet in der ›Hochverursachten Schutzrede‹: »Daß du sagest, wie du mich ynß maul geschlahen hast, redest du die unwarheyt. Ja du leügst in deinen halß spießtieff, pin ich doch in sechs oder syben jaren nit bey dir gewesen.« (Schriften, a.a.O., S. 341). Müntzer hatte Luther wohl 1519 in Leipzig getroffen; ein Besuch in Wittenberg 1518 ist nicht sicher zu belegen, aber wahrscheinlich (vgl. nur Bensing, Thomas Müntzer (1965), S. 26 ff.; schon Boehmer, Thomas Müntzer, S. 200 f.). Aus Müntzers Bekenntnis läßt sich nicht schließen, daß Müntzer gemeinsam mit Storch und Stübner 1522 in Wittenberg war, wie Luther hier den Eindruck erwecken will (s. Schriften (Franz), S. 546 f.).

5,29 *denn da* = als dort, wo.

5,37 1. Kor 2,3.

6,3 *schewens* = Scheu, Furcht, Angst.

6,5 Disputation mit Dr. Eck in Leipzig, Sommer 1519 (vgl. dazu Müntzers ironische Bemerkungen, Hochverursachte Schutzrede, Schriften (Franz), S. 340).

6,6 Verhör vor dem päpstlichen Legaten Cajetan in Augsburg, Oktober 1518 (auch dazu Müntzer, a.a.O., S. 340).

6,8 ff. Müntzer verhöhnt Luther in der ›Hochverursachten Schutzrede‹ wegen der angeblichen Gefahren und erklärt, Luther habe sehr genau gewußt, daß er ein Stein im Spiel der Fürsten gewesen sei und daß ihm deshalb nichts geschehen werde (a.a.O., S. 341).

6,9 Luther war freies Geleit nach Worms zugesichert worden, aber durch den päpstlichen Bann war die weltliche Obrigkeit aufgerufen, Luther als Ketzer zu verfolgen.

6,15 *Alstettischen geyst* = Müntzer.

6,17 *blöder* = schwacher.

6,19 *urbüttig* = erbötig (zu ›erbieten‹), willig.

6,20 1. Petr 3,15.

6,22 *stympt* = bestimmt (sich).

6,24 *ynn sondern ortten* = hinter verschlossenen Türen.

6,30 f. s. o. zu 5,27 ff.

6,40 *die faust ynnen hallten* = auf die Anwendung von Gewalt verzichten.

7,5 ganz ähnlich im Brief an den Kurprinzen Johann Friedrich (WA Briefe 3, S. 308); Müntzers Entgegnung in ›Hochverursachte Schutzrede‹, Schriften (Franz), S. 337.

7,6 f. *nemen weyber* – könnte sich auf Müntzers Heirat mit Ottilie von Gersen beziehen (s. u. zu 54,12).

7,8 ff. s. o. zu 6,8 ff.

7,10 2. Kor 11,16 ff.

7,.14 ff. 1. Petr 3,15 f.

7,19 f. Joh 8,46.

7,20 Joh. 18,23.

7,26 Bezieht sich vermutlich auf die gedruckten Schriften Müntzers, die Luther zu diesem Zeitpunkt vorgelegen haben können: ›Vom gedichteten Glauben‹ und ›Protestation‹ (s. o. zu 4,5).

7,27 *geferlich* – s. o. zu 5,25.

7,32 ff. s. o. zu 3,25 ff., 32.

7,38 *schwimmel geyst* = Schwärmer (d. i. Müntzer) – Luther bezeichnete alle Vertreter ›linksreformatorischer‹ Tendenzen mit dem diesem pejorativ gemeinten Ausdruck.

8,2 Röm 8,23.

8,10 s. o. zu 3,25 ff., 32; »mündtlich gottes wort« meint hier die Predigt durch die ausgebildeten Pfarrer. Müntzer hat jedoch keineswegs die Bedeutung der Predigt durch die Geistlichen mindern wollen – die Verkündigung ist zur Zerstörung des ›gedichteten Glaubens‹ und für die richtige Auslegung der Schrift unbedingt erforderlich (vgl. Goertz, Innere und äußere Ordnung, S. 78 f.).

8,11 f. Müntzer hatte – wie vorher Storch und Stübner – gegen die Kindertaufe argumentiert (Protestation, Schriften (Franz), S. 228 ff.) und ›Wasser‹ als »Bewegung, die Gott in unserer Seele erwirkt« interpretiert (Franz, a.a.O., S. 228 Anm. 34), nicht aber die Abschaffung der Taufe überhaupt gefordert. Eine ›Wiedertaufe‹ hat er nirgends befürwortet oder durchgeführt, als direkter Ahnherr der Wiedertäufer kann er daher nicht gelten. Zur Problematik s. Baring, Hans Denck, S. 152; Bender, Die Zwickauer Propheten, bes. S. 263 ff.; Lohse, Auf dem Wege, S. 121; Goertz, Innere und äußere Ordnung, S. 108 ff.; Zschäbitz, Wiedertäuferbewegung, S. 14, 23 ff.; Werner, Messianische Bewegungen, S. 606.

Die Abschaffung des Abendmahls hat Müntzer ebensowenig verlangt oder praktiziert, wenn er auch den Sakramenten nach katholischem Ritus und Dogma keine sonderliche Beachtung beimaß. In seiner ›Ordnung und Berechnung des Deutschen Amtes‹ hält er auch am Abendmahl strikt fest und schreibt die communio in beiderlei Gestalt vor (Schriften (Franz), S. 213).

8,12 f. Wiederum verdreht und entstellt Luther hier eine theologische Grundthese Müntzers, der zwar gefordert hatte, der Mensch solle sich durch seinen Lebenswandel und sein Sehnen auf Gottes Wirken ›vorbereiten‹; aber Müntzer hielt mit äußerster Strenge an der Souveränität Gottes fest und meinte »keineswegs, daß der Mensch, indem er sich zum Kreuz bereite, Gott zwingen könne und also sich selbst rechtfertige.« (Nipperdey, Theologie, S. 264; dort zur Stelle). S. o. zu 3,21 ff., 33 ff.

8,17 f. Mk 16,15 f.

8,19 f. Joh 3,5.

8,21 f. S. o. zu 8,11 ff.; aus Müntzers Forderungen ergibt sich lediglich die Erwachsenentaufe.

8,28 Gal 5,22.

8,30 Röm 8,13.

8,31 Gal 5,24.

8,33 *Alstettische geyst* – s. o. zu 6,15.

8,36 1. Kor 13,13.

8,38 *syntemal* = da ... ja.

8,40 Röm 8,4.

9,7 Gal 5,17.

9,9 f. s. o. zu 6,15.

9,10 *on das* – außer daß.

9,16 s. o. zu 6,15.

9,18 *umb des geprechlichen lebens willen* = weil jemand in seinen Taten nicht seiner Lehre zu entsprechen vermag.

Müntzer kritisierte tatsächlich in allen seinen Schriften, vom ›Prager Manifest‹ an, auch die Lebensführung der ›Pfaffen‹ und dann der ›Schriftgelehrten‹ und ›falschen Prediger‹, da sich aus ihr beweise, daß diese ›Pharisäer‹ unversucht seien und sich der Heimsuchung durch Gott verweigerten, daß ihnen die Erfahrung des ›Kreuzes‹ fehle und ihr Glaube daher ›erdichtet‹ sei, weshalb sie die Kirche zur ›Hure‹ gemacht hätten und die unwissenden Laien ›verführten‹. Über den Zusammenhang von Glaubenserfahrung und Lebensnorm bei Müntzer vgl. Nipperdey, Theologie, S. 268 ff.; Goertz, Innere und äußere Ordnung, S. 104 f. zur Stelle.

9,21 Röm 14,1 ff., 15,1; 1. Kor 9,22; Gal 6,1 (nach WA 15, S. 218).

9,22 s. o. zu 6,15.

9,26 *krancken* = schwachen (s. o. zu 9,18).

9,34 *ampt des worts* = Aufgabe, Tätigkeit der Prediger.

9,34 f. Vgl. die Entgegnung Müntzers (Hochverursachte Schutzrede, Schriften (Franz), S. 333 ff.), Luther tue nur so, als wolle er Müntzer das Predigen nicht verwehren, in Wahrheit suche er Müntzers Lehre als ›aufrührerisch‹ zu brandmarken und zu hindern. S. a. den Hinweis in WA 15,218 Anm. 2, über die Interpretation der Briefstelle durch Sekten.

9,38 Ps 68,12; Jos 5,14; Micha 5,1.

10,2 *werden ettlich ynn des verfüret* = lassen sich dabei einige von der falschen Lehre überzeugen (und verlieren darüber ihre Seligkeit).

10,6 s. o. zu 4,6 ff.

10,11 *ampt* = (von Gott) zugewiesene Aufgabe.
Zu Luthers Interpretation der Obrigkeit im Zusammenhang seiner Zwei-Reiche-Lehre vgl. Hinrichs, Luther, S. 33 ff.; weiterhin Ernst Kinder: Geistliches und weltliches Regiment Gottes nach Luther. Weimar 1940; Franz Lau: Luthers Lehre von den beiden Reichen. Berlin 1953; Heinrich Bornkamm: Luthers Lehre von den zwei Reichen im Zusammenhang seiner Theologie. Gütersloh 1958; Gerhard Ebeling: Die Notwendigkeit der Lehre von den zwei Reichen. In: G. E.: Wort und Glaube. Tübingen 1960. S. 407–428.

10,14 f. Dan 8,15.

10,15 *Antichrist* = s. o. zu 2,21.

10,16 Jes 11,4.

10,17 f. Ähnliche Formulierungen in Luthers Schriften ›Eine treue Vermahnung . . .‹, WA 8,680, ›Ermahnung zum Frieden . . .‹, WA 18,310, und ›Ein Sendbrief vom harten Büchlein wider die Bauern‹, WA 18, 398.

10,18 *ampt* – s. o. zu 10,11.

10,20 ff. Vgl. zu dieser Auffassung Luthers und ihrem eschatologischen Hintergrund Hinrichs, Luther, S. 147 ff.

10,23 f. *die hertzen von den klöstern vnd geysterey reyssen* = die Menschen davon abbringen, daß sie der katholischen Lehre (und damit Klosterleben, Reliquienglauben usw.) anhängen.

10,26 f. Vgl. dazu Müntzers Vorwurf an Luther, mit dieser Argumentation habe er den Fürsten die Legitimation für die Konfiszierung der Kirchengüter geliefert (Hochverursachte Schutzrede, Schriften (Franz), S. 341).

10,28 *Noch* = Dennoch.

10,33 *eynigen* = einzigen.

11,1 ff. 2. Mos 23,24, 31,13; 5. Mos 7,5 u. ö. (so WA 15, S. 219).

11,4 *Werck* = Tat.

11,5 Hebr 13,7.

11,8 *zubrochen* = zerbrochen.

11,10 ff. vgl. 1. Mos 22,1.

11,12 *dem werck nach* = nach dem Vorbild dieser Tat.

11,13 ff. 2. Mos 23,23 f.

11,19 f. s. o. zu 6,15.

11,21 ff. Vgl. den Luther zur Zeit der Abfassung noch nicht bekannten Schluß der ›Fürstenpredigt‹ Müntzers (Schriften (Franz), S. 261 ff.), wo Müntzer versucht, die Fürsten zum Kampf gegen die ›Gottlosen‹ zu gewinnen. Zur Entwicklung von Müntzers Anschauung über diese notwendige apokalyptische Scheidung s. u. a. Smirin, Volksreformation, S. 306 ff.; Nipperdey, Theologie, S. 269 ff.; Maron, Thomas Müntzer, S. 212 ff.; Elliger, Thomas Müntzer (1960), S. 32 ff.; Bensing, Thomas Müntzer (1966), S. 45 ff.; Goertz, Innere und äußere Ordnung, S. 134 ff.; Ebert, Theologie, S. 76 ff.

11,24 *hültzen* = hölzernen.

11,25 *bewerd* = bestätigt.

11,29 *eynigem* = einem einzigen.

11,29 *rottet er sich selbs* – Hinrichs bezieht diese Stelle auf den Allstedter ›Bund der Auserwählten‹, von dem Luther durch Spalatin Kenntnis erhalten habe (Luther, S. 164).

11,30 *feret zu* = geht vor, ist tätig.

11,33 *Ergernis* = Widerstand, Wirken des Widerparts (das biblische ›Skandalon‹ – vgl. sprichwörtl. ›Stein des Anstoßes – Jes 8,14; Röm 9,33; weiterhin Mt 13,42, 16,23, 18,7; Röm 11,9, 14,13 u. ö.).

11,34 *euserliche ergernis* = sichtbare Zeichen und Ausdrucksformen des Aberglaubens (Reliquien, Heiligenbilder, Klöster usw.).

12,5 *schwürmen* = schwärmen (s. o. zu 7,38 ›Schwärmer‹).

12,7 ʼ*er omnes*ʼ = Herr omnes, also die ungebildete Masse, bei Luther häufig eindeutig abwertend ›der Pöbel‹.

12,9 f. s. o. zu 10,17 f.

Zu ›Ein Sendbrieff an die ersamen und weysen Herrn Burgermeyster / Rhatt und gantze Gemeyn der stadt Mülhausen‹

Der Brief datiert vom 15. oder 21. 8. 1524 (s. u. zu 15,33). Thomas Müntzer befand sich zu diesem Zeitpunkt seit einigen Tagen in Mühlhausen (s. u. zu 14,12).

Mühlhausen in Thüringen: Freie Reichsstadt unter dem Schutz der sächsischen Fürsten. Bedeutender Handelsplatz (Tuchmacherei, Papiermanufaktur, Bierbrauerei), obwohl seit Ende des 15. Jahrhunderts im Niedergang begriffen; Mitglied des Hansebunds. Anfang des 16. Jahrhunderts mit ca. 5000 Einwohnern und 800 Häusern etwa doppelt so groß wie Leipzig. Zur Stadt gehörig 18 Dörfer und 2 Meierhöfe. 15 Kirchen und Kapellen, drei Klöster mit bedeutenden Besitzungen und Privilegien. Unter der Einwohnerschaft ein relativ sehr großer Anteil besitz- und damit rechtloser Kleinbürger und ›Plebejer‹ (AGBM II, S. XXV (Fuchs): ca. 45 %). Der Rat der Stadt bestand aus vier ›Collegien‹ zu je 30 Männern, die jährlich wechselten, wobei der alte Rat den neuen wählte. Es wurden zwei ›Ratsmeister‹ gewählt, von denen einer aus dem Kreis der Patriziergeschlechter, der andere aus dem des Zunftbürgertums stammte. Gegen die völlig autokratische Herrschaft des Rats, der praktisch die Interessen der

Patrizier durchsetzte, und gegen den außerordentlichen Reichtum der Klöster und Kirchen hatte es schon längere Zeit Unwillen und vereinzelte Proteste gegeben. 1523 bildete sich eine Widerstandsbewegung unter den Bürgern und ›Plebejern‹. Es wurde eine Art Gegen-Rat der ›Achtmänner‹ gewählt (aus jedem Stadtviertel zwei), die in geheimen Beratungen 53 Artikel aufstellten und am 1. 5. 1523 veröffentlichten. Nach Zustimmung durch die Mehrheit der Bürger wurden die Artikel (der sog. Rezeß) dem Rat vorgelegt, der einen Teil sofort bewilligte, für den übrigen Bedenkzeit erbat. Am 3. 7. 1523, nach mehrfachem Hinhalten des Rats, kam es zu einer Erhebung der Bürger und ›Plebejer‹, die u. a. zur Plünderung von Klostervorräten führte. Der Rat stimmte daraufhin dem Rezeß zu, eine entscheidende Änderung der Zustände trat jedoch nicht ein. Die Unruhe in der Stadt hielt an; die Predigten Heinrich Pfeiffers (früherer Mönch aus dem Kloster Reifenstein auf dem Eichsfeld), der seit Anfang 1523 in der Stadt tätig war, wirkten entscheidend mit (zu Pfeiffer: Merx, insgesamt; Brandt, Thomas Müntzer, S. 12 ff.). Die Spannungen zwischen Rat und Bürgerschaft nahmen zu. In dieser Situation traf Müntzer in der Stadt ein, »nicht im geheimen, sondern wie ein lang erwarteter Gast empfangen« (Bensing, Thomas Müntzer (1966), S. 63 f.). Zur Lage in Mühlhausen vgl. Merx, Heinrich Pfeiffer, S. 49 ff.; Brandt, Thomas Müntzer, S. 13 ff.; Bensing, Thomas Müntzer (1965), S. 64 ff.; ders., Thomas Müntzer (1966), S. 63 ff. (dort weitere Literatur); weiterhin Dietrich Lösche: Zur Lage der Bauern im Gebiet der ehemaligen freien Reichsstadt Mühlhausen i. Th. zur Zeit des Bauernkrieges. In: Die frühbürgerliche Revolution – s. o. S. XXIV Anm. 60 –, S. 64 ff.; ders.: Achtmänner, Ewiger Bund Gottes und Ewiger Rat. In: Jahrbuch für Wirtschaftsgeschichte. Teil I. Berlin (DDR) 1960, S. 135 ff. Der Text des Rezesses in Franz, Quellen, S. 479 ff.; Text der Mühlhäuser Chronik: Chronik der Stadt Mühlhausen i. Th. Hrsg. v. Reinhard Jordan. Mühlhausen 1900; modernisierter Auszug in Brandt, Thomas Müntzer, S. 85 ff.

14,11 Müntzer war Magister artium und Baccalaureus der Theologie (zu Müntzers Studium und Bildung vgl. Boehmer, Studien, S. 16 ff.; ders., Thomas Müntzer, S. 196 ff.).

14,12 Das genaue Datum des Eintreffens Müntzers in Mühlhausen ist umstritten. Am 7. 8. 1524 hatte er Allstedt heimlich verlassen müssen, wenige Tage später dürfte er in Mühlhausen gewesen sein. Vgl. Brief des Allstedter Schössers Hans Zeiß an Herzog Johann v. 25. 8. 1524 (Franz, Quellen, S. 488 f.). Dazu Bensing, Thomas Müntzer (1966), S. 63 f., bes. Anm. 2; weiterhin Manfred Kobuch: Thomas Müntzers Weggang aus Allstedt. Zum Datierungsproblem eines Müntzerbriefes. In: Zeitschrift für Geschichtswissenschaft. Jg. 8, 1960, S. 1632 ff.

14,13 f. Bezieht sich auf Müntzers Offenbarungslehre (s. o. zu 3,25 ff.).

14,14 *welch* = was.

14,16 *weyl* = während, solange, da doch.

14,16 f. Luther befand sich, auf Befehl seines Landesherrn, auf einer Visitationsreise nach Jena und Orlamünde, um dort Karlstadts radikalreformatorische Neuerungen persönlich zu begutachten. Vgl. WA 15, S. 233 f.

14,17 f. Zu denken ist (laut WA 15, S. 238) an den deutschen Psalter und an den dritten Teil des Alten Testaments, »daneben vielleicht an das Deuteronomium cum Annotationibus« sowie an die Schriften ›Zwey Keyserliche uneynige und wydderwertige gepott den Luther betreffend‹ und ›Von Kaufshandlung und Wucher‹.

14,20 f. Vgl. Mt 7,15.

14,22 Zu Müntzers Tätigkeit in Zwickau und Allstedt und Luthers Interpretation s. o. S. 107 f. u. zu 3,11.

14,23 f. Vgl. die Formulierung in dem ›Brief an die Fürsten zu Sachsen‹, s. o. 4,5 ff. Luther kann seine Behauptung ja nicht mit Tatsachen belegen, er leitet sie aus einigen Formulierungen Müntzers und aus den Vorgängen um die Mallerbacher Kapelle ab – s. o. zu 4,30 ff., 37 ff.

14,25 Dürfte sich auf die sogenannte ›Fürstenpredigt‹ beziehen, die Müntzer am 13. 7. 1524 vor Herzog Johann und Kurprinz Friedrich sowie Mitgliedern des Hofes, dem Schösser Zeiß und Schultheiß und Rat von Allstedt gehalten hatte (vgl. Hinrichs, Luther, S. 36 ff.) und deren Text bereits am 20. Juli gedruckt in Spalatins Händen war, welcher ihn Luther zukommen ließ (vgl. Hinrichs, a.a.O., S. 143 f.; Schriften (Franz), S. 241).

Der Schösser Hans Zeiß hatte am 28. 7. 1524 in einem Brief an Herzog Johann berichtet, Müntzer habe gepredigt »Er wolle offentlicher Feind sein aller Tirannen, die sich wider das Evangelium setzen, und man sehe offentlich, das sich etliche Herrn wider das Evangelium und den cristlichen Glauben setzen, denselben geren wolten austilgen, und nochmals heftig das Volk vermant, sich zusamen zu verbinden und dogegen, wue die Gewalt ir Schwert zuge, das sie ir Schwert auch ruckt und weiset.« (Franz, Quellen, S. 486). Die Predigt Müntzers steht im Zusammenhang mit den Folgen eines Überfalls des Ritters Friedrich von Witzleben auf das Dorf Schönwerda, wobei Anhänger Müntzers gefangen oder vertrieben wurden (vgl. Müntzer an Schösser Hans Zeiß, 22. 7. 1524, Schriften (Franz), S. 416 ff.; dazu Hinrichs, Luther, S. 65 ff.; Bensing, Idee und Praxis, S. 464 ff.). Die Flüchtigen kamen nach Allstedt und klagten Müntzer das erlittene Unrecht. »Derselb ist ganz und gar uf soliche Herschaft erbittert, predigt und heist unverholen, das sich das Volk zusamen verbinten soll, sich vor solicher Gewalt und wider diejenigen, die wider das Evangelium toben, aufzuhalten und zu setzen . . .« (Zeiß an Herzog Johann im obengenannten Brief).

Schösser Zeiß berichtete in einem weiteren Brief vom 25. 8. 1524 Herzog Johann, es werde erzählt, Müntzer habe eine Messe singen lassen, »die er selber zusammengesetzt het, darinnen in der Epistel stehen sollt, nemlich, das ir euer Fursten todt schlahen solt«, er – Zeiß – wisse jedoch davon nichts (Franz, Quellen, S. 488 – Hinweis in WA 15 S. 239). Aufgrund des Datums kann Luther diesen Brief bei der Abfassung seines Schreibens noch nicht gekannt haben, höchstens ähnliche Berichte mündlich über seine Informanten erhalten haben.

14,27 f. Müntzers erste (damals ungedruckte) Schrift, von der Luther gewußt haben kann, war das ›Prager Manifest‹ von 1521. Vielleicht bezieht sich aber die Zeitangabe auch auf Müntzers Tätigkeit in Zwickau (s. o. zu 3,11).

14,29 *eynige* – s. o. zu 10,33.

14,31 *landtlauffer* – dies ist Müntzers Übersetzung für ›Apostel‹! Luther meint hier offenbar die Anhänger Müntzers, die für den Allstedter ›Bund der Auserwählten‹ werben sollten (Hinrichs, Luther, S. 25).

14,34 Anspielung auf Joh 10,1; könnte sich auch darauf beziehen, daß die Anhänger Müntzers für einen geheimen Bund warben und daher heimlich agitieren mußten.

15,1 Joh 10,8.

15,2 ff. Damit ist Luthers Forderung nach einem Streitgespräch oder Verhör und Müntzers Reaktion darauf gemeint – s. o. zu 5,10 f., 23.

15,5 f. Spielt auf den Schluß der ›Fürstenpredigt‹ an, die Luther inzwischen kannte (s. o. zu 14,25; vgl. Schriften (Franz), S. 259, 262).

15,7 f. Über die Entwicklung in Mühlhausen nach Müntzers Eintreffen vgl. Merx, Heinrich Pfeiffer, S. 73 ff.; vor allem Bensing, Idee und Praxis, S. 466 f., und ders., Thomas Müntzer (1966), S. 63 ff., 74 ff., 126 ff., 182 ff.

15,20 ff. Müntzer war nicht vom Rat als Prediger berufen worden. Im Zusammenhang mit den Unruhen verwies ihn der Rat sogar am 27.9. 1524, gemeinsam mit Heinrich Pfeiffer, aus der Stadt (vgl. Merx, Pfeiffer, S. 78 ff.; Bensing, Thomas Müntzer (1966), S. 67 ff.).

15,23 Zum Offenbarungsverständnis Müntzers s. o. zu 3,25 ff. Zweifellos hatte Müntzer ein starkes ›Sendungsbewußtsein‹ (vgl. etwa Werner, Messianische Bewegungen, S. 608 ff.; Maron, Thomas Müntzer, S. 202 ff.; auch Schmidt, Selbstbewußtsein, S. 30 ff.); in der ›Fürstenpredigt‹ hatte er sich indirekt als ›neuer Daniel‹ bezeichnet (Schriften (Franz), S. 257).

15,29 *on mittel* = ohne Vermittler, ohne Vermittlung (der Ausdruck spielt auf die ›Mittlerrolle‹ Christi für die Rechtfertigung an, bezieht sich hier aber auf die Vermittlung der Offenbarung durch die Schrift – nach Luthers Verständnis – und die Forderung der Unmittelbarkeit des Geistwirkens für den Glauben bei Müntzer). S. o. zu 3,25 ff., 32; s. u. zu 47,2 f.

15,31 Jer 23,21.

15,33 Weimar war eine Station auf der Reise Luthers nach Jena und Orlamünde (s. o. zu 11,16 f.); in Weimar residierte Herzog Johann von Sachsen.

Der Tag von Mariä Himmelfahrt (15. August) fiel 1524 auf einen Montag. Daher wäre nach der WA der Brief nicht, wie allgemein üblich, auf den 15. 8. 1524 zu datieren, sondern auf den Sonntag nach Mariä Himmelfahrt, den 21. 8. 1524 (WA 15, S. 234 f.).

Zu ›Eyn Schrecklich geschicht und gericht Gotes uber Thomas Müntzer‹

Die Schrift erschien noch vor der Hinrichtung Müntzers, die am 27. 5. 1525 im fürstlichen Heerlager vor Mühlhausen stattfand (s. u. zu 41,24).

Das Gericht Gottes bezieht sich also auf die Schlacht bei Frankenhausen am 15. Mai (zu dieser s. u. zu 34,26 f., 33; 37,9; 39,17 ff.). Daß Luther die Niederlage der Aufständischen, als deren auch militärischen Führer er Müntzer betrachtete, für den Beweis der Unwahrheit auch der Lehre Müntzers nahm, d. h. als göttlichen Beweis der Unrechtmäßigkeit einer Berufung auf Gott (vgl. Boehmer, Studien, S. 1; Steinmetz, Müntzerbild (1971), S. 21), ergibt sich aus Luthers Offenbarungsverständnis, nach dem ein unmittelbares Wirken Gottes in einem Menschen – wie nach Luthers Annahme Müntzer für sich beanspruchte – sich auch in ›Wundern‹ dokumentieren müsse, wie die Schrift sie für die apostolische Zeit bezeugte (s. o. 7,30 ff., 11,24 ff., bes. 15,23 ff.). Durch den Ausgang der Schlacht sieht Luther die Lehre und das Handeln Müntzers ›Lügen gestraft‹, was bei Müntzers Berufung auf Gottes Willen heiße, daß ›der Teufel durch ihn geredet und gehandelt hat‹ (s. u. zu 18,21 f.). »Dieser Schluß war für die Menschen jener Zeit unwiderleglich. Er wurde daher allgemein akzeptiert, nicht nur von den Evangelischen, sondern auch von den Altgläubigen. Er bestimmte das Urteil über die Taten und Meinungen Müntzers in der ganzen Folgezeit.« (Boehmer, a.a.O., S. 1).

Müntzer war am Tage der Schlacht »im Torhaus am Angertor, durch das die Fliehenden in die Stadt geströmt waren, von einem Knecht entdeckt und gefangengenommen« worden (Bensing, Thomas Müntzer, S. 229 – s. u. zu 39,37 ff.). Er wurde einem seiner schärfsten Gegner, dem katholischen Grafen Ernst von Mansfeld, mit dem er schon 1523 in eine heftige Auseinandersetzung verwickelt war (s. o. S. 107) und dem er noch am 12. Mai, drei Tage vor der Schlacht, in einem der von Luther in der vorliegenden Schrift abgedruckten Briefe gedroht hatte, übergeben und vom Mansfelder auf dessen Schloß Heldrungen überführt, dort dann verhört und grausam gefoltert (vgl. das Bekenntnis, Schriften (Franz), S. 543 ff., den sog. ›Widerruf‹, a.a.O., S. 550, und die Briefe Johann Rühls an Luther (s. u. zu 28,23 ff.); Reinhard Jordan: Das Ende Thomas Müntzers. In: Zur Geschichte der Stadt Mühlhausen. Heft 9, 1911, S. 14–23; Bensing, Thomas Müntzer (1966), S. 230 ff.).

Luther war durch den in mansfeldischen Diensten stehenden Kanzler Johann Duhren (Düren) über den Ausgang der Schlacht informiert worden, wie aus einem Briefe des mansfeldischen Rats Johann Rühl hervorgeht (21. 5. 1525, AGBM II, S. 343 f.), der Luther – seinen Schwager – dann im weiteren genau unterrichtete und über Müntzers Schicksal auf dem laufenden hielt (vgl. Brief v. 26. 5., AGBM II, S. 378 f.). Die vier Briefe Müntzers, die Luther wiedergibt, waren ihm am 14. 5. durch den mansfeldischen Kanzler Kaspar Müller zugesandt worden (Rühl an Luther, 21. 5., a.a.O., S. 343; Boehmer, Studien, S. 1; Steinmetz, Müntzerbild (1971), S. 20 – dort Anm. 15 zum gesamten Briefwechsel).

Die Schrift erschien dann schon am 21. oder 22. Mai bei Joseph Klug in Wittenberg und wurde innerhalb kürzester Zeit achtmal nachgedruckt (Verzeichnis der Drucke WA 18, S. 363 f.; s. a. Steinmetz, a.a.O., S. 20).

18,9 *rotten* – hier wohl Akk.Plur. von ›Rotte‹, d. h. Schar, Truppe der Aufständischen; möglich wäre auch Akk. des. subst. Infin. ›rotten‹, also die Bildung von Aufstandsgruppen durch Müntzer.
Müntzer hatte im April 1525 im Mühlhauser Haufen die strategische Führung zusammen mit Heinrich Pfeiffer, den gewählten Hauptleuten und Mitgliedern des Rats inne. Die Auseinandersetzungen innerhalb dieser Mühlhauser Gruppe führten Anfang Mai zur Trennung Müntzers von Pfeiffer, so daß Müntzer dann als Führer einer kleinen Schar von Mühlhausen nach Frankenhausen zog (dazu s. u. zu 34,8 f.). Die militärische Ordnung und die Durchführung der Aktionen wurden jedoch von den wenigen erfahrenen Hauptleuten besorgt (vgl. Bensing, Thomas Müntzer (1966), S. 149). In einem wichtigen Brief an Christoph Meinhard bezeugt der Allstedter Schösser Hans Zeiß diesen Sachverhalt: »Es ist auch nicht, das Muntzer ein rottmeister sei ader solichen haufen furen sole, wie man sagt. Er ist nichts anders dann ein prediger der von Molhausen.« (5. 5. 1525, AGBM II, S. 203).
Bei Frankenhausen trat Müntzer im Heer der Aufständischen als Prediger auf, hatte aber zweifellos entscheidenden Einfluß auf alle Maßnahmen (vgl. Bensing, a.a.O., S. 189 ff.) und war organisatorisch die entscheidende Person (vgl. seinen Briefwechsel in den Tagen vor der Schlacht, Schriften (Franz), S. 457 ff.) Ihn jedoch unmittelbar als Anführer der mitteldeutschen Aufständischen insgesamt hinzustellen und ihm auch nur eine direkt militärische Rolle zuzuschreiben, heißt ungewollt der lutherischen Propaganda zu verfallen. Sicher aber hat Müntzer, als der Aufstand von Süddeutschland nach Thüringen übergriff, die Aktionen aktiv unterstützt und über den Mühlhauser Raum hinaus zu koordinieren versucht (vgl. Smirin, Volksreformation, S. 596 ff. – wohl doch mit leichter Überschätzung der Rolle Müntzers, in der Nachfolge Engels'; Bensing, a.a.O., S. 119 ff., 126 ff., 159 ff.). Es geht daher auch nicht an, Müntzers Funktion im mitteldeutschen Bauernkriegs auf eine beiläufige Einmischung herunterspielen zu wollen, wie dies bei vielen Theologen zu beobachten ist (s. o. S. XV ff.).
18,10 Vgl. 11,15 ff.; 14,21 ff. Die Aufständischen in Thüringen konnten

behaupten, vor der Schlacht bei Frankenhausen keinen einzigen Gegner getötet, lediglich drei Gefangene nach öffentlicher Gerichtsverhandlung und Urteil durch die ›Gemeinde‹ als Schuldige hingerichtet zu haben (vgl. Bensing, Thomas Müntzer (1966), S. 191, und die dort zitierten Briefe).

Luther argumentiert jedoch gar nicht vom Tatbestand des ›Mordens‹ aus, für ihn ist bereits die Aufforderung zum gewaltsamen Widerstand gegen die Obrigkeit mit faktisch erfolgtem ›Mord und Blutvergießen‹ gleichzusetzen (vgl. ›Ein Sendbrief von dem harten Büchlein wider die Bauern‹, WA 18,392 f.).

18,14 *rottengeyster* = die Aufruhr vorhaben und durchführen.

18,16 Vgl. die Passagen der abgedruckten Briefe 20,15 ff.; 21,20 ff.

18,18 Die genaue Zahl der Aufständischen, die bei und in Frankenhausen von den fürstlichen Heeren niedergemacht wurden, ist nicht zu bestimmen. Die Angaben schwanken zwischen 4000 und über 7000. Bensing bezeichnet die Mitteilungen des hessischen Landgrafen und Herzog Georgs von Sachsen als ›verläßlich‹, danach gab es an die 6000 Tote und 600 Gefangene (Thomas Müntzer (1966), S. 228 Anm. 69).

18,21 *feylet* = (zu ›fehlen‹, ›verfehlen‹) sein Ziel nicht erreicht, ihm sein Vorhaben mißlingt.

18,21 f. Dazu s. o. Einleitungsabschnitt; Luther könnte hier indirekt, wie Agricola dann ausdrücklich (s. zu 44,11), einen Schriftbeweis heranziehen (vgl. Joh 8,44).

18,22 *gefaren hat* = tätig gewesen ist.

18,25 *auff Gott trotzet* = sich Gott widersetzt (indem er sich zu Unrecht auf ihn beruft), Gott herausfordert.

18,28 ff. Der Brief, vielfach als ›Manifest an die Bergknappen‹ bezeichnet (s. nur Bloch, Thomas Münzer, S. 72, 76 ff.), ist an die Allstedter Bundesführer gerichtet (zum Bund s. o. S. 108), wie Franz (Schriften, S. 455 Anm. 14) aus den namentlich Angeredeten schließt (s. 19,39 f.). Datiert wird er auf den 16. April 1525, da Müntzer sich schon am 27. nicht mehr in Mühlhausen aufhielt (Bensing, Thomas Müntzer (1966), S. 110 Anm. 99).

Daß der Brief noch vor der Entscheidung in der Schlacht bei Frankenhausen Luther zugesandt wurde (s. o. Einleitungsabschnitt), läßt darauf schließen, daß das Schreiben entweder abgefangen (so WA 18, S. 362) oder von einem der Bundesgenossen den Gegnern zugespielt wurde.

18,29 *seynes willens nicht gestendig* = fügt euch nicht seinem Willen.

19,2 *yhr mûst stehen* – Franz gibt nach der Abschrift das wahrscheinlichere ›ir must gelassen stehen‹ (Schriften, S. 454); die gleiche Formulierung findet sich mehrfach bei Müntzer (vgl. Brief an die Sangerhäuser, Mitte Juli 1524, Schriften, a.a.O., S. 411) und gehört zu dem aus der Mystik aufgenommenen Sprachgut: ›Gelassen‹ ist der Mensch, der sich von allen Bindungen an Irdisches gelöst hat und so das Wirken Gottes im ›Seelengrund‹ erwarten kann (vgl. auch ›Ausgedrückte Entblößung‹, Schriften, a.a.O., S. 308; Spillmann, Wortschatz, S. 43). Zu weiteren Termini aus der deutschen Mystik s. u. S. 157 ff.

19,4 *von newem auff widder* = von neuem, erneut.

19,5 f. Ähnlich schon an die Sangerhäuser, 15. 7. 1524, Schriften (Franz), S. 409.

19,7 *verkarten fantasten* – gemeint sind die ›schlechten Prediger‹ und ›Schriftgelehrten‹ (s. o. zu 9,18; vgl. auch denselben Brief wie in Z. 5 f.).

19,7 f. *gottlosen bösswichten* – so bezeichnet Müntzer häufig die Obrigkeit, die die Ausbreitung und Wirksamkeit seiner Predigt hindert (so etwa Brief an Hans Zeiß, 25. 7. 1524, Schriften (Franz), S. 421, an Zeiß, 22. 7. 1524, a.a.O., S. 417); später gilt der Ausdruck für die ›Fürsten und Herren‹ allgemein.

19,11 *wag* = wach (so Franz, Schriften, S. 454), in Bewegung (so WA 18, S. 368).

19,12 f. In der Karwoche 1525 waren in Fulda, nach Unruhen im Februar im Zusammenhang mit der Entlassung des evangelischen Predigers Adam Kraft, die Zwölf Artikel durch den Rat angenommen worden. Der um Fulda versammelte Bauernhaufe (an die zehntausend Mann) plünderte die reichen Klöster. Das Stift wurde durch den Koadjutor Johann v. Henneberg ausgeliefert und in ein weltliches Fürstentum verwandelt. Auch der Abt des benachbarten Stifts Hersfeld wurde zur Annahme der Zwölf Artikel gezwungen; auch im Gebiet dieses Stifts wurden die Klöster geplündert. Franz, Bauernkrieg, S. 238 ff.

19,13 *zu Klegen* – Franz, Schriften, S. 454, gibt nach der Abschrift das richtige ›im Klegaw‹. Zu den Ereignissen im Hegau und Klettgau, in denen der Aufstand der Bauern bereits im Herbst 1524 ausbrach, vgl. Smirin, Volksreformation, S. 364 ff., 408 ff.; Franz, Bauernkrieg, S. 68 ff. Müntzer selbst war, nach seiner Ausweisung aus Mühlhausen, Ende 1524 / Anfang 1525 im Südschwarzwald bei den aufständischen Bauern gewesen; im Bekenntnis sagte er dann aus, er habe dort »etliche artigkel, wyye man herrschen soll aus dem ewangelio angeben, daraus furder andere artigkel gemacht; hetten ine gerne zu sich genomen, habe in aber des gedankt. Dye entporunge habe er des orts nit gemacht, sondern seyn bereit uffgestanden gewest.« (Schriften (Franz), S. 544). Dazu Smirin, Volksreformation, S. 440 ff.; Bensing, Thomas Müntzer (1965), S. 66 ff.; Otto Schiff: Thomas Müntzer und die Bauernbewegung am Oberrhein. In: Historische Zeitschrift, Jg. 110, 1912.

19,16 ff. Müntzer meint hier offenbar zweierlei: Zum einen sieht er die Gefahr, die sich aus der Gutgläubigkeit der Bauern gegenüber der Hinterlist der Fürstlichen beim Abschluß von Verträgen ergab; darauf weist auch seine Predigt unmittelbar vor der Schlacht bei Frankenhausen hin (s. Bensing, Thomas Müntzer (1966), S. 225). Zum anderen denkt er, die Erkenntnis des ›Schadens‹ betreffend, wohl an die Zielsetzung des gesamten Aufstandes, dessen eschatologische Entscheidungsfunktion er durch den ›Eigennutz‹ gefährdet glaubt (vgl. Brief an die Mühlhäuser, 17. 5. 1525, Schriften (Franz), S. 473 f. – s. u. zu 92,7 f.).

19,14 ff. Luthers Glosse bezieht sich auf Z. 18 ff.; der Allstedter Schösser Hans Zeiß hatte am 28. 7. 1524 von der Wirkung der Predigten Müntzers an Herzog Johann berichtet, wonach die Leute geglaubt hätten, »das in nichts widerfaren moge, sondern ir einer sol tausent und zwen zehentausend erwurgen.« (Franz, Quellen, S. 487; vgl. Steinmetz, Müntzerbild (1971), S. 26 Anm. 40). Vielleicht knüpfen an solche Berichte und an die Stelle des vorliegenden Briefes dann die weiteren, Müntzer angehängten ›falschen Versprechungen‹ an, von denen Luther und Melanchthon zu erzählen wissen (s. u. 24,13 ff.; 39,22 f.).

19,18 *schaden* – das Wort kommt häufig bei Müntzer vor (nach Spillmann, Wortschatz, S. 191, 25mal), meistens als ›Schaden der Christenheit‹; in den Frühschriften wird damit vor allem der widerchristliche Zustand der Kirche angeprangert, später der Abfall der Gesellschaft überhaupt vom Glauben und vom göttlichen Gebot (vgl. Prager Manifest, Schriften (Franz), S. 493 f.; Von dem gedichteten Glauben, a.a.O., S. 221; Protestation, a.a.O., S. 226 f., 239; Auslegung des andern Unterschieds Danielis, a.a.O., S. 243 ff.; Ausgedrückte Entblößung, a.a.O., S. 273 ff.; Hochverursachte Schutzrede, a.a.O., S. 329 ff.).

1919 *gelassen* – so. o. zu 19,2.

19,22 *frey* = ganz.

19,23 *zufrid komen* = befriedigt werden (Götze).

bewogen – Franz, Schriften, S. 454, gibt nach einer Abschrift ›bewegung‹.

19,26 1. Mos 33,1 ff. (in Z. 26 ergänzt eine Handschrift hinter ›schlecht‹ das Verb ›gibt‹ – Franz, a.a.O., S. 454).

19,29 f. 5. Mos 7,1 ff.
Luthers Glosse bezieht sich auf Z. 30 und soll Müntzers Offenbarungsglauben als lächerlichen Aberglauben verhöhnen.

rauchloch = Luther hat hier sicherlich mit der Zweideutigkeit des Ausdrucks gespielt: ›rauchloch‹ kann sowohl ›Kaminloch, Abzugsloch für den Rauch, Esse, Schornstein‹ bedeuten, wie ›Abtritt‹ und sogar ›After‹ (GrWb).

19,31 *berg gesellen* = die Bergleute in den mansfeldischen Gruben (s. o. zu 18,28 ff.); zu ihrer Rolle vgl. Bensing, Thomas Müntzer (1966), S. 173 ff.

19,34 *Saltza* – Salza (Bad Langensalza) in Thüringen, in der Nähe von Mühlhausen; Müntzer hielt sich zur Zeit der Abfassung des Briefes noch in Mühlhausen auf. Salza gehörte zum albertinischen Sachsen unter dem katholischen Herzog Georg. Der Amtmann in Salza war Sittich v. Berlepsch (vgl. dazu seinen Briefwechsel mit Herzog Georg, Geß II, passim). Gegen Ende April kam es zu einem Aufstand der Salzaer Bürger; der Klerus wurde vertrieben, der Rat mußte zwölf gewählte Bürger als Vertreter der Bevölkerung anerkennen, es wurde »der verhaßte Amtmann Sittich v. Berlepsch im Schloß belagert und faktisch gefangengehalten« (Bensing, a.a.O., S. 159), die Erhebung blieb jedoch zunächst lokal beschränkt (vgl. Bensing, a.a.O., S. 159 ff.; Hermann Gutbier: Langenzalza während des Bauernkrieges. Anhang zu: Bernhard Klett: Thomas Müntzer und der Bauernkrieg in Nordwest-Thüringen. Mühlhausen i .Th. 1925).

Die beiden Mühlhauser Bürgermeister Rodemann und Wettich waren übrigens bei den Unruhen September 1524 nach Salza geflohen (s. o. S. 119 f.; Bensing, a.a.O., S. 68 f.).

Zu Müntzers Versuch, die Salzaer noch in der letzten Phase des Aufstandes zu beeinflussen und zu radikalisieren vgl. sein Brief v. 30. 4. 1525 (Schriften (Franz), S. 458).

19,36 *Eysfeld* = Eichsfeld, die südlich des Harzes zwischen Nordhausen, Mühlhausen und Heiligenstadt gelegene Ebene, auf der sich wesentliche Bewegungen des Aufstandes, vor allem der Mühlhäuser Gruppe, abspielten. Zum Sturm der Klöster und Schlösser auf dem Eichsfeld durch den Mühlhäuser Haufen unter Leitung von Müntzer und Pfeiffer vgl. Bensing, Thomas Müntzer (1966), S. 106 ff. (dort weitere Literatur). Der eigentliche ›Zug durchs Eichsfeld‹ fand erst nach der Abfassung des vorliegenden Briefes statt.

19,39 f. Balthasar Stübener, Bartel Krump, Valentin Krumpe und Bischof aus Wolfenrode – Angehörige des Allstedter ›Bundes der Auserwählten‹ (zu diesem s. o. S. 108); vgl. Müntzers Bekenntnis, Schriften (Franz), S. 541, 544 (so Franz, Schriften, a.a.O., S. 455 Anm. 14).

19,40 *seyne* – nach WA 18, S. 369, = ›langsam, allmählich‹; oder Druckfehler für ›feine‹ = ›wacker, tüchtig‹? Franz, Schriften, a.a.O., S. 455, gibt nach einer Abschrift ›forne‹.

20,1 Müntzer hatte in Allstedt einen eigenen Drucker gehabt und war deswegen – in Anbetracht des kaiserlichen Mandats und aufgrund der Kontroversen um seine Tätigkeit und Predigt – in Konflikt mit der kursächsischen Landesregierung geraten. Müntzer erbot sich, alle seine Schriften zur Zensur vorzulegen, bevor er sie in den Druck gab. Beim Verhör in Weimar (s. o. S. 108; s. u. zu 87,35 ff.) wurde ihm jedoch untersagt, weiterhin einen eigenen Drucker zu beschäftigen (vgl. Hinrichs, Luther, S. 79 ff.; Bensing, Idee und Praxis, S. 461 Anm. 32; Briefe Müntzers zur Sache: an Herzog Johann, 13. 7. 1524, Schriften (Franz), S. 407; an Zeiß, 22. 7. 1524, a.a.O., S. 417; an Kurfürst Friedrich, 3. 8. 1524, a.a.O., S. 431).

Über einen Drucker Müntzers in Mühlhausen ist nichts bekannt.

20,6 In der Abschrift, nach der Franz, Schriften, druckt, fehlt ›von blut‹ (S. 455). Bezeichnenderweise wird meistens, wenn der Brief Müntzers in Geschichtsbüchern u. ä. abgedruckt wird, die Version Luthers benutzt (Beispiel s. o. S. XLII ff.).

20,7 *Nymrod* – Franz, Schriften, S. 455, gibt nach der Abschrift ›Nymroths‹; der Ausdruck ist eine Bezeichnung für die ›Fürsten und Herren‹ (vgl. 1. Mos 10,8 f.).

20,8 *weil* = solange.

20,9 f. *die weyl* = solange.

20,10 f. (dieweyl) *yhr tag habt* = (solange) ihr Zeit habt.

20,12 Mt 24,6 ff.
Im folgenden ist in den Drucken eine Zeile ausgefallen, die Franz, Schriften, S. 455, nach der Abschrift gibt: »Ezech. 34, Danielis 74, Esdre 16, Apoca. 6, welche schriefft alle Ro. 13« (Fortsetzung wie im Text mir ›erkleert‹). Franz kommentiert: »Es muß Dan 7 (statt 74) und Esra 10 (statt 16) heißen.« (ebda.).

20,13 2. Chron. 20,15 ff.

20,16 *furwar* – die Abschrift gibt ›vor‹, Franz vermutet ›nor‹ = ›nur‹ als das Gemeinte (Schriften, a.a.O., S. 546 Anm. 23).

20,17 f. 2. Chron 20,18.

20,22 ff. An den (katholischen) Grafen Ernst v. Mansfeld, 12. 5. 1525. Der Graf hatte sich mit anderen Angehörigen des Adels auf der »als uneinnehmbar geltenden« Wasserburg Heldrungen (südöstlich v. Frankenhausen) verschanzt (s. Bensing, Thomas Müntzer (1966), S. 203 f. – dort Verweise auf den Briefwechsel Ernsts mit Herzog Georg v. Sachsen). Müntzer hatte bereits Ende April vorgehabt, einen Zug von Mühlhausen aus nach Heldrungen zu organisieren, um die Burg zu stürmen und »graven Ernst seyn haupt« abzuschlagen (Bekenntnis, Schriften (Franz); S. 548 – vgl. Bensing, a.a.O., S. 107 f.). Zu früheren Auseinandersetzungen Müntzers mit Ernst v. Mansfeld s. o. zu 107. Es ist möglich, daß der vorliegende Brief, wie der folgende an Ernsts Bruder Albrecht, als offener Brief verbreitet wurde, zumindest aber durch Abschriften unter den Aufständischen kursierte (Franz, Quellen, S. 519, ohne Begründung; Franz, Schriften, S. 469 Anm. 27 mit Beleg).

20,22 *gestrackte* = feste (GrWb).
forcht Gottes – (gen. obj.), bezeichnet bei Müntzer die gesamte Haltung des Christen Gott gegenüber, die bedingungslose Anerkennung des göttlichen Willens und den aus dem Glauben folgenden Gehorsam; im Gegensatz dazu steht die ›menschliche Furcht‹ (z. B. 20,8 f., 19), das Achten auf innerweltliche Belange (vgl. etwa Goertz, Innere und äußere Ordnung, S. 137 ff.).

20,23 *bruder* – Anrede nach urchristlichem Vorbild, mit der ausgedrückt sein soll, daß in der ›wahren Christenheit‹ die Standesunterschiede nichts gelten.

20,25 *zum uberflüssigsten anregen* – vielleicht mit dem Sinn ›obwohl dieses Antreiben ganz überflüssig ist‹ bzw. ›sein sollte‹.

20,26 Bezieht sich wohl auf die Auseinandersetzung Müntzers mit Ernst v. Mansfeld im Herbst 1523 (s. o. S. 107; zum Ausdruck vgl. Müntzer an Ernst v. Mansfeld, 22. 9. 1523, Schriften (Franz), S. 394).

20,29 f. Am 5. Mai 1525 war Graf Albrecht, der Bruder Ernsts v. Mansfeld, in die Ortschaft Osterhausen eingefallen, hatte mit seinem Fußvolk an die 70 Bauern niedergemacht und das Dorf gebrandschatzt (nach Chronicon Islebiense, zit. bei AGBM II, S. 169 Anm. 1). Unter Umständen meint Müntzer diesen Vorfall und schreibt die Aktion Ernst v. Mansfeld zu.

20,33 *berechen* = beweisen.

1. Petr. 3,8 ff.

21,1 Die Versammlung der ganzen ›Gemeinde‹ faßte demokratisch die Beschlüsse; es handelt sich bei dieser ›Gemeinde‹ – der Ausdruck zeigt an, daß Müntzer auch in der gesellschaftlichen Organisationsform urchristliche Überlieferung aufzunehmen trachtete – um den vor Frankenhausen liegenden Heerhaufen der Aufständischen (vgl. Bensing, Thomas Müntzer (1966), S. 150 ff., 191).

21,11 f. vgl. 2. Mos 7,3 f., 13 u. ö.

21,13 Jos 10,11.

21,14 *grobe püffel / wütende Tyranney* = (grobe) gleich Büffeln wütende Tyranney (so Franz, Schriften, S. 468 Anm. 17).

21,17 *kleynen* – das ›Volk'.

21,21 *gestrackten* = unbedingten, festen (s. o. zu 20,22).

21,22 ff. Luthers Glosse bezieht sich auf Z. 22 ›Gott hat es geheyssen‹ (vgl. o. 3,7 ff.; 18,19 ff.).

21,24 *steubbessem* = Staubbesen, Besen zum Staubkehren.

21,26 Hes 34 u. 39.

Dan 3; Mt 3; Obadja 4.

21,27 *aus zureyssen* – Druckfehler; Franz, Schriften, S. 468, gibt nach der Abschrift ›muß zerrischen‹ (= zerrissen).

21,28 *nach heynet* = noch heute abend, heute nacht.

21,31 f. *fare daher* = komme.

Luthers Glosse nimmt die Formulierung ›ich fare daher‹ wörtlich und spielt auf den Transport des gefesselten Müntzer von Frankenhausen nach Heldrungen an (s. o. S. 123) sowie auf Müntzers Einkerkerung auf dem Sloß.

21,32 *knebel* – Stück Holz, auf dem man sitzt (um in den Bergwerksschacht hinuntergelassen zu werden) und das in der Mitte an einem Strick befestigt ist (GrWb); um der Anspielung willen gibt Luther also vor, Müntzer sei auf einem derartigen Knebel in das Verließ des Schlosses zu Heldrungen hinabgelassen worden.

21,34 *Schwert Gideonis* – Gideon, Sohn des Joas aus dem Stamm Manasse; alttestamentarische Gestalt aus der Geschichte Israels, wurde von Gott berufen, den Baalskult zu bekämpfen und die Feinde Israels zu schlagen (Ri 6 ff.; bes. 7,14.20).

21,35 Die nachgestellte Überschrift ist nicht original (Franz, Schriften, S. 467).

22,1 ff. An den (evangelischen) Grafen Albrecht v. Mansfeld, den Luther noch in einem Brief an seinen Schwager, den mansfeldischen Rat Johann Rühl, vom 4. 5. 1525 in der Haltung gegen die Bauern zu bestätigen und zu schärferem Vorgehen anzuregen gesucht hatte (WA Briefe 3,479 ff.). Albrecht hatte in einem deutlich von Luther beeinflußten Brief v. 10. 5. 1525 an die Gemeinde und die versammelten Bauern zu Frankenhausen die Insurgenten zum Gehorsam ermahnt AGBM II, S. 258). Müntzer bezieht sich offenkundig auf diesen Brief (s. zu 22,2.10. 20.22 f.).

22,1 Röm 2,9.

22,2 Albrecht hatte in seinem Brief v. 10. Mai (s. o. zu Z. 1 ff.) Röm 13, 1–4, ganz im Sinne der lutherischen Auslegung, für seine Argumentation angeführt: »wer der obrigkeit widerstrebt, der widerstrebt Gottes ordenunge.« (AGBM II, S. 258).

22,4 *stockmeystern* = (eigentlich: ›Gefängnisaufseher‹), Quästoren, (d. h. Inquisitoren), Foltermeistern (GrWb).

22,5 *unuerstendlich* = unverständig, nicht gelehrt.

22,6 f. Hos. 13,10 f.; 8,4.10.

22,8 ff. Lk 1,52.

22,10 *erhaben* = Part. Perf. v. ›erheben‹, d. h. ›erhöhen‹.

22,10 f. Albrecht hatte in seinem Brief vom 10. Mai (s. o. zu Z. 1 ff.) die Zwei-Reiche-Lehre Luthers referiert.

22,12 Hes 37 (bes. V. 15 ff., 23 ff.).

22,12 f. s. o. zu Z. 10 f.

22,14 *39. underschied* = 39. Kapitel (Hes 39,17 ff.).

22,16 *grossen hansen* – gängiger, abwertend gemeinter Ausdruck für die ›Mächtigen‹ (Götze: ›Herr von Stand; Wichtigtuer, Prahler‹).

22,17 Off 18,24; 19,17 ff.

22,20 s. o. zu Z. 2.

22,20 f. *die pane verlauffen* = den Weg versperren.

22,21 f. Dan 7,27.

22,23 *berechen* = s. o. zu 20,33.

22,24 *gestendig seyn* = zugestehen, zubilligen.

Albrecht sollte sich also als gleichberechtigter ›Bruder‹ (vgl. o. zu 20,23) dem ›Bund‹ angliedern. Einige Angehörige des niederen Adels waren von den Aufständischen gezwungen worden, sich der Erhebung anzuschließen (s. Bensing, Thomas Müntzer (1966), S. 200 ff.) oder schlossen sich freiwillig an (s. u. zu 99,16 f.).

Für Müntzer vermischen sich hier eindeutig strategische und sozialpolitische Gesichtspunkte mit der – ideologisch zweifellos dominanten – theologischen Konzeption: ›Gleichheit‹ im urchristlichen Sinne ist für ihn Bedingung der Erneuerung der Christenheit in der eschatologischen Perspektive; von da aus ist die soziale Umwälzung begründet und gefordert, Müntzer betrachtete den Bauernkrieg als Kampf um diese reale, gleichwohl apokalyptisch interpretierte Neuordnung. Im

Gegensatz zu der Mehrheit des Mühlhauser Haufens hatte er die strategische und politische Bedeutung des Sturzes der Mansfelder Grafen erkannt (dazu Bensing, a.a.O., S. 111 f., 119, 171 ff., 183 ff.; zur Frage des Verhältnisses der theologischen zu den sozialpolitischen Komponenten in Müntzers Konzeption vgl. die Einleitung, S. XX ff.).

22,28 Der Brief datiert vom gleichen Tage wie der vorstehende an Albrechts Bruder Ernst (12. 5. 1525). Zum Verhältnis der Briefe zueinander s. Bensing, a.a.O., S. 190 f.

22,29 s. o. zu 21,34.

22,30 s. o. zu 21,35.

22,31 ff. Der Brief, der hier von Luther eindeutig Müntzer zugeschrieben wird, stammt von der durch Graf Albrecht v. Mansfeld angeschriebenen (s. o. zu Z. 1 ff.) ›Gemeinde‹ zu Frankenhausen und der dort versammelten Bauernschaft. Da Müntzer »am 10., spätestens in den frühen Morgenstunden des 11. Mai« (Bensing, a.a.O., S. 189) von Mühlhausen nach Frankenhausen zog (die Entfernung beträgt über 50 km), kann er nur schwerlich entscheidend an der Abfassung des Briefs – der vom 11. Mai datiert – beteiligt gewesen sein (Kirn und Franz haben ihn daher auch nicht in den Briefwechsel aufgenommen). Gegen eine Autorschaft Müntzers spricht außerdem nicht nur der Stil, sondern der Inhalt – die Verhandlungsbereitschaft der Aufständischen. Der Brief gibt die Haltung der »gemäßigten Hauptleute« im Frankenhäuser Haufen wieder (vgl. Bensing, a.a.O., S. 181; weiterhin S. 188 ff.).

22,32 Graf Albrecht v. Mansfeld an die Frankenhäuser, 10. 5. 1525 (s. o. zu Z. 1 ff.).

22,33 *Christlicher versamlungen* – Wohl bezogen auf den Passus im Brief Albrechts, in dem er sich »aus cristenlicher pflicht schuldig« bekennt, unter Voraussetzung des Gehorsams der Angeschriebenen mit ihnen über Beschwerden und Behebung von Mißständen zu verhandeln (AGBM II, S. 258 – zum Augenblick des Verhandlungsangebots und der Lage auf beiden Seiten vgl. Bensing. Thomas Müntzer (1966), S. 180 f.).

trewlichs erbieten – Albrechts Angebot zu Verhandlungen.

23,2 *Odersleuben* – Udersleben, nördl. v. Frankenhausen.

Pfiffel – Mönchspfiffel, südwestl. v. Allstedt.

das yhre entfrembdet etc. – ihr Hab und Gut genommen.

der genaue Anlaß dieses Vorwurfs gegen Albrecht ist nicht zu ermitteln.

23,2 f. *ernennen wir ... eynen ... tag* = nennen, geben wir ... einen Termin.

23,4 *ungeverlich* = ungefähr.

23,5 *horen* – zu ›hora‹, also: (zwölf) Uhr.

Mertens Rita – Martinsried, südwestl. v. Sangerhausen.

23,7 *sicher ungeverlich geleite* = sicheren Schutzbrief.

sicherunge zu und abe = Sicherheit für den Hin- und Rückweg.

23,8 *ynn ewer gewarsamkeyt* = in das von euch beherrschte Gebiet.
geverde = böse Absicht, Hinterlist.
23,9 *ynn solcher maß* = auf diese Weise (im Sinne von ›unter der Bedingung‹).
mitler zeyt = in der Zwischenzeit.
23,10 *das armut* = die armen Leute (d. h. die Bauern und ›Plebejer‹).
23,11 *ynn massen* = (eben)so wie.
23,12 f. *sind wyr geliebt* = belieben wir.
23,13 f. Datum s. o. zu 22,1 ff.
23,22 s. o. zu 22,1 ff.
23,25 f. *auff yhr geleite* = unter Zusicherung des Schutzes, der bewaffneten Begleitung zum Schutz.
23,26 f. Albrecht wußte sehr genau von den Maßnahmen der Fürsten
– besonders Herzog Georgs und Philipps v. Hessen – gegen die Aufständischen und versuchte durch verschiedene Maßnahmen, die Bauern
bei Frankenhausen untereinander zu entzweien (s. Bensing, Thomas
Müntzer (1966), S. 181). Am 12. Mai – als Albrecht den Brief der
Frankenhäuser erhalten haben dürfte – zog der hessische Landgraf mit
seinem Heer bereits in Langensalza ein (Bensing, a.a.O., S. 210), Herzog Georg war am 11. 5. aus Leipzig aufgebrochen (Bensing, a.a.O.,
S. 215). Albrecht hatte also guten Grund, Verhandlungen mit den Aufständischen hinauszuschieben, um sie hinzuhalten (vgl. Wilhelm Fal-
ckenheiner: Philipp der Großmütige im Bauernkriege. Marburg 1887.
S. 49 f.). Ob Albrecht überhaupt, wie Luther hier angibt, einen neuen
Verhandlungsvorschlag an die Aufständischen schickte, ist nicht aus-
gemacht; zumindest liegt ein Brief nicht mehr vor. Selbst wenn er
geschrieben worden ist, ließ die militärische Entwicklung den Aufständischen keine Möglichkeit der Antwort mehr zu: Bereits am 14. 5.
früh wurden die Bauern in Gefechte mit der hessisch-braunschweigi-
schen Vorhut verwickelt (Bensing, a.a.O., S. 217 ff.). Außerdem war
inzwischen Müntzer im Frankenhäuser Lager eingetroffen, der die
Versuche gemäßigter Kräfte – die zum Teil sogar in Albrechts Diensten
standen! – durchschaute, die Masse der Aufständischen zu spalten und
durch Verhandlungen zu lähmen (s. Bensing, a.a.O., S. 181. 189 ff.).
Müntzers Briefe an die Grafen von Mansfeld sind Dokumente seiner
Bemühungen, den Haufen zu radikalisieren.
23,27 f. S. o. zu 22,31 ff.; s. u. zu 34,18 f.
23,32 f. Müntzers Brief an Albrecht datiert bereits vom 12. 5., ist also
geschrieben, bevor eine Antwort Albrechts auf das Verhandlungs-
angebot der Frankenhäuser eingetroffen sein könnte. Richtig ist allerdings, daß Müntzer sich angesichts der militärischen Lage gegen Verhandlungen wandte, was aber nicht mit einer ausgebliebenen Antwort
der Bauern auf ein neues Angebot Albrechts zusammenhängt, für die
die Voraussetzungen gar nicht gegeben waren.
24,1 ff. Die lutherische Seite war bemüht, Müntzer als den eigentlichen

Urheber des Aufstandes und den Schuldigen für die Niederlage zu verteufeln, indem sie ihn als ›Verführer‹ des unwissenden Volkes hinstellte, um die militärische Katastrophe als Beweis der Unwahrheit seiner Lehre ausgeben zu können (s. o. S. 123). Über die Gründe für die vernichtende Niederlage der Aufständischen im Verlauf der Schlacht s. u.

24,3 f. Zur Zahl der Gefallenen s. o. zu 18,18.

24,6 *zu verklagen* = zu verschmerzen.

24,7 *geratten* = geraten, Rat geschaffen (d. h. geholfen).

24,7 ff. Die gleiche Argumentation Luthers findet sich in ›Ermahnung zum Frieden ...‹, WA 18,331 f., und ›Wider die räuberischen und mörderischen Rotten der Bauern‹, WA 18,360 f.

24,11 *rottengeyster* – s. o. zu 18,9.

24,13 Vgl. Müntzers Formulierung 20,15 f.

24,13 f. Luther schiebt hier Müntzer eine Redensart in den Mund, die auch in anderen Zusammenhängen vorkam und womöglich auf alttestamentliche Stellen zurückgeht (s. Steinmetz, Müntzerbild (1971), S. 26 f.). »Klar ist die Absicht Luthers und seiner Freunde, die Müntzer mit dieser Erzählung als Prahlhans, als lächerlichen Betrüger und eitlen Gaukler hinstellen wollen.« (Steinmetz, a.a.O., S. 27). Derselbe Bericht bei Agricola, s. u. 55,21 f.

24,14 f. Auch hier »handelt es sich um nichts als Aberglauben, um eine uralte Vorstellung, die nun mit ... Müntzer verbunden wird.« (Steinmetz, a.a.O., S. 23; zum Nachweis der Tradition ebda., u S. 24 f.).

24,16 f. Luther greift hier wiederum verbreitete Vorstellungen vom ›Waffenzauber‹ auf und schiebt sie als widerlegte Versprechungen Müntzer unter (zu den Nachweisen Steinmetz, a.a.O., S. 22 ff.).

24,18 f. Luther denkt offenbar an Müntzers Tätigkeit in Mühlhausen von August 1524 an (s. u. S. 142 f.).

24,20 ff. S. o. zu Z. 1 ff.

24,22 *rottengeyster* – s. o. zu 18,9.

24,32 *entschlahen* = entschlagen, entledigen.

24,34 f. *verfuret* – s. o. zu Z. 1 ff.

24,38 *rotten geyster* – s. o. zu 18,9.

24,39 *Gotte widder* = gegen Gott (Gottes Willen, Gebot), Gott zuwider.

25,5 ff. Vgl. die Stelle im ›Sendbrief vom harten Büchlein ...‹, WA 18, S. 391: »Die Düringische baurn hab ich selbst erfaren, das, yhe mehr man sie vermanet und leret, yhe storriger, stoltzer, toller sie wurden und haben sich allenthalben also mutwillich und trotzig gestellet, als wollten sie on alle gnade und barmhertzickeyt erwurget seyn ...« Luther war Mitte April bis Anfang Mai in Thüringen und versuchte, durch seine Predigten die Bauern zu beruhigen und von Widerstand gegen die Obrigkeit abzubringen. Er bestätigt selbst seinen Mißerfolg in der zitierten Passage; dem korrespondiert ein Brief des Allstedter Schössers Hans Zeiß an Kurfürst Friedrich vom 1. 5. 1525: »Doctor

Luther ist im mansfeltischen lande, aber er kan solicher aufrur und des zulaufens aus dem mansfeldischen lande nit weren.« (AGBM II, S. 163). Zum Zusammenhang vgl. Bensing, Thomas Müntzer (1966), S. 195 ff.; WA 18, S. 280 f., 344 f., 376 f.

25,7 *schreyben* – Ließe sich auf die ›Ermahnung zum Frieden ...‹ und die Schrift ›Wider die räuberischen und mörderischen Rotten der Bauern‹ beziehen, die beide während der Reise durch Thüringen entstanden sind (vgl. WA 18, S. 281, 344).

25,10 f. 4. Mos 17,12? (in der WA keine Stelle ausgewiesen).

25,13 *uberheben* = übermütig werden.

25,14 ff. Ähnliche Formulierungen in ›Von weltlicher Obrigkeit ...‹ WA 11,267 f., und ›Ermahnung zum Frieden ...‹, WA 18,303 f., 315.

25,16 Wohl keine bestimmte Bibelstelle (in der WA auch nicht ausgewiesen).

25,19 ff. Vgl. ›Ermahnung zum Frieden ...‹, WA 18,294 ff., und ›Sendbrief von dem harten Büchlein ...‹, WA 18,399 ff.

Zu ›Die Histori Thome Muntzers‹

Die Schrift ist anonym erschienen. In den ersten Ausgaben der Werke Luthers wurde sie mit abgedruckt (Wittenberg 1548, 1551, 1557, auch Jena 1556), jeweils mit dem Zusatz »Philip. Melan.« bzw. »Phil. Melanchth.« unter dem Titel (die genauen Nachweise bei Steinmetz, Müntzerbild (1971), S. 38 ff.). Da Melanchthon nach Luthers Tod die Ausgabe selbst redigierte, muß man annehmen, daß er zur Angabe seiner Autorschaft stand (Steinmetz, a.a.O., S. 38). Noch Walch ließ 1745 die ›Histori‹ unter Melanchthons Namen in ›D. Martin Luthers ... Schriften‹ drucken (16. Bd., Halle 1745); erst im 19. Jahrhundert entstanden Zweifel an Melanchthons Autorschaft – die Erlanger Ausgabe der Werke Luthers (1826 ff.) bringt die Schrift nicht mehr, aber Fr. Aug. Koethe schloß sie in seine Auswahl der deutschen Schriften Melanchthons noch ein (1. Teil, Leipzig 1829). Ins ›Corpus Reformatorum‹ wurde sie dann nicht mehr übernommen (zum einzelnen Steinmetz, a.a.O., S. 39 f.).

Boehmer hat 1922 eine handschriftliche Notiz aus einem Exemplar der ersten Drucke mitgeteilt; der Leipziger Professor Kaspar Börner, Bekannter Melanchthons, schreibt darin ›M(ense) Octobri 1526‹, die Schrift sei von Melanchthon verfaßt, und die großen Reden darin seien »nach antikem Muster zu Nutz und Frommen der studierenden Jugend« komponiert (Boehmer, Studien, S. 4), wie Melanchthon selber versichert habe (Boehmer, a.a.O., S. 3 f.; vgl. Steinmetz, Müntzerbild (1971), S. 41).

Die Autorschaft Melanchthons darf also, trotz aller gegenteiligen Thesen in neuerer Zeit, als gesichert gelten (zur Debatte vgl. Steinmetz, a.a.O., S. 41 ff.).

Das Datum für die Abfassung der Schrift dürfte auf Ende Mai / Anfang

Juni 1525 einzugrenzen sein: Müntzers Tod (27. Mai) wird bereits kommentiert, aus dem Titel ließe sich jedoch erschließen, daß die Aufstände der Bauern noch nicht völlig niedergeschlagen sind.

28,1 Melanchthon versucht also bereits im Titel, ganz im Sinne Luthers, Müntzer als den Verursacher des Bauernaufstandes hinzustellen, wobei die ›Verführung‹ des gutgläubigen Volks durch ›falsche Predigt‹ (s. Z. 20 ff.) der entscheidende Vorgang ist, so daß die Niederlage dann als Widerlegung der Lehre Müntzers gelten kann (s. o. zu 24,1 ff.).

28,3 f. Verweist auf die – von Melanchthon frei erfundene – Rede des Landgrafen Philipp von Hessen vor der Schlacht (s. u. 37,17 ff.), als auf das Zentrum der Schrift.

28,5 *scheyn* – ›Deckmantel‹, Vorwand, Vorgeben (mit dem Anschein, als entspräche das Vorgehen dem Evangelium – vgl. dazu Luthers Argumentation in ›Ermahnung zum Frieden . . .‹, WA 18, 301 ff., 314 ff.).

28,6 f. Indirekter Hinweis auf die zweite Rede, diejenige Müntzers (s. u. 34,39 ff.); zur Bezeichnung ›falsche Prediger‹ vgl. o. zu Z. 1.

28,7 *setzende* – Partizipialform in der Übertragung lateinischer Syntax.

28,10 f. vgl. Mt 13,39.

28,11 Offensichtlich will Melanchthon, wie Luther, mit der Verfemung Müntzers auch Karlstadt und andere ›radikalreformatorische‹ Vertreter treffen (vgl. Luthers Äußerungen, etwa aus den Tischreden – Zusammenstellung bei Steinmetz, Müntzerlegende, S. 50 ff.; ders., Müntzerbild (1971), S. 27 ff. – Luther hat Müntzers Wirken genauso wie Melanchthon dargestellt: »Müntzer hat uns großen Schaden gethan in der Erste. Es lief das Evangelium so fein, daß es eine Lust war, aber da kam balde der Münzer drein.« WA Tischr. 6, S. 195; und, im Rückblick auf den Sieg über den Papst anspielend: »Und da ich nu mich für solchen sprüen des Teuffels schier ausgefürchtet hatte, bricht mir der Teuffel ein ander loch herein, durch den Münzer und auffruhr, damit er mir das liecht schier ausgewehet hette.« WA 50, S. 475; beide Zitate bei Steinmetz, Müntzerbild (1971), S. 30).

28,14 f. Vgl. Joh 8,44 (s. o. zu 18,21 f.).

28,18 Zu Müntzers Ausbildung s. o. zu 14,11 (vgl. auch Boehmers Formulierung, daß Müntzer, der Griechisch und Hebräisch trieb, »was damals durchaus noch nicht selbstverständlich war«, »in der Tat damals unzweifelhaft einer der gelehrtesten, fleißigsten und regsamsten Kleriker Norddeutschlands« gewesen sei (Studien, S. 200); weiterhin Steinmetz, Das Erbe Thomas Müntzers, 1122 ff.).

28,18 f. Auch Melanchthon sieht demnach Müntzers Tätigkeit bis etwa zur Zwickauer Zeit als Wirken im Sinne der Reformation.

28,22 *verstandt* = Verständnis, Deutung, Auffassung.

28,33 ff. Vgl. o. zu 4,6 f. Könnte sich auch bereits auf Müntzers Bekenntnis beziehen, das »Ende Mai oder Anfang Juni 1525 von Wolfgang Stöckel in Leipzig oder Eilenburg gedruckt wurde« (Steinmetz, Müntzerbild (1971), S. 96) und in dem es heißt: »Dye entporunge habe er dorumb gemacht, das dye christenheyt solt alle gleych werden und das dye fursten und herrn, dye dem ewangelio nit wolten beystehen, solten vortriben und totgeschlagen werden« (Schriften (Franz), S. 548). Das Verhörsprotokoll war Luther schon vor dem 30. Mai 1525 bekannt; an diesem Tage erwähnt er es in einem Brief an Johann Rühl, der es ihm zugeschickt hatte (WA Briefe 3, S. 515 f.) mit dem Brief vom 26. 5 (a.a.O., S. 509 ff.; AGBM II, S. 378 f.).

28,24 Bezieht sich wohl ebenfalls bereits auf das Bekenntnis, wo die entsprechende Stelle lautet: »Ist ir artigkel gewest und habens uff dye wege richten wollen: Omnia sunt communia, und sollten eynem idern nach seyner notdorft ausgeteylt werden nach gelegenheyt. Welcher furst, graff oder herre das nit hette thun wollen und des ernstlich erinnert, den solt man dye koppe abschlahen ader hengen.« (Schriften (Franz), S. 548). Zur Interpretation der Aussage s. Hinrichs, Luther, S. 20 f.; Smirin, Volksreformation, S. 315 ff.; Bensing, Thomas Müntzer (1966), S. 50 ff., 80; ders., Idee und Praxis, S. 461 f.; Zschäbitz, Wiedertäuferbewegung, S. 44 ff.; Nipperdey, Theologie, S. 275 f.; auch schon Boehmer, Thomas Müntzer, S. 211 ff.

28,25 ff. Vgl. dazu Müntzer in ›Ausgedrückte Entblößung‹, Schriften (Franz), S. 275, 299 f.; ›Hochverursachte Schutzrede‹, a.a.O., S. 328 f.

28,32 *schein* = (falschen) Anschein.

28,33 S. o. zu 3,25 ff., 32.

29,6 *vorhin* = früher.

29,7 *Manes* = Mani (216–276?), Gründer der Sekte der Manichäer, die mit Unterstützung der Sassaniden im Persischen Reich zeitweise weit verbreitet war. Melanchthon bezieht sich hier auf den Anspruch des Mani, die abschließende göttliche Offenbarung (für mehrere Religionen) zu bringen und der von Christus angekündigte Paraklet zu sein. Vgl. Religion in Geschichte und Gegenwart, 3. Aufl., Bd. 4, S. 714 ff.; dort Literatur.

29,8 *jungern* = Jünger, Schüler, Anhänger.

29,17 f. S. o. S. 107.

29,21 f. Hier erweist sich – als an einer von vielen Stellen – wie genau sich Melanchthon auf Luther bezieht und von ihm abhängig ist: vgl. o. 3,13 ff.; 5,1 ff.

29,13 *untuchtige* = untauglich, unzureichend (bezieht sich auf die katholische Glaubenslehre und Liturgie).

29,26 *mecht* = für ›mache‹.
gerucht = Leumund, Ruf.

29,27 f. Noch im ›Prager Manifest‹ richtet Müntzer seine Angriffe in erster Linie gegen die ›Pfaffen‹ der römischen Kirche und gegen den Papst, aber bereits mit dem ›Erdichteten Glauben‹ trifft er – zumindest indirekt – auch die lutherische Lehre, in der ›Protestation‹ dann ganz offen mit der Ablehnung der Kindertaufe. Der genaue Zeitpunkt des

›Umschwungs‹ in der theologischen Entwicklung ist umstritten (s. o. zu 3,11); vgl. auch Elliger, Thomas Müntzer, S. 29 ff.; Maron, Thomas Müntzer, S. 200 f.; Ebert, Theologie, S. 69 ff.

29,27 *untuchtig* – s. o. zu Z. 23.

29,29 *mecht* – s. o. zu Z. 26.

29,30 *lesten* – Plur. zu ›Last‹.

ynn fleyschlicher freyheit – in einer Freiheit, die nicht zum wahren Glauben führt, sondern nur die innerweltlichen Belange betrifft (zum Begriff ›Fleisch‹ im paulinischen Sinn s. u. zu 36,24).

29,30 ff. Vgl. dazu Müntzer in ›Ausgedrückte Entblößung‹, Schriften (Franz), S. 313 f.; ›Hochverursachte Schutzrede‹, a.a.O., S. 325, bes. 327 f.

29,33 Über den Zulauf, den Müntzers Predigten in Allstedt hatten, vgl. Schösser, Schultheiß und Rat zu Allstedt an Kurfürst Friedrich, 11. 4. 1524 (»auf einen sontag mehr dan 2000 frombds volk«), AGBM II, S. 29 f.; Hans Zeiß an Herzog Johann, 28. 7. 1524 (»... das das frembde volk ... gein Alstedt leuft ...«), Fuchs, Quellen, S. 485 ff. Dazu Hinrichs, Luther, S. 11; Bensing, Idee und Praxis, S. 460.

29,33 f. Homer, Odyssee 1,351 f.

30,4 *sich den teuffel hat nerren lassen* = sich vom Teufel hat täuschen lassen.

30,8 f. Vgl. Müntzer in ›Prager Manifest‹, Schriften (Franz). S. 501 ff.; ›Protestation‹, a.a.O., S. 227, 229 f.

30,9 ff. Müntzer forderte allerdings, die ›fleischlichen Freuden‹ abzutun (vgl. etwa Protestation, a.a.O., S. 236 f.) und alle ›Wollust‹ zu meiden (z. B. ›Auslegung‹, a.a.O., S. 252 f.), den ›Sünden feind zu werden‹ (z. B. ›Ausgedrückte Entblößung, a.a.O., S. 302 f.; s. auch den Brief an Meinhard, 30. 5. 1524, S. 52,11 ff.) – insofern ist seine Lehre gut paulinisch, was Melanchthon indirekt zugeben muß (Z. 25 f.). Melanchthon sucht aber hier wie stets Müntzer durch Übertreibung oder Verdrehung von Aussagen oder Lehrmeinungen zu diffamieren: Müntzer hat nie asketische Übungen etwa im Sinne der Mystik oder bestimmter Mönchsorden gefordert, gerade auch im Zusammenhang mit seiner ›Kreuzestheologie‹ nicht – s. o. zu 3,21 ff., 33 f.

30,14 *sawr sehen* – daß Müntzer eine ›Leichenbittermiene‹ als Ausdruck asketischer Abkehr von der ›Welt‹ verlangt habe, ist reine Erfindung; in der ›Ausgedrückten Entblößung‹ wendet er sich gerade dagegen, daß jemand durch ein »salzricht angesicht« Demut, Entsagung und ernsthafte Glaubenserfahrung vortäusche (Schriften, a.a.O., S. 305).

den bart nicht abschneiden – Immer wieder wurde Müntzer nachgesagt, er habe – in biblizistischer Auslegung einer alttestamentarischen Stelle (s. o. 11,1 ff.) – vorgeschrieben, die Männer dürften sich den Bart nicht rasieren (s. u. 52,34; 55,34; 80,9; 90,9 u. ö.). Die Forderung ist aus Flugschriften des Bauernkrieges bekannt (s. Hinrichs, Luther, S. 21 f.), aber das einzige wahrscheinlich authentische Bildnis Müntzers zeigt diesen bartlos, Melanchthons Behauptung ist also mit ziemlicher Sicherheit falsch (s. u. a. Nipperdey, Theologie, S. 251; Bensing, Thomas Müntzer (1965), S. 8 ff. – nach Günther Franz: Die Bildnisse Thomas Müntzer. In: Archiv für Kulturgeschichte. 25. Bd., 1. Heft. Leipzig/Berlin 1934. S. 21–37).

30,15 *todtung des fleischs* – z. B. im Brief an Meinhard, 30. 5. 1524 (s. u. 52,13); die Formel, die aus dem Wortschatz der deutschen Mystik stammt, bezeichnet bei Müntzer das Verhalten des Gläubigen aufgrund des göttlichen Wirkens in der Seele, nicht aber eine aktive Kasteiung als Präparation für mystische Ekstase oder ›unio‹; deshalb kann Müntzer davon sprechen, daß für den Empfang des Glaubens der Mensch durch Gott bereit gemacht werden müsse: »so muß ym Gott nemen seyne fleischlichen luste«, so daß Gott »töthen wil alle wollust des fleisches« (Auslegung, Schriften (Franz), S. 251) – eigentlich ist es also Gott, der die ›Ertötung des Fleisches‹ bewirkt. Daß Müntzer so strikt Glauben und Verhalten des Christen von der Aktivität Gottes her begründet sieht, haben seine lutherischen Gegner immer wieder ins Gegenteil zu verkehren gesucht (s. u. zu 48,47 ff.; 49,31 f.; 50,24 ff. u. ö.). Zum Sachverhalt vgl. Goertz, Innere und äußere Ordnung, S. 102 ff.; Elliger, Thomas Müntzer (1965), Sp. 14 f.; Nipperdey, Theologie, S. 262 f.

creutz – bei Müntzer häufig (s. Spillmann, Wortschatz, S. 56; Hinrichs, Luther, S. 102 ff.) zur Bezeichnung des von Gott dem Menschen, der für den Glauben ›empfänglich‹ werden soll, auferlegten ›Leidens‹; zu Müntzers ›Kreuzestheologie‹ s. o. zu 3,21 ff., 33 f.

30,15 f. Z. B. Mt 10,38; 16,24.

30,18 f. Von einer derartigen Forderung Müntzers ist nichts bekannt; Melanchthon sucht hier, wie dann auch Agricola (s. u. 50,36 ff.), alle nur erdenklichen Sektenpraktiken zu unterschieben, um ihn als ›Irrlehrer‹ zu erweisen. Es ist unwahrscheinlich, daß Melanchthon von Formulierungen bei Müntzer ausgegangen ist, wie etwa der, daß der Mensch »sich von aller kürtzweil absondern« müsse (Auslegung, Schriften (Franz), S. 252).

30,21 Vgl. ›Protestation‹, Schriften, a.a.O., S. 237 f. – Müntzer hält an dieser Stelle dem unerläßlichen ›Zweifel‹ des nach dem Glauben fragenden Menschen die zynische Abfertigung des Verzweifelten durch die ›Schriftgelehrten‹ gegenüber.

30,24 f. Vgl. etwa ›Ausgedrückte Entblößung‹, Schriften, a.a.O., S. 272, 274, 279 f. Müntzer verwendet immer wieder die ›Juden und Türken‹ als eine Art Vergleichsmaßstab: Der christliche Glaube sei durch die Entwicklung der Kirche so verfälscht, daß er nicht besser sei als der der Heiden (z. B. Ausgedrückte Entblößung, Schriften, a.a.O., S. 280, 312; bes. Protestation, a.a.O., S. 231 f., 233).

30,27 ff. Auch von derartigen Thesen Müntzers läßt sich nichts ermitteln; in der ›Ausgedrückten Entblößung‹ wendet sich Müntzer gerade gegen die ›Schriftgelehrten‹, die ›Wunderwerke‹ verlangen (Schriften, a.a.O., S. 279).

Daß Müntzer gelehrt habe, man solle Gott ›zürnen und fluchen‹, ist eine böswillige Unterstellung Melanchthons, die dann Agricola noch weiter ausgestaltet hat (s. u. 50,36 ff.). Müntzer setzte ›emsige Erwartung‹, ›Begier‹ und ein geradezu ›ungeduldiges‹ Warten des Menschen auf Gottes Aktivität voraus, betont aber immer wieder Ehrfurcht und Ohnmacht des Wartenden (vgl. nur Protestation, Schriften, a.a.O., S. 237).

30,39 f. Anspielung etwa auf Joh 7,37?

30,40 f. Zu Müntzers Offenbarungsverständnis s. o. zu 3,25 ff., 32.

31,2 ff. Erfindung Melanchthons; Müntzer vertrat die Ansicht, daß die Wirkung des ›lebendigen Wortes Gottes‹ in der Seele den Glauben begründen müsse, aber er forderte unablässiges, sehnliches Warten auf die ›Ankunft des Glaubens‹; der Mensch könne Gott durch nichts zwingen (vgl. Nipperdey, Theologie, S. 262 f.). Den ›Weg‹ zu Gott nannte er gerade nicht ›gewiß‹, sondern ›eng‹ und beschwerlich (vgl. etwa Protestation, Schriften (Franz), S. 233).

31,5 *zog* = bezog, führte an.
      gefelschet = fälschlich, unrichtig.
      schrye = schrie (im Sinne von ›schimpfte‹).

31,6 *Phariseer* – häufig bei Müntzer in der Übersetzung ›Schriftgelehrte‹ (nach Spillmann, Wortschatz, S. 192, 47mal); das Fremdwort z. B. ›Hochverursachte Schutzrede‹, Schriften, a.a.O., S. 325; zur Interpretation z. B. Nipperdey, Theologie, S. 244 ff.; Maron, Thomas Müntzer, S. 200 ff.

31,7 f. So z. B. ›Ausgedrückte Entblößung‹, Schriften (Franz), S. 298, 315.

31,11 *groben* = unwissenden, ungebildeten, dummen.

31,13 f. *umb sey gangen* = sich beschäftigt habe.

31,15 ff. Agricola berichtet, Müntzer habe zwei Bauern bei sich gehabt, deren Träume er als Zeichen göttlicher Offenbarung betrachtete (s. u. 56,38 ff.). Wieviel Glauben dem zu schenken ist, bleibt vorläufig ungeklärt; Müntzer besaß die Abschrift der Aufzeichnung von ›Gesichten‹ eines Herold von Liedersdorf (Schriften, a.a.O., S. 427 ff.). Zweifellos hat Müntzer Träumen und Visionen als mögliche Formen des Offenbarungsgeschehens eine Bedeutung beigemessen, aber gerade davor gewarnt, sie jeweils direkt als Ausdruck göttlichen Wirkens anzusehen (vgl. nur Auslegung, Schriften, a.a.O., S. 248 f., 255 – dort macht er die ›falschen Träumer‹ für den ›Schaden der Welt‹ verantwortlich). Träume und Visionen als Wege der Offenbarungserfahrung sah Müntzer in der Bibel bezeugt; aber analog zu seinem Schriftverständnis (s. o. zu 3,32) setzte er für die Prüfung und richtige Auslegung der Gesichte die ›Geistbegnadung‹ voraus, das heißt die bereits erfolgte ›Ankunft des Glaubens‹ im Herzen (vgl. Auslegung, Schriften, a.a.O., S. 252 ff.). Keineswegs also hat Müntzer, wie Melanchthon hier behauptet, ›den ganzen Bau auf Träume gesetzt‹, sondern ein durchaus kritisches Verhältnis zu ihnen gefordert. Zur Problematik s. Nipperdey, Theologie, S. 252 f.; Werner, Messianische Bewegungen, S. 610 f.; Goertz, Innere und äußere Ordnung, S. 52 ff.; der apokalyptische Vorstellungshintergrund bei Hinrichs, Luther, S. 53 ff.

31,18 *an* = in.

31,19 f. *zuverteydingen* = zu verteidigen.

31,21 *zufal* = Zulauf, Beifall.

31,22 f. Vgl. Müntzers Vorrede zu seiner ›Deutschen Messe‹, Schriften (Franz), S. 161 ff., wo er die Abschaffung des Lateinischen als liturgischer Sprache mit dem ›Betrug‹ am ›armen Volk‹ begründet, der bis dahin durch die Unverständlichkeit der Kirchensprache immer neu vollführt worden sei. Müntzer hat die Messe früher als Luther verdeutscht, um der ›armen, zurfallenden christenheyt also zu helffen« (a.a.O., S. 163). Luther hatte – wie Müntzer behauptet, aus purem Neid (Hochverursachte Schutzrede, a.a.O., S. 333) – beim Kurfürsten den Druck der liturgischen Schriften Müntzers zu verhindern gesucht (vgl. Karl Honemeyer: Thomas Müntzers Allstedter Gottesdienst als Symbol und Bestandteil der Volksreformation. In: Wiss. Zeitschrift der Marl-Marx-Univ. Leipzig. 14. Jg. 1965. Gesellsch.- u. sprachwiss. Reihe. S. 473–477. Hier bes. S. 473 f.). Als dies nicht gelang, haben Luther und seine Anhänger die Wirkungen der Müntzerschen Liturgie-Reform zu unterdrücken gesucht, besonders nach Müntzers Tod (vgl. Honemeyer, ebda.; auch Steinmetz, Müntzerbild (1971), S. 17; Melanchthons vorliegende Diffamierung ist in diesem Zusammenhang zu sehen. Zu Müntzers liturgischen Bestrebungen s. auch Ebert, Theologie, S. 69 ff.; dort weitere Literaturverweise; über Nachwirkungen auch Baring, Hans Denck, S. 148 f.

31,27 *schein* – s. o. zu 28,5.

31,28 f. Diese Unterstellung kehrt häufig wieder (s. u. zu 33,1; 92,1 ff.; 92,15). Ihr widersprechen nicht nur Müntzers Haltung insgesamt, sondern auch überlieferte Äußerungen wie etwa im Brief an die Hallenser v. 19. 3. 1523, Schriften (Franz), S. 388. Selbst Boehmers polemische Auslassungen über Müntzers materielle Lage (Studien, S. 12 ff.; Thomas Müntzer, S. 197 ff.) gehen nicht so weit, Habgier zu unterstellen.

31,29 f. Bezieht sich auf den Allstedter ›Bund der Auserwählten‹ – s. o. S. 108. Melanchthon legt hier offenbar das Verhörprotokoll zugrunde (vgl. Schriften, a.a.O., S. 545, 548).

31,30 f. Möglicherweise Anspielung auf Formulierungen wie die im Brief an Ernst v. Mansfeld v. 12. 5. 1525 (s. o. 21,20 ff.), den Melanchthon ja kannte.

31,37 Hier widerspricht Melanchthon indirekt Luther, der Müntzer schon für die Zwickauer Zeit ›Mordpredigten‹ unterstellt (s. o. 14,21 ff.).

31,38 f. Luthers Brief an den Kurprinzen Johann Friedrich v. 18. 6. 1524 (WA, Briefe 3, S. 307 ff. – s. o. S. 108).

32,2 ff. Dürfte sich auf die ›Fürstenpredigt‹ beziehen (s. o. zu 4,6 ff.), in der aber Widerstand gegen die Obrigkeit nur für den Fall gefordert ist, daß sich die Fürsten der Errichtung der ›wahren Christenheit‹ entgegenstellen (vgl. Auslegung, Schriften (Franz), S. 256 ff.). Erst nach dem Scheitern des Versuchs, die sächsischen Fürsten für sein Vorgehen zu gewinnen, wendet sich Müntzer prinzipiell gegen die Obrigkeit. Diese Entwicklung setzt mit dem Ende der Allstedter Zeit ein und ist in Forschung vielfach behandelt (s. Nipperdey, Theologie, S. 274 ff.; Hinrichs, Luther, S. 74 ff., 111 ff.; Bensing, Thomas Müntzer (1966), S. 54 ff.; ders., Idee und Praxis, S. 463 ff.; Maron, Thomas Müntzer, S. 215 ff.; Ebert, Theologie, S. 83 ff.).

32,4 Direkt hat Müntzer einen solchen Anspruch nie erhoben, sich aber als ›neuer Daniel‹ und ›neuer Johannes‹ verstanden (s. o. zu 21,34; s. u. zu 52,25).

32,6 ff. Zu Müntzers Offenbarungsverständnis s. o. zu 3,25 ff.

32,10 f. Bezieht sich wohl auf Röm 13,1 ff. (zur unterschiedlichen Interpretation der Stelle durch Luther und Müntzer s. o. zu 4,28).

32,13 f. Müntzers Flucht aus Allstedt (s. o. zu 14,12). Die Zeitangabe ist frei erfunden und widerspricht 33,9. Melanchthon unterschlägt Müntzers ersten Aufenthalt in Mühlhausen (s. o. S. 120).

32,15 *rwen* = ruhen.
Nach der Flucht aus Allstedt (s. o. zu 14,12) ging Müntzer vermutlich sehr bald nach Mühlhausen. Erst nach seiner Ausweisung (27. 9. 1524, s. o. zu 15,20 ff.) kam er, über Bibra bei Meiningen, wo er Hans Hut besuchte, nach Nürnberg, wohl vor allem, um den Druck der ›Ausgedrückten Entblößung‹ zu veranlassen oder zu beschleunigen (Hinrichs, Luther, S. 135). Müntzer hat in der Stadt nicht gepredigt (Brief an Christoph Meinhard, Ende Nov./Anf. Dez. 1524, Schriften (Franz), S. 449 f.), mußte aber nach Beschlagnahme der ›Entblößung‹ die Stadt verlassen (Anf. Nov. 1524). Dazu Bensing, Thomas Müntzer (1965), S. 66 ff.; Baring, Hans Denck, S. 148 ff.

32,17 *eynsaß* = Fuß faßte, sich festsetzen konnte.
gluckt hett = geglückt, gelungen wäre.

32,19 S. o. zu Z. 15.

32,21 ff. S. o. S. 120.

32,23 f. S. o. zu 14,12 (vgl. auch Bensing, Thomas Müntzer (1966), S. 73).

32,25 *sein / an* – Hier muß ein Substantiv ausgefallen sein; Brandt, Thomas Müntzer, S. 41, gibt nach dem Druck bei Walch ›Vornehmen‹ (d. h. ›Vorhaben‹).

32,26 ff. Die hier angespielten Ereignisse fanden nach der Rückkehr Pfeiffers und Müntzers nach Mühlhausen statt; die Wahl des ›Ewigen Rates‹, der den bisherigen Rat (s. o. zu S. 119 f.) ablöste und die Flucht der Ratsmeister Rodemann und Wettich nach Salza zur Folge hatte, erfolgte am 17. 3. 1525. Der neue Rat bestand aus 16 Personen (vier

Mitglieder des alten Regiments, vier ›Achtmänner‹ und acht Vertreter der Stadtvietel – Bensing, Thomas Müntzer (1966), S. 78 f.; dort Einzelheiten und Angaben über weitere Literatur). Vgl. auch die Chronik der Stadt Mühlhausen, Auszug bei Franz, Quellen, S. 494 ff.

32,28 *erbern* = ehrbaren.

32,31 Die Chronik berichtet von der Auflösung der Klöster außer dem Nonnenkloster (Franz, Quellen, S. 496).

32,32 *rendt* = Rente (d. h. ›Einkünfte‹).
Nach der Chronik wurde Müntzer Ende Februar Pfarrer an ›Unserer Lieben Frauen‹ (d. h. der Marienkirche) und bezog das Haus der ›Deutschen Herren‹ (Franz, Quellen, S. 496 – vgl. Bensing, Thomas Müntzer (1965), S. 76).

32,34 ff. Müntzers genauer Einfluß in Mühlhausen ist schwer zu ermitteln; sicher ist, daß er nicht mit im Rat saß, gleichwohl dürfte seine Stimme dort erhebliches Gewicht gehabt haben. Daß Müntzer aber eine so starke Stellung gehabt haben sollte, daß er nach seinem Gutdünken – mit biblizistischen Begründungen – habe Recht sprechen lassen, ist schon deswegen ausgeschlossen, weil es in Mühlhausen auch innerhalb der Gruppe der Insurgenten starke Kräfte gab, die Müntzers Bestrebungen entgegenarbeiteten (vgl. Bensing, Thomas Müntzer (1966), S. 182 ff.). Melanchthon sucht hier offensichtlich, Müntzer im Sinne Luthers als ›rex atque imperator‹ darzustellen (s. o. zu 18,9), ihm so die Alleinschuld am Aufstand zuzuschieben und so die Beweiskraft der Niederlage zu vergrößern; vgl. dazu die Information Spalatins durch Hans Zeiß (Brief v. 22. 2. 1525, AGBM II, S. 67).

32,38 S. o. zu 28,23 ff.

32,39 Die in Müntzers ›Bekenntnis‹ als Begründung für die Gleichheitsforderung und die Gütergemeinschaft lateinisch angeführte Bibelstelle (s. o. zu 28,24) steht in ApGesch. 2,44 f.; 4,32 ff.

32,40 *Boffel* = Pöbel.

33,1 f. Freie Erfindung Melanchthons. Nach der Einsetzung des ›Ewigen Rates‹ wurden in Mühlhausen einige Klostergüter konfisziert und verkauft, um dadurch die Versorgung der Ärmsten der Stadt zu ermöglichen. Daß »den Reichen das Ihre genommen und alle Eigentumsunterschiede liquidiert worden seien, ... ist aus der Luft gegriffen.« (Bensing, Thomas Müntzer (1966), S. 80). »Ob in der unmittelbaren Gemeinschaft Thomas Müntzers ein primitiver Verteilerkommunismus eingeführt worden ist«, muß zumindest als äußerst unsicher gelten (Bensing, ebda.). Gewalt ist gegen Bewohner der Stadt nicht angewandt worden; die Klosterplünderungen waren schon lange vorher erfolgt (s. o. 32,31.32). Daß Müntzer die Abschaffung der Arbeit gefordert oder gefördert habe, ist ebenso üble Nachrede.

33,7 f. ›Drohungen‹ gegen den Adel der Gegend liegen von Müntzer erst mit den Briefen an die Grafen von Mansfeld (s. o. 20,22 ff.; 22,1 ff.) vor. Allerdings plante Müntzer bereits im April 1525 einen Zug gegen die Schlösser der thüringischen Grafen, vor allem gegen Heldrungen (s. Bensing, a.a.O., S. 111 f.).

33,9 Die Zeitangabe ist falsch und widerspricht 32,13. Müntzer hielt sich im Spätsommer 1524 einen Monat und im Frühjahr 1525 drei Monate in Mühlhausen auf (s. o. zu 32,15.26 ff.).

33,11 f. S. o. zu 18,16.

33,12 f. *ein rucken haben an* = einen Rückhalt haben in.

33,13 f. Zur Lage in Süddeutschland April 1525 vgl. Smirin, Volksreformation, S. 454 ff., 497 ff.; Franz, Bauernkrieg, S. 92 ff., 176 ff.; Steinmetz, Deutschland 1476–1648, S. 131 ff.

33,17 *das stundlyn treffen* = den günstigen Augenblick abpassen.

33,19 *ym spil sein* = dabei sein, sich (an der vorteilhaften Sache) beteiligen.

33,21 Ob Müntzer wirklich Büchsen oder gar Kanonen im Barfüßerkirchen-Chor hat gießen lassen, ist umstritten (Bensing, Thomas Müntzer (1966), S. 89 Anm. 125, gegen Steinmetz, Müntzerlegende, S. 66), die Belege aus der Chronik und der Buchführung in Mühlhausen sprechen für die Richtigkeit der Angabe (Bensing, ebda.).

33,22 f. Daß viele der am Aufstand Beteiligten tatsächlich nur eine kurzsichtige Rache an ihren Oberherren und eine Chance zur Bereicherung im Sinne hatten, ließe sich aus Müntzers Konflikten mit den Mühlhäusern und aus den Verhörsprotokollen erhärten (s. o. zu 32,34 ff.; s. u. zu 92,15). Aber die Habgier als einziges treibendes Motiv für den Aufstand zu unterstellen, ist wiederum bewußte Diffamierung.

33,24 S. o. S. 120. Heinrich Pfeiffer war Mönch im Kloster Reifenstein auf dem Eichsfeld gewesen (im einzelnen Merx, Pfeiffer, S. 53 ff.). Über die im Laufe der Zeit zunehmenden Spannungen zwischen Müntzer und Pfeiffer vgl. Bensing, Thomas Müntzer (1966), S. 74 ff., 103 ff., 182 ff.

33,32 ff. Abgesehen davon, daß Melanchthon hier Müntzer wieder als Feigling darstellen will, steckt eine richtige Mitteilung in diesen Sätzen: Müntzer versuchte, seine weiter gesteckten Ziele gegen die kurzsichtigen Pläne Pfeiffers durchzusetzen, weshalb es schließlich zum Bruch zwischen beiden und zur Spaltung unter den Aufständischen kam (s. Bensing, a.a.O., wie in vorstehender Anm.). Die Intentionen verdreht Melanchthon allerdings: Pfeiffer wollte nur die umliegenden Klöster und Schlösser zerstören, Müntzer dachte vor allem an einen Zug gegen die entfernteren Sitze der mansfeldischen Grafen, als an den Auftakt einer weitreichenden Aktion (vgl. auch Bekenntnis, Schriften (Franz), S. 549). Nicht um Müntzers Vorsicht oder gar Feigheit ging es also, sondern um die ›Lokalborniertheit‹ der Mühlhäuser um Pfeiffer.

33,37 Gemeint ist der Brief an die Allstedter, s. o. 18,28 ff.

33,38 f. S. o. 20,7 f.

34,1 ff. S. o. zu 19,36 (s. Bensing, a.a.O., S. 114 ff., 164 ff.; dort weitere Literatur).

34,3 *Böffel* – s. o. zu 32,40.

beyssig – eigentlich ›bissig‹, hier: ›erregt‹, ›scharf auf‹.

gluckt het – s. o. zu 32,17.

In dem = Währenddessen, Zu dieser Zeit.

34,4 f. Zur Forschung über die Aufstandsbewegung in Frankenhausen s. Bensing, a.a.O., S. 119 ff. Müntzer hatte am 29. 4. 1525 von Mühlhausen aus an die Frankenhäuser geschrieben, er werde nicht nur mit ›zweihundert Knechten‹ kommen – wie die Frankenhäuser in einem verlorengegangenen Brief erbeten hatten –, »sundern vil mehr alle alle, so vil unser, wollen zu euch kommen« (Schriften (Franz), S. 457). Am 29. oder 30. 4. wurden in Frankenhausen 14 Artikel angenommen, die sich vor allem gegen die Herrschaft der Schwarzburger Grafen richteten (Bensing, a.a.O., S. 121). Das Nonnenkloster und das Schloß in der Stadt wurden gestürmt, über Züge in die nähere Umgebung gibt es keine genauen Angaben (vgl. den Brief des Allstedter Schössers Hans Zeiß an Kurfürst Friedrich, 1. 5. 1525, AGBM II, S. 162 f., mit allgemeinen Nachrichten zum Aufstand). Frankenhausen wurde in den folgenden Tagen zum Sammelpunkt der Aufständischen, am 3. Mai war die Zahl schon auf mindestens 4000 angewachsen (Bensing, a.a.O., S. 123).

34,8 f. Über Datum und Grund des Zugs Müntzers nach Frankenhausen s. o. zu 32,31 ff. (vgl. Bensing, a.a.O., S. 185 ff.). Ein »regulärer Zug des Mühlhäuser Aufgebots nach Frankenhausen und Heldrungen« war offenbar nicht beabsichtigt, weshalb sich Müntzer mehrfach mit Schreiben an die Gemeinde von Mühlhausen wandte (Bensing, a.a.O., S. 184, auch 186; vgl. Schriften (Franz), S. 462; AGBM II, S. 254 – nicht von Müntzers Hand), man solle bewaffnet nach Frankenhausen ziehen, »sonst mochten wir und ihr ganz vorterben« (AGBM II, S. 254, Ausschreiben vom 9. 5. 1525) – Müntzer war sich über die entscheidende Bedeutung der Auseinandersetzung am Aufstandszentrum Frankenhausen im klaren.

Ob die Zahlenangabe verläßlich ist, bleibt ungeklärt; sie könnte aber, bei der relativ kleinen Gruppe um Müntzer, auf die Auswirkungen des Konflikts zwischen Müntzer und Pfeiffer hinweisen; Pfeiffer zog nicht mit nach Mühlhausen (dazu Bensing, Thomas Müntzer (1966), S. 187 ff.).

34,10 *wegig* = in Bewegung (GrWb).

34,10 f. Die albertinischen und ernestinischen sächsischen Fürsten hatten, durch ihre Räte, erst längere Zeit verhandelt, ohne sich einigen zu können (Bensing, a.a.O., S. 204 ff.). Angesichts der drohenden Ausweitung des Aufstandes entschloß sich der neue Kurfürst Johann, nachdem er noch zu Lebzeiten seines Bruders (gest. 4. 5. 1525) das Aufgebot für den 7. Mai nach Weimar bestellt hatte, Verhandlungen mit seinem

Vetter Herzog Georg aufzunehmen (vgl. Bensing, a.a.O., S. 212). Dieser hatte, mit wenig Erfolg, Söldner anwerben lassen und zog »mit 800 Reitern und nur zwei Fähnlein Knechten« am 11. 5. von Leipzig aus über Weißenburg und Naumburg nach Frankenhausen; am 14. 5. war er in Heldrungen eingetroffen und erreichte Frankenhausen erst am darauffolgenden Schlachttage (Bensing, a.a.O., S. 207, 215). Kurfürst Johann kam mit seinem Heer erst am 22. 5. in Schlotheim bei Mühlhausen an und war also nur an der Belagerung dieser Stadt beteiligt (Bensing, a.a.O., S. 234 f.). Der hessische Landgraf Philipp, Schwiegersohn Georgs, war von Fulda (8. 5.) über Eisenach (11./12. 5.), Langensalza (12./13. 5.) und Sondershausen bei Frankenhausen (13./14. 5) zum Aufstandszentrum gezogen (Bensing, a.a.O., S. 206 ff.). Der braunschweigische Herzog Heinrich d. J. hatte sich mit seiner Truppe ihm schon am 10. 5. bei Berka angeschlossen (Bensing, a.a.O., S. 209 f.). Die Stärke der beiden Heere betrug am Vorabend der Schlacht etwa 1400 Reisige und 1500 Knechte (Bensing, a.a.O., S. 216).

34,14 f. Als das entscheidende ›Versäumnis‹ der Bauern bezeichnet Bensing die unterbliebenen Züge der Bauern nach Sangerhausen und Heldrungen (a.a.O., S. 179 ff., 193 f.). Dieser zentrale strategische Fehler ging aber nicht auf die ›Furcht‹ der Aufständischen zurück (s. nachstehende Anm.), sondern auf die inneren Auseinandersetzungen unter ihnen und die starke Stellung ›lokal-borniertier Kräfte‹ (Bensing, a.a.O., S. 182 ff., 194 – s. o. zu 33,32 ff.; 34,8 f.; vgl. auch Engels, Bauernkrieg, S. 390).

34,18 f. S. o. zu 20,29 f. Den Überfall Albrechts v. Mansfeld, der sich am 5. 5. ereignete, als die Ursache für das Zögern der Bauern hinzustellen – was den Tatsachen keineswegs entspricht –, hängt wohl damit zusammen, daß Melanchthon die Bedeutung Albrechts hervorheben will, um so indirekt Luthers Rolle zu betonen (vgl. o. zu 22,1 ff.).

34,25 f. Zur Zahlenangabe s. o. zu Z. 10 f.

34,26 f. Die Aufständischen, weit über 6000 an der Zahl, hatten ihre Wagenburg vor dem 14. 5. auf einem Ausläufer des Kyffhäuser nördlich der Stadt aufgeschlagen. Sie waren mit Geschützen ausgerüstet und schlugen am 14. morgens das hessisch/braunschweigische Heer in einem ersten Gefecht zurück. Diese Niederlage verschweigt Melanchthon (s. Bensing, a.a.O., S. 217 ff.) deutet aber die keineswegs günstige strategische Stellung der Fürsten an (vgl. die Belege bei Bensing, a.a.O., S. 219 f.). Die fürstlichen Heere zogen sich zunächst zurück, wohl um die Ankunft Herzog Georgs abzuwarten (vgl. Philipps ausführlichen Bericht an den Schwäbischen Bund, 18. 5. 1525, AGBM II, S. 324 f.).

34,29 f. Die Bauern waren keineswegs ›ungerüstet und ungeschickt‹, hatten allerdings weniger und schlechtere Geschütze und keine vergleichbare militärische Führung.

34,31 ff. Melanchthon verfälscht hier wohl bewußt: Die Verhandlungen der Fürsten waren zum einen Verzögerungstaktik, zum anderen der

Versuch, die immer wieder bewiesene Gutgläubigkeit der Bauern aus-
zunutzen (s. u. zu 37,9).

34,33 Offenbar hat es ein Angebot auf Waffenstillstand oder gar Er-
gebung von seiten gemäßigter Kräfte im Bauernlager gegeben, worauf
Philipp von Hessen antwortete (am Abend des 14. 5.): »Da sie sich
auf gnad und ungnad ergeben, und die haubt leuthe ausliffern wolten,
wolte er verschaffen helfen bej Iren Oberherren, das inen gnad wider-
fharen solte.« (zit. nach Bensing, a.a.O., S. 221).
Am Morgen des 15. Mai umging das hessisch-braunschweigische
Heer die Stadt, vereinigte sich gegen Mittag mit dem sächsischen und
bezog nach »eingehende(n) Beratungen« Stellung in den Flanken und
im Rücken der Aufständischen, deren Geschütze während der Truppen-
verschiebungen nicht trafen (Bensing, ebda., auch S. 221). Bensing
nimmt an, daß Philipp durch Informanten Nachricht über die durchaus nicht einheitliche Stimmung und die genaue militärische Stärke der
Aufständischen erhalten hatte (ebda.).
Am Vormittag des 15. Mai schickten die Bauern den Fürsten eine Antwort, deren Inhalt mehrfach übereinstimmend berichtet wird: Man
wolle kein Blutvergießen, fordere aber eine gleiche Zusicherung von
den Fürsten (der am sichersten erscheinende Wortlaut im Brief Philipps v. Hessen an den Erzbischof v. Trier, 16. 5. 1525, AGBM II,
S. 305; abgedruckt auch in Schriften (Franz), S. 472, s. o. 100,23 ff.).
Darauf ließen die Fürsten ihre Antwort überbringen, deren zentrale
Forderung lautete, »wo sie Thomas Müntzer sambt seinem anhang
wolten liefern in unser hande, so wolten wir die ubrigen zu gnaden
und ungnaden annemen.« (AGBM II, a.a.O., S. 305). Der in der Quelle
folgende Satz heißt: »Aber die antwurt verzog sich.« (Dazu s. u. zu
101,25 ff., 31). Daran ist so viel richtig, daß Müntzer offenbar noch
durch eine Predigt gegen Mittag versucht hatte, die schwankenden
Aufständischen zu einen und zu ermutigen.

34,34 f. Bensing vermutet, daß bei den Aufständischen angesichts der
militärischen Maßnahmen der Fürsten »das Hochgefühl des Vortages
Schritt um Schritt Unruhe und Pessimismus Platz zu machen begann.«
(Bensing, Thomas Müntzer (1966), S. 223).

34,39 ff. Die Rede Müntzers ist von Melanchthon frei erfunden (s. o.
S. 135 f.). Über den Inhalt der von Müntzer tatsächlich gehaltenen Predigt gibt es den späteren Bericht des Hans Hut (s. u. zu 36,27 ff.), der
die Schlacht überlebte (dazu Steinmetz, Müntzerbild (1971), S. 25 f.;
Bensing, a.a.O., S. 225 f.).

35,3 *bevelh* = Befehl (zu der Behauptung Melanchthons vgl. o. 21,20 f.).

35,4 f. Vgl. o. zu 18,9.

35,7 ff. S. o. 11,10 ff. bei Luther (nach 1. Mose 22).

35,11 *bevelh* – s. zu Z. 3.

35,19 ff. S. o. zu 28,25 ff.

35,22 ff. Vgl. dazu Müntzers ›Bekenntnis‹, Schriften (Franz), S. 545 –
wohl nach 5. Mos 17,16 ff.).

35,37 *Cananeos* = Kanaaniter (vgl. 2. Mos 23,23 f.; 4. Mos 33 f.; Jos 11;
Ri 1 u. ö.).

36,2 Joh 2,14 ff. (Par).

36,4 Pinehas und Kosbi – vgl. 4. Mos 25,6 ff.

36,6 f. *untuchtige* = untaugliche.

36,10 *zuverwilligen* = einzuwilligen.

36,11 *Merterer* – s. o. zu 2,18.

36,14 S. o. zu 35,3.

36,17 Ri 7.

36,17 f. 1. Sam 14.

36,18 f. 1. Sam 17.

36,21 *obligen* = siegen.

36,22 ff. 2. Mos 14,15 ff.

36,24 *das schwach fleisch* – der biblische Begriff ›Fleisch‹, im Gegensatz
zu ›Geist‹ stehend, bezeichnet – im Anschluß an das Alte Testament –
im Neuen Testament den ganzen Menschen als kreatürliches, vergäng-
liches Wesen und wird besonders bei Paulus zum Begriff für die irdische
Existenz des Menschen überhaupt; ›Fleisch‹ meint dabei den Menschen
als ›Subjekt der Sünde‹, d. h. der Versuchung offen. ›Geist‹ dagegen
ist Geist Gottes, der in den Menschen wirkt – die neutestamentliche
Trennung weicht damit ab von der hellenistischen, die innermenschlich
›Fleisch‹ als das Körperliche von der ›Seele‹ unterscheidet. Vgl. Religion in Geschichte und Gegenwart, 3. Aufl., 2. Bd., S. 976 ff.; dort weitere Literatur.

36,25 f. S. o. zu 24,16 f.

36,27 ff. Hier gibt Melanchthon auch anders bezeugte Nachrichten wieder,
die auf tatsächliche Himmelserscheinungen zurückgehen müssen (vgl.
Aussage des Hans Hut, AGBM II, S. 897): Am Tage der Schlacht trat
ein Sonnen-Halo ein, der als Regenbogen gedeutet wurde (zu den Einzelheiten Bensing, Thomas Müntzer (1966), S. 225 Anm. 53). Müntzer
hatte in Mühlhausen »eyn weyß fenlein von etalichen und 30 eln
zendels machen unde darane eynen regenbogen mit den worten verbum domini maneat in etternum und eyn reym, laudende, dis ist das
zeychen des ewigen bund gotes, alle die bey dem bünde stehen wollen,
sollen daruntertreten, malen laßen. Dasselb fenleyn hat er in u. l. fr.
kyrchen bey dem predigtstuel gestegkt, laßet sich vornehmen, er
wolle dasselbig fenlein zu felde bringen und zuforderst beym fenlein
seyn ...« (Sittich v. Berlepsch, Amtmann zu Langensalza, an Herzog
Georg, 17. 4. 1525, Geß II, S. 109).

Hut berichtet (s. o.), Müntzer habe in seiner Predigt auf den ›Regenbogen‹ verwiesen als auf ein Zeichen Gottes.

36,36 Eine gewisse militärische Ordnung hat es sehr wohl gegeben; die
Entscheidungen der Aufständischen wurden auf demokratische Weise

›im Ring‹ von der ‹Gemeinde‹ gefällt (s. o. zu 21,1; vgl. Bensing, Thomas Müntzer (1966), S. 146 ff., 225). Dazu war, wie bei der Predigt Müntzers, die Versammlung der Anwesenden an einer Stelle der Wagenburg nötig. Offenbar haben die Fürsten diese Situation ausgenützt (s. u. zu 39,17 ff.) .

37,1 f. S. o. zu 36,27 ff.

37,5 f. Über die Zahl der Aufständischen und die strategische Ausgangslage s. o. zu 34,8 f.; 26 f.

37,7 f. Der Gesang des Pfingsthymnus könnte als Abschluß der Predigt Müntzers tatsächlich stattgefunden haben (s. u. zu 39,19 – dort die deutsche Fassung; vgl. Müntzers Eindeutschung in Schriften (Franz), S. 202 ff.).

37,9 Richtig ist vielmehr: Die Fürsten warteten eine Antwort nicht mehr ab, sondern nutzten den guten Glauben der Aufständischen aus, während der laufenden Verhandlungen werde nicht angegriffen (Bensing, Thomas Müntzer (1966), S. 224, 226 f.). Dies bestätigen auch zwei Briefe von Rat und Gemeinde zu Mühlhausen – z. B. an den Bildhäuser Haufen, 19. 5. 1525: »In dem ist der landgrave von Hessen und seine mithelfer uber sie gezogen mit mechtigem volk und die armen bruder mit ainem vertragbrief beschickt, uf gestracke stunde, sobalt allen gepotten, das ain ieder sein gewere niderlegen solte zum zaichen, solchen fride und vertrag anzunemen, und sobald in gutem fridglauben und stilstand erschossen, erstochen und ganz iemerlichen ermordet und verretterlich verkurzet ...« AGBM II, S. 335; ganz ähnlich an fränkische Bauern, a.a.O., S. 344 f.; weiterhin s. u.

37,9 ff. Diese Stelle ist eine der »krassen Fälschungen« Melanchthons (Steinmetz, Müntzerlegende, S. 61): Drei Untergebene Ernsts v. Mansfeld, Matern v. Gehofen, Ernst Buchner und der Pfarrer Stephan Hartenstein aus Artern waren von Aufständischen am 5. Mai in Artern gefangengenommen worden und am 13. Mai von der ›Gemeinde‹ vor Frankenhausen angeklagt und verurteilt worden. Unter der Folter bekannte Müntzer, er habe das Urteil »aus dem munde der gemeyne« gesprochen (Schriften (Franz), S. 547). Die Angeklagten wurden anschließend mit dem Schwert hingerichtet (Einzelheiten: Schriften, a.a.O., S. 547 Anm. 76; Bensing, a.a.O., S. 191; Steinmetz, a.a.O., S. 61 f.). Melanchthon mußte aus dem Brief Johann Rühls an Luther v. 26. 5. 1525 (s. o. zu 28,23 ff.) den wahren Sachverhalt kennen. Die Verschiebung der Hinrichtung auf den Tag der Schlacht und die Behauptung, Müntzer persönlich habe die ›Gesandten‹ erstechen lassen, sollen ihn nicht nur als Mörder hinstellen und somit das »Thema probandum« der ganzen Schrift festmachen (vgl. Boehmer, Studien, S. 4), sondern auch den Angriff der Fürsten als Vergeltung und Strafe für den ›Mord‹ rechtfertigen (Steinmetz, Müntzerlegende, S. 61 f.).

37,13 *hitzig* = zornig, erzürnt.

37,14 *zeug* = Heeresformation.

37,16 *gemeynen* = allgemeinen.

37,17 ff. Auch die Rede Philipps ist von Melanchthon frei erfunden und kontrapunktisch auf Müntzers angebliche Predigt hin komponiert, um diese zu widerlegen (s. o. S. 135 f.).

37,19 ff. S. o. zu 34,33.

37,24 S. o. zu 18,10.

37,26 ff. Vgl. Luthers Ausführungen o. 4,24 ff. und die Erläuterungen dazu.

37,30 f. Röm 13,1 f.

37,32 *helt . . . drob* = wacht darüber, achtet darauf.

38,2 *eer* = Ehre.

38,6 1. Mos 9,21 ff.

38,9 *ruchtig* = ruchbar, bekannt, verrufen.
liegen = lügen.

38,10 *gemeinen* – s. o. zu 37,16.

38,10 ff. S. o. 35,24 ff. (ein Beweis für die realiter ja unmögliche antithetische Konstruktion der Reden).

38,13 f. Vgl. selbst Luthers Vorwürfe gegen die Fürsten in ›Ermahnung zum Frieden . . .‹, WA 18,293 ff.

38,16 ff. Zur realen Lage der Bauern vgl. etwa: Dietrich Lösche: Die Lage der Bauern im Gebiet der freien Reichsstadt Mühlhausen im 15. und 16. Jh. Diss. rer. oec. Berlin 1961 (Masch.); für Süddeutschland bes. David W. Sabean: Landbesitz und Gesellschaft am Vorabend des Bauernkrieges. Eine Studie der sozialen Verhältnisse im südlichen Oberschwaben in den Jahren vor 1525. Stuttgart 1972 (Quellen und Forschungen zur Agrargeschichte Bd. 26).

38,18 *eern* – s. o. zu Z. 2.

38,28 f. Joh 18,10 ff. (Par).

38,32 ff. Mt 26,52.

38,37 S. o. zu 28,23 ff.

38,39 *schein* – s. o. zu 28,5.

39,3 *ungerochen* = ungerächt.
andern = zweiten (vgl. 2. Mos 20,7).

39,6 *billich* = recht, einleuchtend, vernünftig.

39,7 *gemeinen* – s. o. zu 37,16.

39,8 f. Auch hier lehnt sich Melanchthon eng an Luthers Ausführungen an (vgl. ›Wider die räuberischen und mörderischen Rotten der Bauern‹, WA 18,361).

39,15 f. S. o. zu 37,30 f.

39,17 ff. Die Fürsten griffen in dem Augenblick an, als – nachdem die Geschütze und Truppen in Stellung gebracht waren – ihre Gesandten aus dem Bauernlager wieder zurückgekehrt und in Sicherheit waren, die Aufständischen aber noch, in dem Glauben, es herrsche Waffenruhe, ihre Wagenburg teilweise ungeschützt gelassen und sich an einer Stelle versammelt hatten (s. o. zu 37,9), sei es, um über eine Antwort an die

Fürsten zu beraten, sei es, weil sie noch Müntzers Predigt zuhörten (vgl. Bensing, Thomas Müntzer (1966), S. 225 f.; Steinmetz, Deutschland 1476–1648, S. 146).

39,19 S. o. zu 37,7 f.; Melanchthon versucht hier, einen von vielen Beweisen dafür anzuführen, daß die Bauern von Müntzer ›verführt‹ und um ihren Verstand gebracht worden seien; gerade das Detail aber, daß die Aufständischen noch den Pfingsthymnus gesungen hätten, erlaubt – gegen die Absicht des Autors – den Schluß auf einen Überfall der Fürsten.

39,20 Auch diese Einzelheit des entstellenden Berichts könnte einen Kern Wahrheit enthalten: Die Aufständischen waren vom Bruch der Waffenruhe durch die Fürsten so überrascht, daß sie ihre Verteidigungsstellungen nicht mehr erreichten und in völlige Verwirrung gerieten (vgl. Bensing, Thomas Müntzer (1966), S. 227).

39,22 f. S. o. zu 27,16 f. (vgl. Johann Rühl an Luther, 26. 5. 1525, AGBM II, S. 378).

39,26 Gemeint ist der sog. ›Schlachtberg‹ (s. o. zu 34,26 f.).

39,27 ff. Von der Gegenwehr weniger Bauern zeugt auch der Brief Wolf von Schönburgs an Kardinal Albrecht v. Brandenburg, 17. 5. 1525, worin es heißt, auf seiten der Fürsten seien »nit ubir sechs menschen und under denen ein edelman, Lerpach gnant, blieben.« (AGBM II, S. 319; vgl. Baerwald, Schlacht, S. 99 ff.; Bensing, Thomas Müntzer (1966), S. 227).

39,29 *reysig zeug* = Formation der Reiter, Kavallerie.

39,31 *sie* – gemeint sind die Aufständischen.

39,32 *reysigen* = Reiter, Berittene.

39,35 Zur Zahlenangabe s. o. zu 18,18.

39,36 f. Die Fliehenden wurden in die Stadt verfolgt, selbst in den Kirchen und Klöstern brachte man sie um (Baerwald, Schlacht, S. 99 ff.; Bensing, Thomas Müntzer (1966), S. 227 f.).

39,37 Bensing nimmt an, Müntzer habe unterhalb des Berges, auf dem die Wagenburg stand, gepredigt und deshalb beim Überfall der Fürsten in das Torhaus am Angertor fliehen können (a.a.O., S. 227, 229).

40,3 Otto v. Eppe (Bensing, a.a.O., S. 229; Jordan, Gefangennahme, S. 133).

40,4 Schroffel v. Waldeck (Jordan, ebda.).

40,5 *bune* = Bühne, Dachboden, Speicher.

40,5 ff. Melanchthon war wohl durch den detaillierten Bericht Johann Rühls an Luther informiert (26. 5. 1525, s. o. zu 28,23 ff.); Rühl schreibt dort bereits, über die Gefangennahme und das Verhalten Müntzers »ist die sage so mancherlei« (AGBM II, S. 378).

40,10 *febres* = Fieber.

40,10 ff. Hier folgt Melanchthon teilweise wörtlich Rühls Bericht (s. o. zu Z. 5 ff.). Müntzer war ein ›leidenschaftlicher Papiersammler‹ und bewahrte Rechnungen, Zettel, Konzepte, Notizen, Briefe, Manuskripte in einem Sack auf (Boehmer, Studien, S. 8 ff.). Der gleiche Zug fand sich bei Herzog Georg v. Sachsen, der jedoch die bei Müntzer gefundenen Briefe Philipp v. Hessen überließ (Boehmer, a.a.O., S. 7 f.).

40,13 f. Möglicherweise handelt es sich um den Brief Albrechts an die Frankenhäuser vom 10. 5. 1525 AGBM II, S. 258 – s. o. zu 22,1 ff.) – der Brief ist im Marburger Archiv aufbewahrt.

40,19 f. S. o. S. 123. »Noch am 15. Mai wurde er [Müntzer] Ernst von Mansfeld als Beutepfennig übergeben.« (Bensing, Thomas Müntzer (1966), S. 230).

40,21 ff. Ob ein regelrechtes Verhör Müntzers schon in Frankenhausen stattgefunden hat, ist umstritten (Bensing, ebda.). Melanchthons Darstellung ist deutlich von dem Versuch bestimmt, Müntzer einerseits als verstockt, andererseits als seiner selbst nicht sicher und feige zu zeichnen. Auch an dieser Stelle folgt Melanchthon dem Brief Rühls (s. o. zu Z. 5 ff., 10 ff.), verdreht aber das Berichtete auf bezeichnende Weise: Rühl weiß lediglich von einem Streitgespräch des Landgrafen mit Müntzer, in dem dieser das Alte, jener das Neue Testament für die Argumentation benutzt habe (AGBM II, S. 379).

Unfreiwillig bezeugt Melanchthon die ungebrochene Haltung Müntzers, was in Gegensatz zu späteren Stellen steht (41,25 ff. – vgl. Bensing, a.a.O., S. 230, 244 ff.; Steinmetz, Müntzerbild (1971), S. 97 ff.).

40,24 f. *setzt an yhn* = setzte ihm zu, redete auf ihn ein.

40,25 *beweret* = bewähren, beweisen.

40,27 *sich zu rechnen* = sich zu rächen.

40,29 f. Eine ›peinliche Befragung‹, d. h. eine Folterung Müntzers hat höchstwahrscheinlich erst in Heldrungen stattgefunden (s. o. zu Z. 19 f., 21 ff. u. Z. 38). Die Episode dürfte erfunden sein, um Müntzer auch noch als zynisch zu denunzieren und seiner ›Teufelsbesessenheit‹ einen weiteren Zug hinzuzufügen.

40,33 ff. Gegen eine derartige Haltung Müntzers spricht allein schon der ›Abschiedsbrief‹ an die Mühlhäuser v. 17. 5. 1525 (Schriften (Franz), S. 473 f.).

40,38 Noch am 15. Mai (s. o. zu Z. 19 f.).

40,38 f. *examinirt* = verhört (das Verhör war geteilt in eine ›gütliche‹ Befragung und eine ›peinliche‹ Vernehmung unter der Folter; vgl. Bekenntnis, Schriften, a.a.O., S. 543 ff.).

40,40 f. Brief Müntzers an Ernst v. Mansfeld v. 12. 5. 1525 (s. o. 20,22 ff.). Melanchthon verwendet hier wohl Luthers Glosse aus ›Eine schreckliche Geschichte . . .‹ (s. o. 21,30 ff.) – ein weiterer Beleg für die enge Zusammenarbeit der Wittenberger bei der Verteufelung Müntzers.

41,1 *trewbrieff* = Drohbrief.

41,2 *seynes freveln trewen* = seines frevelhaften Drohens.

41,3 S. o. zu 21,31 f.

41,4 *Helderung* = Heldrungen (vgl. o. zu 20,22 ff.).

41,6 f. Müntzer war 1513 Hilfslehrer (›Kollaborator‹) an den Parochialschulen St. Gertrauden und St. Marien in Halle/Saale gewesen (Bensing, Thomas Müntzer (1965), S. 18); er gestand bei der Vernehmung auf der Folter, dort »auch eyn verbuntnus gemacht« zu haben« (Schriften (Franz), S. 548; dort weitere Lit. in Anm. 94, 98). Über den genauen Charakter, den Umfang und die Wirkung der ›Verschwörung‹ (Bensing, a.a.O., S. 18) gegen den Erzbischof Ernst II. von Magdeburg (1476–1513), einen Bruder des Kurfürsten Friedrich v. Sachsen, fehlen zuverlässige Nachrichten.

41,8 S. o. zu S. 108 (die Aussage in Schriften, a.a.O., S. 545 ff.).

41,9 f. S. o. zu 19,13 (die Aussage in Schriften, aa.O., S. 544, 549 – dort wird allerdings von Müntzer kein unmittelbarer Zusammenhang zwischen dem Aufstand in Süddeutschland und den eigenen Plänen hergestellt).

41,11 f. Davon sagt das Verhörsprotokoll (Schriften, a.a.O., S. 544) nichts.

41,13 f. Die Aussagen in Schriften, a.a.O., S. 548 (vgl. den Hinweis, daß Müntzer nur die Namen bereits hingerichteter oder getöteter Mitglieder sowie die von Abgefallenen angab: Bensing, Idee und Praxis, S. 463).

41,15 *Revelationibus* = Offenbarungen (vgl. o. zu 3,25 ff., 32; 31,15 ff.).

41,16 ff. Luther schrieb am 30. Mai 1525, über die Ergebnisse des Verhörs enttäuscht (zur Information s. o. zu 40,5 ff.), an seinen Schwager Johann, Rühl, mansfeldischen Rat: »Man hat dem Thomas Münzer nicht rechte interrogantia geben; ich hätte ihn viel anders fragen lassen. So ist solch sein Bekenntnis nichts anders denn ein teufelische, verharte Verstockung in seinem Furnehmen. Bekennet er doch kein Übels getan, daß ich mich dafur entsetze, und nicht gemeint, daß müglich sein sollt, daß ein menschlich Herz so tief verstockt sollt sein.« (WA Briefe 3, S. 515 f.). Melanchthon erweist sich also hier erneut als Sprachrohr Luthers, dem zentral an der Widerlegung der Lehre Müntzers und der Möglichkeit, ihre Wirkung zu dämpfen, gelegen war.

41,21 f. Die Fürsten zogen mit ihren Heeren am 19. Mai in die Nähe Mühlhausens; Kurfürst Johann stieß am 22. 5. zu ihnen. Nach inneren Auseinandersetzungen der Aufständischen in Mühlhausen führten Verhandlungen mit den Fürsten am 25. 5. zur Übergabe der Stadt. Die sächsischen Fürsten kündigten den Schutz auf, die Stadt verlor wichtige Privilegien und mußte über lange Zeit erhebliche Entschädigungen zahlen. 24 Hingerichtete werden in den Dokumenten genannt, die Zahl dürfte aber wesentlich höher liegen. Zum einzelnen Bensing, Thomas Müntzer (1966), S. 234 ff., dort weitere Literatur; vgl. auch Chronik der Stadt Mühlhausen (s. o. S. 120), S. 193 ff., und den interessanten Bericht Lorenz Dittrichs an Hans von Dolzig, 1. 6. 1525, AGBM II, S. 415 f.

41,22 ff. Der Bericht wiederholt sich o. Z. 31 f.

Pfeiffer war am 23. Mai mit einem Teil der Aufständischen aus Mühlhausen entkommen, wurde aber bei Eisenach gefangengenommen und nach Mühlhausen zurückgebracht (s. Bensing, Thomas Müntzer (1966), S. 239, 243; Baring, Hans Denck, S. 178 f.; vgl. auch Johann Rühl an Luther, 26. 5. 1525, AGBM II, S. 378; Wolf von Schönburg an Kardinal Albrecht v. Brandenburg, 26. 5. 1525, a.a.O., S. 380; Herzog Georg an Bürgermeister und Rat zu Nürnberg, 16. 6. 1525, Geß II, S. 298).

41,24 Am 23. 5. forderte Herzog Georg brieflich Ernst v. Mansfeld auf, Müntzer ins Lager bei Mühlhausen zu schicken (AGBM II, S. 362). Müntzer und Pfeiffer wurden am 27. 5. mit dem Schwert hingerichtet, ihre Köpfe auf Stangen vor der Stadt aufgestellt (s. Bensing, Thomas Müntzer (1966), S. 246; Jordan, Das Ende Thomas Müntzers; auch Steinmetz, Müntzerlegende, S. 41 f.).

41,25 ff. »Über die letzten Stunden Müntzers berichten viele Legenden.« (Bensing, a.a.O., S. 244). Zu den einzelnen Behauptungen vgl. Steinmetz, Müntzerbild (1971), passim.

Der sogenannte ›Widerruf‹ Müntzers vom 17.5.1525 (Schriften (Franz), S. 550) sowie weitere Berichte (s. u. zu 102,19 ff.) wollen den Eindruck erwecken, Müntzer sei zum katholischen Glauben zurückgekehrt, und damit Melanchthons Behauptung von der Kleinmut und dem Zusammenbruch Müntzers für die antilutherische Propaganda ausnutzen. Diese Angaben dürften als Fälschungen gelten (s. nur Bensing, a.a.O., S. 231, 245), wie allein schon aus dem Briefwechsel zwischen Herzog Georg v. Sachsen und Landgraf Philipp v. Hessen hervorgeht (dazu Bensing, a.a.O., S. 244 f.; Belege Anm. 176). Der Landgraf bezeugt auch durch eine spätere Äußerung die Standhaftigkeit Müntzers, der »nicht widerrufen, sondern lediglich seine Irrtümer bekannt und zu Gott um Mitleid [d. h. Barmherzigkeit, misericordia] gebeten habe.« (Bensing, a.a.O., S. 245; der lateinisch überlieferte Text in Anm. 180). Müntzer als ›kleinmütig‹ und verzweifelt darzustellen, hat natürlich seine Funktion im Gesamtkonzept Luthers und seiner Freunde: Die von Gott gewirkte Widerlegung seines Anspruchs und seiner gesamten Lehre durch die militärische Niederlage soll Müntzer in seinem Verhalten wenigstens indirekt bestätigen.

41,26 *den glawben* = das Glaubensbekenntnis.

41,29 ff. Diese Angaben kontrastieren auffällig zu Z. 25 f., aber auch zu 40,33 f. (vgl. Bensing, a.a.O., S. 245 f. – Bensing zitiert die Stelle nach Arnolds ›Kirchen- und Ketzer-Historie‹, in die sie offenbar aus Melanchthons Schrift eingegangen ist).

41,31 f. S. o. zu Z. 24. Hinrichtung und Schaustellung der Köpfe sind mehrfach berichtet (Herzog Georg an Bürgermeister und Rat zu Nürnberg, 16. 6. 1525, Geß II, S. 298 f.; Lorenz Dittrich an Hans v. Dolzig, 1. 6. 1525, AGBM II, S. 415; Rudolf von der Planitz an die Räte in Altenburg, 2. 6. 1525, a.a.O., S. 432; weitere Belege bei Bensing, Thomas Müntzer (1966), S. 246 Anm. 187).

41,33 *gedechtnus* = Erinnerung (an die Strafe für Aufständische) – Luther bezeugt mehrfach, daß genau der entgegengesetzte Effekt erreicht wurde: Viele Leute pilgerten zu Müntzers Kopf hinaus und gaben so ihrer Verehrung für den Hingerichteten Ausdruck (s. Steinmetz, Müntzerbild (1971), S. 16 f.).

41,35 ff. Das eingangs (28,19 f.) genannte Ziel der ganzen Argumentation wird hier wieder aufgenommen, das »Thema probandum« (Boehmer, Studien, S. 4) als bewiesen hingestellt.

41,37 *ungerochen* –s. o. zu 39,3.

41,38 Das zweite Gebot (2. Mos 20,7) nach der Vulgata: »Non assumes nomen Domini Dei in vanum: nec enim habebit insontem Dominus eum qui assumpserit nomen Domini Dei sui frustra.«

42,3 f. Röm 13,2.

42,5 f. Über die Niederlagen der Aufständischen in anderen Teilen Deutschlands vgl. Smirin, Volksreformation, S. 538 ff., 559 ff.; Franz, Bauernkrieg, passim; Steinmetz, Deutschland 1476–1648, S. 135 ff., 144 ff., 148 ff.

42,8 *sunderliche* = ungewöhnliche, außerordentliche.

Zu ›Auslegung des XIX. Psalm‹

Die Schrift ging – so Steinmetz – noch Ende Mai 1525 in den Druck (Müntzerbild (1971), S. 76). Agricola hat aber bereits Luthers ›Schreckliche Geschichte‹ gekannt (ebda.; vgl. auch Boehmer, Studien, S. 1 f.; Kawerau, Agricola, S. 52, setzt den Abschluß erst auf August 1525 an), Müntzers Hinrichtung wird jedoch noch nicht erwähnt. Wie Melanchthon, so hat sich auch Agricola »Luthers Müntzer-Auffassung völlig zu eigen« gemacht (Steinmetz, Müntzerbild (1956), S. 19; Boehmer, Studien, S. 2).

Die Auslegung des 19. Psalm durch Müntzer (bei diesem, nach der Zählung der Vulgata, der 18. Ps – s. u. 45,30), die Agricola wiedergibt, hat Müntzer in Form eines Briefes an Christoph Meinhard in Eisleben geschrieben (30. 5. 1524, Allstedt; Schriften (Franz), S. 402ff. – über Meinhard s. die Verweise bei Franz in den Schriften, a.a.O., S. 398 Anm. 1; Steinmetz, Müntzerbild (1971), S. 76 Anm. 13). Agricola war wahrscheinlich mit diesem Bürger seiner Heimatstadt verwandt (s. Kawerau, a.a.O., S. 26 f., 50). Er begleitete Luther auf dessen Reise nach Thüringen Mitte April bis Anfang Mai 1525 (s. o. zu 25,5 ff.) und war zumindest am 23. und 24. April in Eisleben. »Agricola nutzte den Aufenthalt, um gegen Müntzeranhänger in Eisleben vorzugehen. . . . Am 23. und 24. April fanden Verhöre statt.« (s. u. 51,15 f.; 55,36 f.; 56,26 ff.). »Im Zusammenhang mit dieser Aktion gegen Müntzers Anhänger wurde auch Christoph Meinhard verhört.« (Steinmetz, Müntzerbild (1971), S. 75). Vermutlich hat Meinhard bei dieser Gelegenheit Müntzers Briefe an ihn (auch den von Ende 1523 – Schriften, a.a.O., S. 398 ff. –, »der nur auf diesem Wege in die Ausgabe der Werke Luthers gekommen sein kann«: Steinmetz, a.a.O., S. 76 Anm. 13) Agricola ausgehändigt. Der Allstedter Schösser Hans Zeiß geht aber noch in einem Brief vom 5. 5. 1525 – der übrigens wegen der eindeutigen Aufnahme Müntzerscher Formulierungen, die Zeiß in eine sehr eigenartige Position rücken, hochinteressant ist – an seinen »vetter und gefatter« Meinhard offenbar von der Voraussetzung aus, daß dieser mit den Aufständischen zumindest sympathisiert (AGBM II, S. 202 ff.).

Agricola war wenigstens bis zur Allstedter Zeit mit Müntzer befreundet. Erhalten sind lediglich zwei Briefe Agricolas an Müntzer (Schriften, a.a.O., S. 362, 368 f.) – Briefe Müntzers hat Agricola vielleicht später als ›belastende‹ Dokumente vernichtet (Steinmetz, a.a.O., S. 76; so schon Boehmer, Studien, S. 2). Die besonders eifernde Polemik und die groben Verleumdungen des besiegten (und dann in der zweiten Schrift – s. o. S. 80 ff. – auch des hingerichteten) Müntzer durch Agricola ließen sich auch als eine Art kompensierender Rechtfertigung mit erklären.

44,1 Vers 2 des 18. (19.) Ps im Wortlaut der Vulgata: »Caeli enarrant gloriam Dei.«

44,2 Zur Adresse (s. u. 46,8) s. o. Einleitungsabschnitt.

44,3 f. Bereits ironisch gemeint.

44,3 *einfeltikeit* = Schlichtheit, Einfachheit.

44,5 f. D. h. wie er nach lutherischem Verständnis vom Neuen Testament her zu interpretieren ist; die einzigen Stellen, an denen sich Paulus möglicherweise auf den Psalm bezieht, sind Röm 1,20 u. 10,18.

44,9 Johann Rühl, Luthers Schwager, mansfeldischer Rat (s. o. S. 113). Auch Rühl muß Meinhard gut gekannt haben, denn Luther trägt im Brief vom 23. 5. 1525 seinem Schwager auf: »Trostet auch Christoffel Meynhard, das er Gott seynen Willen lasse, der doch nicht den eyttel gut seyn kan, ob mirs schone nicht fulen.« (WA Briefe 3, S. 508).

44,11 Hiob 41,11(10) ff.

44,13 ff. Die Parallele zu Luthers (s. o. 2,10 ff.) und Melanchthons (s. o. 28,11 ff.) Darstellungen ist auffällig.

44,13 *feyrete* = war müßig, untätig.

44,22 *werck* – Der neutestamentliche Begriff des ›érgon‹ im Sinne der menschlichen Tat, mit der das ›Gesetz‹ befolgt werden soll (das an dieser Stelle als ein von Menschen errichteter Kodex betrachtet ist – s. u. zu 61,10) und durch die der Mensch sich in vermessener Weise selbst zu rechtfertigen sucht. Als Musterbeispiel solcher ›Werkgerechtigkeit‹ gilt die jüdische Frömmigkeit, für Luther und seine Anhänger aber auch in betonter Weise das Verhalten nach der katholischen Glaubenslehre (vgl. nur ›Sermon von den guten Werken‹ 1520, WA 6, 202 ff.). ›Antichristlich‹ ist eben der Glaube an die Rechtfertigung durch ›gute Werke‹, da mit ihm die Gültigkeit der Erlösungstat Christi geleugnet ist, durch die Rechtfertigung auf Glauben hin möglich geworden ist (zentrale Stellen im paulinischen Schrifttum Röm 3,19 ff.; 4,2 ff.; 9,31 ff.; 11,6; Gal 2,16; vgl. RGG 3. Aufl., 6. Bd., Sp. 1641 f.; 2. Bd., Sp. 1916 f.; s. auch Realencyklopädie für Theologie und Kir-

che. Hrsg. Albert Hauck. 21. Bd. Leipzig 1908. S. 110 ff.; zu ›ergon‹ vgl. ThWb, 2. Bd., Sp. 631 ff.; zum Begriff der ›guten Werke‹ u. a. Karl Barth: Die Kirchliche Dogmatik. IV. Bd. Die Lehre von der Versöhnung. 2. Teil. Zürich 1955. S. 660 ff. bes. 667 ff.
Antichrist – s. o. zu 2,21.

44,27 *wort* – Gemeint ist das ›Wort Gottes‹ in und durch die rechte (lutherische) Auslegung der Bibel.

44,29 *geyster* – Die mit dem neutestamentlichen Begriff der ›pneúmata‹ transportierte Vorstellung von der Wirkung außermenschlicher, hier dämonischer Kräfte und Wesen im. Menschen.

44,30 f. Syntaktisch: Die armen Leute wissen nicht, wovon sie (die Geister) reden.
Die Ausdrücke, die sich bei Müntzer nachweisen lassen, entstammen dem Wortschatz der deutschen Mystik. Zu diesem vgl. etwa Benno Schmoldt: Die deutsche Begriffssprache Meister Eckharts. 1954; Kurt Kirmße: Die Terminologie des Mystikers Johannes Tauler. Diss. Leipzig 1930; Anna Nicklas: Die Terminologie des Mystikers Heinrich Seuse. Diss. Königsberg 1914; Hermann Kunisch: Die mittelalterliche Mystik und die deutsche Sprache. Ein Grundriß. In: H. K.: Kleine Schriften. Berlin 1968. Agricola will offenbar mystisches Sprachgut als charakteristisch für die ›Verwirrtheit‹ und Unvernunft – als Äußerungsform der Teufelsbesessenheit – der ›Schwärmer‹ hinstellen.

45,2 f. *Studierung* – s. u. 64,24; nach Spillmann, Wortschatz, S. 145, kommt bei Müntzer sonst nur ›studieren‹ vor, in der Bedeutung ›zu erfahren trachten‹, jeweils bezogen auf ›Wort Gottes‹ (z. B. Protestation, Schriften (Franz), S. 235; Prager Manifest, Schriften. a.a.O., S. 504); ›Studierung‹ meint also das ernsthafte, allen menschlichen ›Aberwitz‹ ausschließende Bemühen dessen, der von Gottes Wirken ergriffen ist, den göttlichen Willen zu erkennen.
Verwunderung – s. u. 52,18; nach Spillmann, a.a.O., S. 206, fünfmal bei Müntzer (vgl. Vom gedichteten Glauben, Schriften, a.a.O., S. 220; Protestation, a.a.O., S. 231; Ausgedrückte Entblößung, a.a.O., S. 274); Ausdruck für den durch Gottes Wirken ausgelösten Zustand der Empfänglichkeit für den Glauben, wodurch alles vermeintliche Wissen von Gott und aller ›unerfahrener Glaube‹ vernichtet werden.
Langkweyl – s. u. 59,10; nach Spillmann, a.a.O., S. 180, sonst nur zweimal bei Müntzer (vgl. Ausgedrückte Entblößung, Schriften, a.a.O., S. 300; Goertz, Innere und äußere Ordnung, S. 128); meint den Zustand der ›Gleichgültigkeit‹ gegenüber weltlichen Versuchungen und Belangen, der mit dem Wirken Gottes in der Seele eintritt, womit allerdings gerade nicht Askese oder mönchische Selbstversenkung hervorgerufen werden, sondern eine Aktivität des Menschen, die ausschließlich Gottes Willen folgt.

45,3 *Entgrobung* – Spillmann, a.a.O., S. 163, führt das Wort in seinem Index für Müntzer nicht auf und zeigt nur ein zweimaliges Vorkommen von ›entgröben‹ an; der Sache nach ist mit dem Ausdruck die Abwendung der ›groben‹, d. h. den weltlichen Interessen und den ›Sünden verhafteten Menschen von dieser Bindung an das ›Kreatürliche‹, auf das göttliche Wirken hin (vgl. Ausgedrückte Entblößung, Schriften, a.a.O., S. 301 f.).

Besprengung – Kommt im Brief an Meinhard nicht vor; nach Spillmann, a.a.O., S. 157, viermal bei Müntzer: die Erfahrung der Auserwählten ist die ›Besprengung‹ mit den »wasser(n) götlicher weyßheyt«, durch die die Erkenntnis des göttlichen Willens gegeben und damit der wahre Glaube verbürgt ist (vgl. Ausgedrückte Entblößung, Schriften, a.a.O., S. 301; vgl. auch Vom gedichteten Glauben, a.a.O., S. 220; dazu Spillmann, a.a.O., S. 56. 91).

besitzer des besitzers stadt – s. o. 58,13; das Wort ›Besitzer‹ kommt laut Spillmann, a.a.O., S. 157, fünfmal bei Müntzer vor; es bezeichnet Gott als den Herrscher über die Seele. Was der eigenartige Ausdruck bei Agricola hier meint, ist nicht einsichtig; in 51,11 sind die Wörter getrennt, ›Stätte des Besitzers‹ meint dann die Seele, in der und durch die Gott herrscht.

45,4 *eyttele* = unnütz, nutzlos, nichtig.

45,5 *unordigen* = ordnungswidrigen (Götze), aufsässigen.

45,6 *eytel* = nur, nichts als (eigentlich ›rein‹).

45,7 Ps 78,2 (77,2).

45,8 *eynfeltig* = einfach, schlicht.

gemeynen = alltäglichen.

45,11 Jes 42,1.

45,14 *ausser halb* = getrennt von, ohne (wohl als Übersetzung von ›extra‹).

45,16 s. vorstehende Anm.

zustossen = zerstoßen (vgl. Jes 42,3), vernichtet.

45,16 f. *angesteckt* = entflammt (metaph.).

45,17 *verlesche* = verlösche (metaph.).

derst = dann erst.

45,17 f. *tödtung des alten menschen* – Aufnahme paulinischer Begrifflichkeit: Mit der Taufe, d. h. mit der Aufnahme in die Gemeinde Christi, und durch die Annahme des Glaubens, werde der ›sündige Mensch‹, der ›alte Adam‹ im Menschen getötet, nach dem Vorgang des Kreuzestodes Christi, und der ›neue Mensch‹ beginne zu leben, durch und mit der Auferstehung Christi (vgl. Röm 6,3 ff.; auch 1. Kor 15,20 ff.). Zur Begrifflichkeit vgl. RGG 3. Aufl., 4. Bd., Sp. 863 ff.; ThWb, 1. Bd., S. 366 f.; Ernst Käsemann: Leib und Leib Christi. Tübingen 1933.

45,20 f. Hiob 42,3?

45,22 *eynfeldigk* – s. o. zu Z. 8.

45,24 1. Kor 4,20.

45,28 *geystern* – s. o. zu 44,29.

45,29 f. Vgl. Röm 10,4; 4,18 f. u. ö.

45,30 Hier verwendet Agricola die Zählung Müntzers nach der Vulgata.

45,35 *affe* = Nachahmer.

Zum Sprichwort vgl. Lutz Röhrich: Lexikon der sprichwörtlichen Redensarten. Bd. 2. Freiburg/Basel/Wien 1973. S. 1069.

45,36 Das Sprichwort in: Deutsches Sprichwörter-Lexikon. Hrsg. v. Karl Friedr. Wilh. Wander. Bd. 4. Darmstadt 1964 (Nachdruck v. Leipzig 1876). Sp. 1069. Nr. 244.

one = außer, mit Ausnahme von.

45,37 *geyster* – s. o. zu 44,29.

45,39 Joh 8,44.

45,40 Anrede an Johann Rühl (s. o. zu 44,9).

46,2 *ursach geben* = Begründung angeben.

46,3 *keesen* = Käse machen.

nach = noch.

eyerlegen = Wie das Vorige konkreter Wortsinn, aber übertragene Verwendung (im Sinne von ›etwas hervor-, herausbringen‹).

46,4 *ankunfft* = Herkunft, Ursprung (d. h. hier: den Aufweis der Herkunft).

46,4 f. *berechnet* = Rechenschaft abgelegt (über).

46,8 *Cris. Meni.* – Wohl verdruckt für Cris[tophoro] Mein[hardo] (s. Schriften (Franz), S. 402).

46,9 *geyst der weysheyt* – Gemeint ist die ›göttliche Weisheit‹ (dazu vgl. Spillmann, Wortschatz, S. 56 ff.).

46,11 ff. Agricolas ›Kommentar‹ ist im folgenden – mit einigen wenigen Ausnahmen – durch die kleinere Schrifttype vom Text des Müntzer-Briefes abgesetzt.

46,12 f. S. u. 47,30.

46,14 f. Vgl. dazu Müntzers Argumentation, etwa in ›Ausgedrückte Entblößung‹, Schriften (Franz), S. 276 f., 304 f., oder in ›Protestation‹, a.a.O., S. 236 ff.

46,16 S. o. Luthers Glosse 19,29 ff.; die vorliegende Stelle kann als Beleg dafür dienen, daß Agricola Luthers Schrift bereits kannte (s. o. Einleitungsabschnitt).

rauchloch – s. o. zu 19,29 f.

wescht = schwatzt.

xviij. Psalm – S. o. zu 54,30.

lernt = lehrt.

46,19 *er selbs* – d. h. der ›geyst‹ (also Müntzer).

46,22 f. Lk 24,46 ff.

46,25 Lk 10,5.

puss = Buße.

46,26 Lk 24,47.

46,26 f. vgl. Joh 14,6.

46,27 *fertt* = eilt.

one mittel – s. o. zu 15,29; s. u. zu 47,2 f.

46,30 Röm 3,23 ff.

46,33 Eph 1,7; Kol 1,14.

46,35 f. Sprü 25,27.

47,1 *yns fleyschs / geworffen* = in leiblicher, menschlicher Gestalt gesandt, menschliche Gestalt annehmen lassen (vgl. Joh 1,14; 1. Tim 3,16).

47,2 f. Den Vorwurf, Müntzer wolle in seiner Theologie den ›Mittler‹ Christus ausklammern, leitet Agricola aus Müntzers Offenbarungsverständnis ab (s. o. zu 3,25 ff., 32); die Christologie erhält in Müntzers Konzeption tatsächlich eine gegenüber dem lutherischen Verständnis abgeschwächte Rolle im Hinblick auf das ›ein für allemal‹ der Rechtfertigung durch Christus; damit ist aber Christus nicht eliminiert, Müntzer sucht gerade die alles entscheidende Bedeutung des Leidens und des Triumphes Christi als Ermöglichung und Urbild der Rechtfertigung in der ›christiformitas‹ des Gläubigen hervorzuheben. Indem er so die Ernsthaftigkeit einer Nachfolge – nicht einer mystischen ›imitatio‹ – unerbittlich fordert, sucht er den wahren, den ›bitteren‹ Christus gegen den ›honigsüßen‹ Christus, das ›gemalte Männlein‹ der Lutheraner zu predigen (vgl. Vom gedichteten Glauben, Schriften (Franz), S. 222; Protestation, a.a.O., S. 234; Auslegung, a.a.O., S. 244). Dazu Nipperdey, Theologie, S. 253 ff.; Elliger, Thomas Müntzer (1965), Sp. 15 f.; Goertz, Innere und äußere Ordnung, S. 129 ff.

47,3 *feylen* – s. o. zu 18,21.

47,4 f. Joh 14,6.

47,6 f. Joh 1,18.

47,20 Eph 1,10?

47,21 *Studierung* – s. o. zu 45,2 f.

47,24 *dieser geyst* – Müntzer.

47,25 *lernet* – s. o. zu 46,16.

47,30 Ein Brief Meinhards an Müntzer ist nicht erhalten.

47,37 *uber kommen* = bekommen.

47,38 *widder* = weder.

48,2 S. o. zu 44,1.

48,6 f. Sprü 9,10.

48,47 ff. Agricola erhebt hier also denselben Vorwurf gegen Müntzers ›Kreuzestheologie‹ wie Luther, nämlich den einer ›Werkgerechtigkeit‹ durch selbstgewähltes und selbstgeschaffenes ›Leiden‹. Dies ist eine bewußte Mißdeutung des Müntzerschen Ansatzes: Die Aktivität des ›suchenden Menschen‹ ist für Müntzer immer Folge des göttlichen Wirkens, ›Leid und Verzweiflung‹ werden von Gott auferlegt, um den ›gedichteten, unerfahrenen Glauben‹ zu zerstören – s. o. zu 3,21 ff., 33 f.

48,12 f. Vgl. 1. Kön 6 ff.

48,17 *albern* = Einfältigen, Unwissenden.

unwitzigen = Unweisen.

48,19 *alberkeyt* = Einfalt, Unwissenheit.

48,21 *eytel* – s. o. zu 45,6.

48,23 *untergeben* = unterwerfen.

48,23 ff. Vgl. dazu Müntzers Argumentation in ›Ausgedrückte Entblößung‹, Schriften (Franz), S. 304 ff.

48,24 *licht* = Einsicht, Erkenntnis (in Anlehnung an den philosophischen
Begriff des ›lumen naturale‹; dieser auch mehrfach bei Müntzer als
›natürlich liecht‹, im Sinne der »nur der Welt zugewandten Vernunft«,
vgl. Spillmann, Wortschatz, S. 48 f.).

48,27 f. Ps 51,13 (nach der Vulgata-Zählung).

48,28 f. Ps 2,11.

48,30 ff. Phil 2,12 f.

48,36 *untergeben* – s. o. zu Z. 23.

48,37 Röm 1,5.

48,38 f. Joh 6,29.

49,1 *feret ... zu* = fängt ... an, beginnt (im Sinn rasch zugreifenden
Handelns – GrWb).

49,2 f. *studierung* – s. o. zu 45,2 f.

49,3 *lösser* = loser, nichtsnutziger, windiger, unbegründeter.

49,6 *die alte sophistrey* – Dürfte sich auf die scholastische Lehre von den
Gnadenarten beziehen (dazu: Johann Auer: Die Entwicklung der Gna-
denlehre in der Hochscholastik. Bd. 1 u. 2. Freiburg 1942 u. 1951).
Agricola erhebt damit den Vorwurf, Müntzer erneuere im Grunde nur
die ›Werkgerechtigkeit‹, die mit der katholischen Rechtfertigungs- und
Gnadenlehre aufgerichtet worden sei. S. o. zu 3,21 ff.

49,12 Agricola spielt damit offensichtlich auf den 1525 schon eingelei-
teten Streit zwischen Erasmus und Luther über den ›freien Willen‹ an;
Erasmus' ›Diatribe de libero arbitrio‹ ist wahrscheinlich zuerst im September 1524 erschienen. Luther hatte zur Zeit des Bauernkrieges die
Antwort schon geplant, konnte aber ›De servo arbitrio‹ erst November 1525 abschließen. Vgl. WA 8, S. 551 ff., bes. 566 ff., 582 f.

49,14 *lernet* – s. o. zu 46,16.

49,15 Eph 1,5 ff.?; Kol 1,13 f.

49,17 *gesetz* – für ›gesetzt‹ (d. h. ›versetzt‹).

49,20 f. Vgl. Joh 6,65.

49,22 *studierung* – s. o. zu 45,2 f.

49,22 f. Damit ist die unmittelbar folgende Stelle aus Müntzers Brief zu
vergleichen, die Agricolas Behauptung direkt widerspricht.

49,29 Franz, Schriften, S. 402 Anm. 5, will hinter ›lernen‹ ein ›daß‹ ergänzen.

49,29 f. Zu Müntzers ›Kreuzestheologie‹ s. o. zu 3,21 ff., 33 f.

49,31 f. Agricola interpretiert hier Müntzers Aussage bewußt verfäl-
schend: In Z. 29 ist ›Gottes werck‹ eindeutig Apposition zu ›leyden‹,
d. h. Gott wirkt das Leiden, indem dem Menschen ›die Augen geöffnet‹

werden, so daß er auf die ›Ankunft des Glaubens‹ vorbereitet wird; s. o. zu 3,21 ff.

49,35 *jegen* = gegen (Zum Prinzip der ›vergleichenden Interpretation‹ der Schrift z. B. Ausgedrückte Entblößung, Schriften (Franz), S. 268; vgl. Maron, Thomas Müntzer, S. 208; Nipperdey, Theologie, S. 252).

49,37 Ps 129,6 (130,6).

49,38 *Kunst Gottes* = die von Gott mitgeteilte Erkenntnis seines Willens und Wirkens.

50,2 *erforer* = hervor.

50,3 f. Vgl. Joh 8,12; 9,5.

50,4 f. *das hunderte ynns tausente wirfft* = die Dinge, verwirrt, vermengt.

50,5 *finster und tunckel* = unverständlich (Übersetzung von ›obscurus‹?).

50,6 f. S. o. 45,36; 46,28 f.

50,7 *studierung* – s. o. zu 45,2 f.

50,8 *entgrobung* – s. o. zu 45,3.
verwunderung – s. o. zu 45,2 f.

50,9 *waldrechten* = Das Behauen eines gefällten Baumstammes, so daß er eine vierkantige Form erhält (GrWb).

50,9 f. Mortificationem = Abtötung.

50,10 *tödtung des fleysches* – s. o. zu 30,15.
fur = vor (zeitlich).

50,12 f. S. o. zu 49,35.

50,15 *furhin* = vorher, von vornherein.

50,17 *besitzer* – s. o. zu 45,3.

50,21 *engsten* = ängstigen.

50,23 *botzman* = Potzmann, Butzemann (Schreckbild, Schemen, Scheuche – GrWb).

50,24 ff. Diese Behauptungen Agricolas sind eine pure Erfindung: Müntzer betont die Souveränität des handelnden Gottes überaus stark und wirft den ›Schriftgelehrten‹ gerade vor, daß sie sich Gottes Wirken entziehen und die Radikalität des göttlichen Anspruchs leugnen. S. o. zu 3,21 ff.

50,25 *halten* = stillhalten.

50,27 *rechen* = rechnen.

50,31 *besitzt* = beherrscht (s. o. zu 45,3).

50,33 *schlecht* = einfach, überhaupt.

50,33 ff. Vgl. dazu etwa Müntzer in der ›Protestation‹, Schriften (Franz), S. 237 f., was die ganze böswillige Verdrehung Agricolas beweist.

50,36 ff. Freie Erfindung Agricolas (vgl. aber die ähnliche üble Nachrede bei Melanchthon, o. 30,30 ff.).

50,39 *ausgestrackte* = ausgestreckte (hier wohl im Sinne von ›gestrackt‹ = ›stark, fest‹).

51,3 f. *verblömten* = verblümten, metaphorischen (d. h. ›kaschierenden‹ – Bezug auf die ›Tropen‹ der Rhetorik als ›flores rhetorici‹).

51,4 f. s. o. zu 50,6 f.

51,11 *besitzer* – s. o. zu 45,3.

51,12 Müntzer spricht tatsächlich in der ›Ausgedrückten Entblößung‹, Schriften, a.a.O., S. 237, von ›vergotten‹ (dazu Goertz, Innere und äußere Ordnung, A. 48; Nipperdey, Theologie, S. 257 f.).

51,13 *itzlichen* = jeglichen.

51,14 Vgl. dazu wiederum Müntzer in ›Ausgedrückte Entblößung‹, Schriften, a.a.O., S. 281.

51,16 S. o. zum Einleitungsabschnitt S. 155 f.

51,17 *besprengung* – s. o. zu 45,3.

51,18 *bereytung* – Nach Spillmann, Wortschatz, S. 156, kommt das Wort nur einmal bei Müntzer vor, und zwar in den liturgischen Schriften; der Tatbestand beweist deutlich, daß Agricola auch bei der Anführung Müntzerscher Begrifflichkeit Unterstellungen nicht scheute.

51,19 *uberkommen* – s. o. zu 47,37.

51,21 *besitzers* – s. o. zu 45,3.

51,22 *Gottskünstener* = Leute, die die ›Kunst Gottes‹ haben (d. h. die Erkenntnis von Gottes Willen und Wirken – s. o. 49,38).

51,24 *kunst Gottes* – s. o. zu 49,38.

51,25 Ps 130,6 (129,6); vgl. 1. Mos 32,22 ff.

51,30 *itzlicher* – s. o. zu Z. 13.

51,32 *bestehet* = verführt (bei Leidenschaften im Sinne von ›angreifen, überfallen, einnehmen‹, GrWb).

51,33 f. S. o. zu 51,14.

51,37 *feylen* – s. o. zu 18,21.

51,38 *eyniges* = einziges.

51,39 *allegirt* = führt . . . (als Schriftstelle) an.

51,40 *geyst* = Müntzer.
    Ps 130,6 (129,6) – s. o. zu 49,37.

52,1 f. Vgl. 1. Mos 32,22 ff.

52,3 f. *murter steupen* – Der Ausdruck ist nicht aufzuschlüsseln; vielleicht handelt es sich um einen Druckfehler und soll ›martersteupen‹ heißen (im Sinne von ›gnädige Züchtigung durch Gott‹).

52,8 f. Röm 5,3 ff.

52,12 *mit nachteyl yrhes namens* = unter Verzicht auf persönlichen Vorteil, auf einen innerweltlichen Nutzen (s. o. zu 3,21 ff.; 9,18 – vgl. auch Müntzers Angriffe auf die ›habsüchtigen‹, selbstischen Pfaffen und ›Schriftgelehrten‹, z. B. Ausgedrückte Entblößung, Schriften (Franz), S. 299 f. u. ö.).

52,13 s. o. zu 30,15.

52,14 *versuchter* = (durch das Leiden) Geprüfter – vgl. o. zu 3,21 ff.; 9,18.

52,15 f. Zu Müntzers Offenbarungsverständnis s. o. zu 3,25 ff.; ähnliche Stellen wie die vorliegende mehrfach bei Müntzer, etwa im ›Prager

Manifest‹, Schriften, a.a.O., S. 501 f., und der ›Auslegung‹, a.a.O., S. 251 f.

52,16 f. *forcht Gottes* – s. o. zu 20,22.

52,17 *recht prediger* – s. o. zu 9,18.

52,18 *verwunderung* – s. o. zu 45,2 (vgl. die ganz ähnliche, aber ausführlichere Stelle Auslegung, Schriften, a.a.O., S. 251).

52,19 *uberweyset* = überzeugt.

52,21 Franz, Schriften, a.a.O., S. 402, setzt hinter ›urteyl‹ einen Punkt.

52,25 2. Kön 9 (wie an anderen vergleichbaren Stellen, so ist auch hier nicht ganz deutlich, ob Müntzer sich selbst als den ›zweiten Jehu‹ betrachtet – s. o. zu 32,4; die Ausrottung der Söhne Ahabs durch Jehu wird von ihm mehrfach als Beispiel für die notwendige endzeitliche Scheidung der Auserwählten und der Gottlosen angeführt, z. B. Auslegung, Schriften, a.a.O., S. 257; vgl. auch – polemisch – Boehmer, Thomas Müntzer, S. 204).

52,26 *berechnet* – s. o. zu 46,4 f.

52,29 *verwunderung* – s. o. zu 45,2.
langweyl – s. o. zu 45,2.

52,32 S. u. zu 54,21.
er – d. h. Müntzer.

52,34 S. o. zu 30,14.

52,36 f. *hymelspeiung* – s. o. 50,36 ff.

52,38 *vorsuchte* – s. o. zu Z. 14.

53,2 *furhin* – s. o. zu 50,15.

53,4 f. s. o. zu 44,11 (allegorische Deutung des Leviathan als Teufel).

53,10 f. Wiederum verdreht Agricola Müntzers Ansatz: Daß der Glaube nur durch Gottes Wirken, durch das göttliche Wort ›im Herzen‹ zustandekommt, wollte Müntzer ja gerade strikt festgehalten wissen; immer wieder hebt Müntzer hervor, wie nutzlos alles Predigen sei, wenn nicht Christus ›in den Herzen gepredigt habe‹; s. o. zu 3,25 ff., 32.

53,14 f *das mittel* – s. o. zu 15,29; 47,2 f.

53,17 *eusserlichen* – im Gegensatz zum Hören des Wortes ›im Herzen‹.

53,20 *geyget immer auf der alten ban* = sagt immerfort dasselbe (GrWb).

53,26 *reich* – Im Sinne von ›Herrschaftsbereich‹, ›Einflußsphäre‹ zu verstehen; mit diesem Begriff spielt Agricola auf die Zwei-Reiche-Lehre Luthers an, in der mit ›Reich‹, die Bezugsdimensionen gemeint sind, in denen der Mensch steht. Sie dürfen nicht als räumlich getrennte oder zeitlich nachgeordnete Komplexe verstanden werden, sondern sollen die beiden Relationen ausdrücken, in denen die menschliche Existenz sich bewegt. Dazu Gerhard Ebeling: Die Notwendigkeit der Lehre von den zwei Reichen. In: G. E.: Wort und Glaube. Tübingen 1960. S. 407–428, bes. 423 ff.

53,26 *hinreissen* = wegreißen, fortreißen (hier: ihm die Seelen entreißen).

53,27 f. S. o. zu 50,36 ff.

53,30 *ankunfft* = Herkunft, Ursprung.

53,31 ff. Ps 19,5 ff. (18,5 ff.) – s. o. 68,33 f.; 69,15.

53,31 *richtscheit* = Maßstab, Elle, Richtschnur.

53,34 *neben* = bei, mit (d. h. nicht identisch mit dem ›äußerlichen Wort‹, aber durch und in ihm wirkend).

53,34 f. *eusserlichen* – s. o. zu Z. 17.

53,39 Röm 1,16 f.

Röm 10,10.17.

53,40 *eusserlich* – s. o. z. Z. 17.

54,2 Röm 1,16.

54,5 S. o. zu 45,2 f.

bereynen = reinigen, rein machen; das Simplex ›reinigen‹ kommt bei Müntzer zweimal in den liturgischen Schriften vor (Spillmann, Wortschatz, S. 189); Agricola will mit diesem Ausdruck wohl etwas Ähnliches treffen wie oben mit dem Begriff ›Entgrobung‹ (s. zu 45,3).

54,6 *yhr trewme* – s. o. zu 31,15 ff.

54,8 f. S. o. zum Einleitungsabschnitt S. 155 f. (Ostern fiel 1525 auf den 16. April, d. h. die Verhöre fanden in der Woche nach Ostern statt).

54,11 f. S. u. Z. 21.

54,12 Müntzer hatte 1523 Ottilie v. Gersen (Goebke, Müntzer, S. 100: Ottilie v. Geusau) geheiratet, eine aus dem mansfeldischen Kloster Wiederstedt ausgetretene Nonne. Über ihre Abstammung gibt es unterschiedliche Auskünfte (Boehmer, Studien, S. 8; dagegen Goebke, a.a.O., S. 100). Ottilie v. Gersen beteiligte sich an Aktionen gegen den katholischen Klerus im Mühlhauser Raum (vgl. Sittich v. Berlepsch an Herzog Georg v. Sachsen, 9. 1. 1525, Geß II, S. 8).

54,13 Aufgrund dieser Angabe nennt Goebke, a.a.O., S. 100, den 27. 3. 1524 als Geburtsdatum für Müntzers Sohn.

54,14 f. Die Frau des Allstedter Schössers Hans Zeiß (s. o. S. 107).

54,15 ff. Die Geschichte ist zumindest von Agricola beträchtlich ausgeschmückt, wenn nicht frei erfunden (vgl. Jordan, Zur Geschichte, 1902, S. 27 ff.; Steinmetz, Müntzerlegende, S. 58 ff., dort die ›Ausgestaltung‹ der Episode durch Luther, Manlius u. a.).

54,15 f. *Er Magister* = Herr Magister (zu Müntzers akademischen Graden s. o. zu 14,11).

54,20 *zu den unsern* – (vgl. o. Z. 14) Agricola verwendet mehrfach diese ›Beweistechnik‹ mit Hilfe einer ›zufälligen Anwesenheit‹ angeblich glaubwürdiger Zeugen (s. u. 87,40 ff.).

54,21 Vgl. Luthers Behauptung, Müntzer habe eine stoische, also heidnische ›apatheia‹, Gefühlslosigkeit und Entweltlichung, einführen wollen: Steinmetz, Müntzerlegende, S. 59. Müntzer hat den trostlosen Zustand der Christenheit entscheidend darauf zurückgeführt, daß die Prediger und daher die Laien völlig dem Weltlichen verhaftet seien, sich vom ›Kreatürlichen‹ nicht losreißen und sich deshalb Gottes Wirken nicht aussetzen wollten und könnten (vgl. nur Brief an Zeiß, 25. 7. 1524, Schriften (Franz), S. 421). Wenn Müntzer fordert, der Mensch

müsse ›Gott mehr als die Kreatur fürchten‹ (z. B. Ausgedrückte Entblößung, a.a.O., S. 285), das ›Kreatürliche‹ überwinden (z. B. Ausgedrückte Entblößung, a.a.O., S. 302), so bedeutet dies eben nicht, er
solle gleichgültig gegenüber seiner Umwelt werden und sich nur um
seinen privaten Seelenfrieden kümmern (s. o. zu ›Gelassenheit‹, 19,2,
und zu ›Langweil‹, 45,2 f.). Sondern sich von der ›kreatürlichen
Furcht‹ freizumachen heißt, die Möglichkeit und die Pflicht eröffnet
zu erhalten, Gottes Willen zu befolgen.
Die von Agricola suggerierte Haltung Müntzers gegenüber seiner Familie widerspricht allen überlieferten Zeugnissen, nicht zuletzt dem
›Abschiedsbrief‹ an die Mühlhäuser vom 17. 5. 1525, in dem er bittet,
für seine Frau zu sorgen (Schriften, a.a.O., S. 474 – vgl. auch den –
wahrscheinlich gefälschten – ›Widerruf‹ vom gleichen Tage, a.a.O.,
S. 550). Wie aus einem Bittbrief, den Ottilie v. Gersen an Herzog
Georg v. Sachsen richtete, hervorgeht (19. 8. 1525, AGBM II, S. 623 f.),
erhielt sie nach Müntzers Tod das ihr Zustehende nicht und geriet in
bittere Not. Luther weiß zu berichten (Sendbrief von dem harten
Büchlein . . ., WA 18, S. 400 f.), daß ein Adliger nach der Einnahme
von Mühlhausen die damals erneut schwangere Ottilie vergewaltigt
habe.

54,22 *regen* = ragen.
   S. o. zu 45,36.
54,24 *vetter* = Väter.
54,25 f. 1. Mos 21,3 ff.
54,29 *Philostorgian* – ›philostorgía‹, ›innige Liebe‹ (vgl. 2. Makk 6,20;
   4. Makk 15,9); das Substantiv nicht im Neuen Testament; Röm 12,10
   das Adjektiv ›philóstorgos‹, ›innig liebend‹.
54,32 *versuchten* – s. o. zu 52,14.
54,32 f. *langweil* – s. o. zu 45,2.
54,34 *verwunderung* – s. o. zu 45,2.
54,37 f. *dahinten bleibe* = hintan gesetzt werde, übergangen, vernach-
   lässigt werde.
54,39 *euserlich* – s. o. zu 53,17.
55,3 *fahen* = fangen.
55,5 *unstrefflichem* = untadeligem, unantastbarem, einwandfreiem.
55,8 f. S. o. zu 52,25.
55,10 ff. S. o. zu 44,11.
55,11 *euget* = zeigt.
55,13 *unstrefflich* – s. o. zu Z. 5.
55,14 ff. Vgl. o. die Auslassungen Luthers 4,7 ff.; 14,21 ff.
55,18 Eph 6,8 f., 15.
55,20 S. o. zu 52,25.
55,20 f. S. o. zu 30,14.
55,21 *eyn geschriben seyn* – Gemeint ist das ›Register‹ des ›Bundes der
   Auserwählten‹ zu Allstedt, s. o. S. 108.

55,21 f. S. o. zu 24,13 f. (vgl. die Steigerung!).

55,23 f. Vgl. o. 20,6 f.

55,26 f. S. o. zu 45,39.

55,27 *studierung* – s. o. zu 45,2.
verwunderung – s. o. zu 45,2.

55,27 f. *langweil* – s. o. zu 45,2 f.

55,29 ff. Zu diesen Behauptungen vgl. Steinmetz, Müntzerbild (1971), S. 78. Noch Boehmer, Thomas Müntzer, S. 207 f., wiederholt einfach Agricolas Aussagen. Müntzer hat zweifellos aus seinem Schriftverständnis das Alte Testament als ›Zeugnis‹ dem Neuen gleichstellen können und somit das paulinische ›Ende des Gesetzes‹ nicht in gleicher Weise aufgenommen wie Luther. Daß er aber das Neue Testament mit Ausnahme weniger Stellen überhaupt abgetan hätte, erweist schon ein rascher Überblick über seine Schriften als polemische Verdrehung. Vgl. dazu Goertz, Innere und äußere Ordnung, S. 74 ff.; Maron, Thomas Müntzer, S. 208 ff.; Lohse, Auf dem Wege, S. 126.

55,30 *rechen* = rechnen.

55,33 S. o. zu 52,25.

55,34 S. o. zu 30,14.

55,36 ff. S. o. den Einleitungsabschnitt S. 155 f.

55,37 f. S. o. zu 28,10 f.

55,40 *unstrefflich* – s. o. zu Z. 5.

56,5 S. o. zu 50,36 ff.
studierung – s. o. zu 45,2.

56,6 *verwunderung* – s. o. zu 45,2.

56,8 ff. Agricola bezieht sich hier also auf sein Gespräch mit Christoph Meinhard im Zusammenhang mit den Verhören Ende April 1525, s. o. Einleitungsabschnitt S. 155 f.

56,12 *blöde* = furchtsam, schwach.

56,12 f. Gerade gegen einen ›billigen Trost‹ durch bloße Verweise auf die Schrift wendet sich Müntzer immer wieder (z. B. ›Protestation‹, Schriften (Franz), S. 237 f.).

56,14 *lernet* – s. o. zu 46,16.

56,20 *fast* = genau, eingehend (vgl. dazu Müntzers Darlegungen über die Ursachen und Wirkungen der mangelnden Bibelkenntnis der Armen und Unterdrückten, vor allem in ›Ausgedrückte Entblößung‹, Schriften, a.a.O., S. 270, 274 ff., 289, 294 f.; dazu Hinrichs, Luther, S. 105 f., 117 ff.; Nipperdey, Theologie, S. 278; Maron, Thomas Müntzer, S. 222 f.).

56,22 S. o. zu 31,15 ff.
Capitener = ›Capitain‹, Anführer.

56,21 f. S. o. zum Einleitungsabschnitt S. 155 f.

56,31 *eusserlich* – s. o. zu 53,17.

56,34 *hielte* = glaube.

56,35 *yns fleisch* – vgl. Joh 1,14 (vgl. o. zu 36,24).

per impossibile – Terminus aus spätmittelalterlicher Philosophie, hier elliptisch im Sinne von ›eine Unmöglichkeit!‹

56,38 ff. S. o. zu 31,15 ff.

57,2 *larven* = Gespenstern, Erscheinungen, Scheinwesen.

57,7 *liecht* – d. h. Licht des Evangeliums (vgl. Joh 1,4 ff.).

57,12 *bewere* = prüfe, erprobe.

57,13 f. Ps 113,6 (112,6); 1. Sam 2,4 ff.; (5. Mos 32,30,35 f.?).

57,16 f. Allegorische Auslegung von Ps 19,5 (18,5 f.) – s. u. zu 66,30 ff.

57,22 Eph 1,5 ff.; Kol 1,13 f. (s. o. zu 49,15).

57,26.31 *gesetze* – s. u. zu 61,10.

57,30 Joh 3,29.

57,32 *ausstreycht* = betont, ausführt, darlegt, auslegt.

57,33 Lk 9,32.

57,34 *verwunderung* – s. o. zu 45,2.

57,35 *leiden* – s. o. zu 3,21 ff., 33 f.

57,36 *eusserliche* – s. o. zu 53,17.

57,38 *allegat* = herangezogenen Schriftstellen, Zitate.

58,2 *zeuhet* = bezieht.

58,8 Ps 78,65 (77,65).

58,9 Ps 44,24 (43,24), im Wortlaut der Vulgata: »Expergiscere: quare dormis, Domine? Evigila! noli repellere in perpetuum!«

58,10 f. Vgl. Lk 8,22 ff.

58,13 *besitzers* – s. o. zu 45,3.

58,14 Joh 3,29.

58,15 Lk 12,49.

58,18 Ps 19,6 (18,6); im Text der Vulgata: »Exsultat ut gigas percurrens viam.«

58,20 S. o. zu 44,11.

58,23 2. Mos 4,25 f.

58,24 *schalckheit* = hinterlistige, bösartige Gesinnung.

58,25 ff. Zu dieser Passage vgl. Steinmetz, Müntzerbild (1971), S. 79 f.; Boehmer, Studien, S. 19 Anm. 10, erkennt diese Sprichwörter im ›Dialogus‹ wieder und führt sie als Belege für die Autorschaft Agricolas an (s. u. 84,22 f.).

58,33 f. Z. 33 f. bezeichnet Steinmetz, a.a.O., S. 80 als einen ›Teufelsreim‹, der ein »weit verbreitetes Verleumdungsmotiv« aufnehme (Nachweise ebda.).
Agricola benutzt hier vielleicht Aussagen Müntzers aus dem ›Bekenntnis‹ (vgl. Schriften (Franz), S. 548). Daß Müntzer derartige ›Reime‹ in der Messe habe singen lassen, ist nirgends belegt – selbst in Zeiß' Referat an Herzog Johann nicht, s. o. zu 14,25 – und so gut wie ausgeschlossen. Die Behauptung ist Bestandteil der Verteufelung Müntzers.

58,35 ff. Wasser, Meer, Wogen (Müntzer: ›Bulgen‹) bilden bei Müntzer die zentralen Sinnbilder »für die Bewegung, die Gott in unserer Seele wirkt« (Franz, Schriften, a.a.O., S. 228 Anm. 34) bzw. auch für den Geist Gottes selbst und dessen Aktivität (dazu Spillmann, Wortschatz, S. 91 f., mit Belegen – dort auch der Hinweis auf eine der ausführlichsten Stellen: Protestation, Schriften, a.a.O., S. 228 f.; vgl. auch Müntzer an Zeiß, 22. 7. 1524, Schriften, a.a.O., S. 418).

59,4 Lk 12,49.

59,10 *langweyl* – s. o. zu 45,2 f.

59,12 S. o. zu 45,35.

59,13 *ist ... bericht* = unterrichtet, unterwiesen in.

59,14 *einfeltig* – s. o. zu 45,8.

59,21 *thierer* = Tiere.

59,22 f. Lk 24,46 f.

59,27 *beruff* = (himmlische) Berufung.

59,29 Mt 13,12; 25,29 (Par).

59,30 *ubereylet* = überrascht, überfallen.

59,33 ff. Neben Lk 24,47 ist hier Mt 28,19 f. herangezogen.

59,35 *uberley* = mehr als genug (Doppelung im folgenden ›genug‹).

59,36 f. Kol 1,11?

59,38 Röm 7,18 ff.

59,39 *an uns erlange* = von uns erfasse, ergreife.

60,1 Röm 8,21 ff.

60,2 f. Mt 18,22.

60,6 *schneyttelt* = beschneidet.

60,7 Joh 15,1 ff.

zugelosen = zu erlösen.

60,8 *todtung des alten Adams* – s. o. zu 45,17 (vgl. Röm 5,14).

60,10.22 *langweyle* – s. o. zu 45,2 f.

60,11 S. o. zu 49,12.

60,15 *hoste* = höchste.

60,17 *studierung* – s. o. zu 45,2.

60,18 *verwunderung* – s. o. zu 45,2.

60,19 f. Diese Behauptung widerspricht diametral Müntzers Auffassung vom Wirken Gottes im Menschen – es ließe sich eine große Zahl von Stellen aus Müntzers Schriften anführen, in denen die Unmöglichkeit betont wird, daß der Mensch von sich aus zu Gott kommen könne (vgl. nur Vom gedichteten Glauben, Schriften, a.a.O., S. 218, 220; Protestation, a.a.O., S. 230 f., 235 f.).

60,21 *wimnet* = sich schnell hin und her bewegt, wimmelt (GrWb).

60,23 ff. Zu Müntzers Rechtfertigungslehre, die Agricola hier auf den Kopf stellt, s. o. zu 3,21 ff., 33 f.; 47,2 f.

60,27 *besitzers* – s. o. zu 45,3.

60,30 *fleyschs* – s. o. zu 36,24.

60,32 *rechen* – s. o. zu 55,30.

60,34 Röm 8,26.

60,38 f. S. o. zu 53,4 f.

61,2 *verschumpiren* = verunglimpfen.

eusserlichste = äußerste.

61,3 f. *zu prasten* = zerbersten (so Franz, Schriften, a.a.O., S. 403 Anm. 15).

61,5 *sta* = stehe! halt!

reist = erhebt sich, steht auf.

61,8 *langweyl* – s. o. zu 45,2 f.

61,10 *gesetze* – Nach neutestamentlichem Sprachgebrauch, und insbesondere nach der paulinischen Deutung, ist hier ›Gesetz‹ (›nómos‹, vgl. bes. Röm 2 ff.) das Alte Testament mit seinen Vorschriften vor allem im Pentateuch; für das Judentum enthält dieses ›Gesetz‹ das Gebot Gottes und erfordert unbedingten Gehorsam, als Bedingung der Rechtfertigung; nach Paulus hat Christus das ›Gesetz‹ zwar nicht aufgehoben, ihm aber seine absolute Geltung genommen, indem er es durch seinen Tod stellvertretend ein für allemal ›erfüllt‹ hat. Damit ist für die Christen nicht die peinlich genaue Einhaltung aller Vorschriften des Alten Testaments der entscheidende Grund für die Rechtfertigung, sondern das gläubige ›Annehmen‹ der ›Vollendung des Gesetzes‹ durch Christus, d. h. der Rechtfertigung durch Glauben. In dieser Deutung bilden ›Gesetz‹ und ›Evangelium‹ für Luther ein dialektisch aufeinander bezogenes Antinomien-Paar (vgl. z. B. Gerhard Ebeling: Luther. Eine Einführung in sein Denken. Tübingen 1964. S. 120 ff., 137 ff.). Auch für Müntzer bestehen die Auflagen des Alten Testaments nicht einfach weiter; aber er hält an der Gültigkeit des ›Gesetzes‹ mit ganz anderer Schärfe fest als Luther: Durch das ›Gesetz‹ wird der ›gedichtete Glaube‹ zerstört, jede Selbstgerechtigkeit des Menschen vernichtet. Müntzers Gesetzesverständnis gehört daher in den Zusammenhang seiner ›Kreuzestheologie‹ (s. o. zu 3,21 ff., 31 f.): Durch das ›Gesetz‹ wird die ›Verzweiflung‹ des Menschen erfahrbar, ergreift Gottes Handeln den Menschen im Leiden. Einerseits ist so eine ›Werkgerechtigkeit‹ (s. o. zu 44,22) ausgeschlossen, andererseits ist die Gültigkeit des ›Gesetzes‹ Bedingung, ja Bestandteil der ›Gnade‹; ›Gesetz‹ und ›Evangelium‹ fallen so für Müntzer fast zusammen, beide sind in der ganzen Schrift bezeugt. Zu Müntzers Ansatz s. Elliger, Thomas Müntzer (1960), S. 20 f.; ders., Thomas Müntzer (1965), Sp. 17 f.; Nipperdey, Theologie, S. 270 f.; Goertz, Innere und äußere Ordnung, S. 45, 74 ff., 114 ff., 123 ff.; Maron, Thomas Müntzer, S. 208 ff.

Zur Begriffsgeschichte von ›Gesetz‹ (s. u. zu 72,18) vgl. Religion in Geschichte und Gegenwart, 3. Aufl. 2. Bd. Sp. 1517 ff., mit ausführlichen Literaturangaben.

61,12 *gewissen* – d. h. ›Druck des Gewissens angesichts des Ungenügens vor dem Gesetz‹.

61,15 *gesetze Gotes* – An dieser Stelle bezieht sich Müntzer offenbar stärker auf die – ebenfalls paulinische – Erkenntnis der Verheißung Gottes im ›Gesetz‹ (vgl. Gal 3; Paulus kann sogar den Ausdruck ›Gesetz Christi‹ gebrauchen (Gal 6,2) und damit die Erneuerung des ›Bundes‹ zwischen Gott und den Menschen durch Christus andeuten). ›Gesetz‹ ist hier nicht identisch mit dem Alten Testament, sondern meint die Äußerung des göttlichen Willens überhaupt.

61,19 Lk 12,4 f.

61,20.22 *gesetze* – s. o. zu Z. 10.

61,25 S. o. zu 49,12.

61,27 S. o. zu 57,22.

61,28 *reich* – s. o. zu 53,26.

61,29 *schlechte* – s. o. zu 50,33.

eynfeltige – s. o. zu 45,8.

gerynge = schwache, unscheinbare.

61,32 *verleucken* = verleugnen.

verwunderung – s. o. zu 45,2.

61,33 S. o. zu 50,36 ff.

61,34 *mummelt* = murmelt.

61,36 *erfur thun* = zeigen, zu erkennen geben.

62,1 *werck* – s. o. zu 44,22.

62,4 *allegat* – s. o. zu 57,38.

bachanten – Müntzer wirft den ›Schriftgelehrten‹, ›Pfaffen‹ und ›falschen Predigern‹ oft ihre Lebensweise vor, unter anderem ihr ›Saufen‹ z. B. Ausgedrückte Entblößung, Schriften (Franz), S. 299 f.). Zum Begründungszusammenhang s. o. zu 9,18; auch 3,21 ff.

62,8 Röm 4,3.

allegirn – s. o. zu 51,39.

62,9 f. 1. Mos 15,6.

62,10 Ps 32,1 f. (31,1 f.), im Röm 4,6 f. zitiert; nach dem Text der Vulgata: »Beati quorum remissae sunt iniquitates . . .«

62,11 *allegirt* – s. o. zu Z. 8.

62,12 *erklerung* – Hier wohl im Sinne von ›Proklamation‹: Der Mensch wird der Gnade Gottes inne und bezeugt, bestätigt sie durch sein Reden und Handeln (›Erklärung‹ bei Müntzer auch im Sinne von ›Interpretation‹, vgl. Hochverursachte Schutzrede, Schriften, a.a.O., S. 336).

62,13 *vor hyn* = vorher.

62,16 *hewet* = haut.

62,20 *schewet* = scheut.

gehore = Anhören.

62,31 *sol er leyplich bleyben lassen* = soll er durch menschliche Predigt geschehen lassen (im Gegensatz zu einem ›unmittelbaren Reden Gottes im Herzen‹).

62,24 *fur Gott* = vor Gott, Gott gegenüber (Übersetzung von ›coram Deo‹ – damit ergibt sich der Bezug zur Zwei-Reiche-Lehre Luthers, in der die Begriffe ›coram Deo‹ und ›coram mundo‹ die beiden Relationen bezeichnen, welche die menschliche Existenz konstituieren; s. o. zu 53,26).

62,25 f. Die Antinomien von ›innerlich‹ und ›äußerlich‹ bzw. ›geistlich‹ und ›leiblich‹ stellen Explikationen des dialektischen Gegensatzes der ›zwei Reiche‹ dar und sind nicht im Sinne der ›Geist-Körper‹-Antithese der griechischen Philosophie zu verstehen (s. o. zu 53,26).
Der Vorwurf, den Agricola hier gegen Müntzer erhebt, ist von Luther als entscheidendes Argument den aufständischen Bauern entgegengehalten worden: sie vermengten die beiden ›Reiche‹, die scharf zu trennen seien, sosehr die beiden Relationen in der konkreten Existenz des Menschen immer zugleich vorhanden seien; die Aufständischen wollten die ›geistliche Freiheit‹ zu einer ›leiblichen‹ machen und damit die wirkliche Freiheit der Christen gerade aufheben (vgl. bes. ›Ein Sendbrief von dem harten Büchlein . . .‹, WA 18,389 ff.).

62,28 ff. S. o. zu 47,2 ff.; 49,12; 61,10.

62,30 *bewerd* = beweist (im Sinne von ›er beweist selbst, daß er Unrecht hat‹, s. u. Z. 37).
Ps 32,1 ff. (31,1 ff.) – s. o. zu 62,10.

62,32 f. Agricola referiert hier den für die lutherische Rechtfertigungslehre zentralen Gegensatz von ›Gnade‹ und ›Verdienst‹: vor Gott gerechtfertigt ist der Mensch nicht durch seine Taten, mit denen er sich die Vergebung der Sünden ›verdient‹ hätte, sondern allein durch die Gnade Gottes, die durch die Versöhnungstat Christi ›erworben‹ ist. S. o. zu 44,22; 61,10.

62,34 1. Mos 15,6 – s. o. zu Z. 9 f.

62,37 *yhm selbs eyn eygens machen* = sich selbst das ihm zustehende Schicksal bereiten.

63,1 f. *an vordinst der werck* – s. o. zu 44,22.

63,2 *werck Gottes zu leyden* – Gemeint ist ›das Wirken Gottes‹, (den Menschen) ›Leiden‹ aufzuerlegen‹; s. o. zu 3,21 ff., 33 f.

63,2 f. Jes 5,11 ff.?; Joh 6,28.

63,4 f. Bezieht sich auf 62,1 ff.

63,5 *die werck* = menschliche Leistungen (als Grund der Rechtfertigung); s. o. zu 44,22.

63,7 *ane werck* – s. o. zu Z. 1.

63,8 f. S. o. zu 44,22; 61,10.

63,11 ff. S. o. 58,12 ff.

63,16 *concordiere* = stimme . . . überein.
schrifftgelehrten – für ›Schriftgelehrten‹, Müntzers Bezeichnung für die ›falschen Prediger‹, s. o. zu 9,18; 52,14.

63,17 *stuckweysicher weyse* = indem sie immer nur einzelne Stücke herausgreifen, ohne den Zusammenhang der ganzen Schrift zu beachten (zu Müntzers Forderung nach einer ›vergleichenden Interpretation‹ der gesamten Bibel, s. o. zu 49,35); Müntzer erklärt häufig, durch die falsche Auslegung werde die Bibel dem Volk ›gestohlen‹ (schon Prager Manifest, Schriften (Franz), S. 498 ff.; weiterhin z. B. Protestation, a.a.O., S. 236; Ausgedrückte Entblößung, a.a.O., S. 274, 309, 316).

63,18 Phil 3,19.

63,20 Herausgehobener Satz von Agricola (vgl. o. 58,33 f.).

63,21 *erfuller des gesetzes* – s. o. zu 61,10.

63,22 f. Müntzer wirft Luther vor, in der lutherischen Rechtfertigungslehre werde die Ernsthaftigkeit des ›Kreuzes‹ für jeden Christen durch
die bloße Berufung auf Christi stellvertretenden Kreuzestod wegeskamotiert und so eine ›billige Gnade‹ gepredigt, bei der dann jeder sich in
seinem Wohlleben beruhigen kann; s. o. zu 3,21 ff.; 9,18 (vgl. bes.
Nipperdey, Theologie, S. 254 ff.).

63,24 *wormfressige* = wurmstichige, wurmzerfressene.

63,25 *meyster in der dornheck* – vgl. Sprü 26,9 f.

63,27 f. S. o. zu 3,33 f.; 47,2 ff.; 62,32 f.

63,28 S. o. zu 3,32.

63,29 *Christus / Chrestus / Chrima* – ›chrestós‹ = ›brauchbar, geeignet,
gut‹; ›chréma‹ – ›Vermögen, Reichtum‹. Die Alliteration ist der vor-
stehenden, annähernd so bei Müntzer belegten nachgebildet und soll in
der Sinnlosigkeit der Zusammenstellung Mißachtung des Namens
Christi suggerieren.

63,31 *angebung* = Vorspiegelung, Prahlerei (bewußt in anderem Sinne
als in Z. 22!).

63,35 *vas* = Gefäß, Gerät (d. h. Körper als Mittel für das Wirken Gottes, vgl. ApG 9,15).

63,36 Röm 3,21.

64,1 *ane zuthun des gesetzes* = ohne Wirkung der im Alten Testament
enthaltenen Vorschriften (s. o. zu 61,10).

64,2 *gesetze* – Hier in der eingeschränkten Bedeutung ›Geschichtsbücher
des Alten Testaments‹.

64,3 *für Gott* – s. o. zu 62,24.

64,5 Gal 2,16.

64,9 *werck des gesetzes* = Befolgen des ›Gesetzes‹ durch Taten; s. o. zu
61,10.

64,10 Gal 2,21.

64,11 f. Gal 3,13.

64,11 *vermaledeyung* = Fluch.

64,15 *zuverteydingen* = (dadurch, daß wir . . .) verteidigen.
vertocket – wohl Druckfehler für ›verstockt‹.

64,19 *Bebegen* – statt ›Bewegen‹ (so Franz, Schriften, S. 404 Anm. 23).

64,20 2. Tim 3,2 ff.

64,24 *studierung* – s. o. zu 45,2.

64,25 Zur Zählung s. o. zu 45,30.

64,26 f. 30. Mai 1524 (so Franz, Schriften, S. 402 Anm. 2, gegen Boehmer, Studien, S. 26).

64,31 Ps 144,2 (143,2) – Agricola zählt hier wieder nach der Vulgata.

64,32 *gelydmasse* = Gliedmaßen, Glieder (entsprechend der Vorstellung
vom ›Leib Christi‹, nach der die Gläubigen des ›Glieder‹ sind; vgl.

Röm 12,4 f.; 1. Kor 6,15. Dazu ThWb, 7. Bd., Sp. 1064 ff.; Ernst Käsemann: Leib und Leib Christi. Tübingen 1933.

64,34 *bereyd* = bereits, schon.

64,36 f. Steinmetz, Müntzerbild (1971), S. 80, bezieht diese Stelle auf die angebliche Kleinmut Müntzers nach seiner Gefangennahme (s. o. zu 41,25 ff.).

64,38 *D.C.* = Doktor Carlstadt.

Th. M. = Thomas Müntzer.

D.S. = Doktor Strauß.

Dazu Steinmetz, a.a.O., S. 80. Agricola wollte also, ähnlich wie Luther und Melanchthon, mit seinen Angriffen auf Müntzer alle radikalreformatorischen Tendenzen treffen. Über Müntzers Beziehungen zu Karlstadt vgl. Ebert, Theologie, S. 76 (Lit. S. 115 f. Anm. 43 ff.); Stupperich, Geschichte der Reformation, S. 99 f.; Iserloh, Karlstadt, in: Handbuch der Kirchengeschichte, S. 125, 129 f. Die Zusammenhänge zwischen Müntzers und Strauß' Tätigkeit berührt Hinrichs, Luther, S. 30 ff. (dort Literaturverweise).

65,1 *trotzen auff* = haben ihre Zuversicht in, berufen sich auf.

65,1 f. *uber yhn heltt* = sie beschützt, über sie wacht.

65,2 *geyster* – s. o. zu 44,29.

65,2 f. S. o. zu 50,36 ff.

65,6 *helt nicht ober yhn* – s. o. zu Z. 1 f.

65,8 *Er* = Müntzer.

langeweyle – s. o. zu 45,2 f.

65,9 *gemuehet* = angestrengt, geplagt.

65,9 f. S. o. zu 60,19 f.

65,11 *far* = Gefahr.

65,14 *concordiert* – s. o. zu 63,16.

65,15 ff. Röm 8,26; nach dem Text der Vulgata: »... Spiritus adiuvat infirmitatem nostram«.

65,19 S. o. 64,20.

65,22 1. Kor 15,55 f. (Bezug auf Jes 25,8; Hos 13,14).

65,26 ff. Agricola läßt eine Übersetzung und Auslegung des 19. (18.) Psalms folgen. Er druckt zunächst die Übersetzung Luthers ab (vgl. WA Abt. 3 Deutsche Bibel, 1, S. 471 ff.), die zuerst 1524 erschien (WA, a.a.O., S. XIV).

65,32 *nach* = noch.

65,34 *richtschnur* – s. o. zu 53,31.

66,9 *albern* – s. o. zu 48,17.

66,14 *sitten* = die durch das ›Gesetz‹ gebotenen Bräuche.

66,16 *den* = denn, als.

66,17 *fursichtig* = vorausschauend.

66,19 *feyle* = Verfehlungen, Vergehen.

66,21 *behalt* = bewahre, behüte.

66,22 *hirschen* = herrschen.

66,27 *der psalm eyner* – ›Psalm‹ hier Plur.

66,29 Röm 1,1 f.; 10,18 (Bezug auf Ps 19,5).

66,30 ff. Agricola gibt hier eine allegorische Auslegung des Textes, obwohl Luther diese Art der Bibeldeutung gegenüber der patristischen Tradition zurückdrängt und Agricola sich verpflichtet fühlt, ihm darin zu folgen (s. o. 67,2 ff.).

Die Allegorese, ausgebildet in der griechischen Homer-Auslegung und über die Stoa und das hellenistische Judentum (bes. Philo) den Kirchenvätern vermittelt, soll die Vergegenwärtigung der biblischen Botschaft durch die Identifikation bestimmter Aussagen mit einem ›anderen‹, in der wörtlichen Bedeutung verborgenen Sinn leisten. Bekanntestes Beispiel: Auslegung des Hohen Liedes auf das Verhältnis der Kirche zu Christus hin. Zur Geschichte der allegorischen Auslegung, im Zusammenhang mit dem altkirchlichen Prinzip des zweifachen, später des vierfachen Schriftsinns und der Entwicklung der theologischen Hermeneutik, vgl. Religion in Geschichte und Gegenwart. 3. Aufl. 1. Bd. Sp. 238 ff.; 3. Bd. Sp. 245 ff. (bes. 252 zu Luthers Abwertung der Allegorese); 5. Bd. Sp. 1520 f. – dort jeweils ausführliche Literaturverweise.

66,36 *ertig* = artig, angemessen (d. h. ›der Art entsprechend' GrWb).

66,39 *emsen* = Ameisen.

thierer – s. o. zu 59,21.

67,2 f. *geystliche deuttung* – Übersetzung von ›Allegorese‹.

67,3 *Allegoriam* – statt ›Allegorese‹; s. o. zu 66,30 ff.

67,10 Jes 66,1.

67,14 1. Mos 1,6 ff.

67,15 f. Mt 16,18; Ps 91,5 (90,5) ff.?

67,18 *hellen* = Höllen (hier im allegorischen Gegensatz zu ›Himmel‹).

67,19 2. Kor 6,9 f.

67,29 *erhlichers* = Ehrenhafteres.

67,31 Ps 68,21 (67,21).

67,32 Ps 3,9.

67,36 *halten* – s. o. zu 65,1 f.

67,38 *kunst* = Wissen – hier aber wohl schon stärker ›Fähigkeit‹.

67,39 *helle* – s. o. zu Z. 18.

68,2 Ps 4,4.

68,8 *alse* – für ›also‹.

68,11 *nachdrucken* = fortfahren (vgl. u. zu 70,33).

68,15 *nach* – s. o. 65,32.

68,20 *sich ... gebrauchen* = sich ... bedienen.

68,21 f. *erschollen und erschellen* – Die erste Verbform ist das regelmäßige Part. Perf. zum st.V. ›schëllen‹ (mhd. u. frnhd.), dessen Präs. inzwischen untergegangen ist. Die zweite Form könnte die 3. Pers. Plur. Ind. Präs. dieses Verbs sein (möglicherweise auch Konj. Präs.)

und wäre dann mit ›täglich‹ zu koppeln; dann müßte ein Wechsel vom Sing. zum Plur. des Prädikats angenommen werden. Sonst wäre die zweite Form als Variante des oben genannten Part. Perf. anzusehen.

68,26 *an* = ohne (Unterlaß).

68,28 Ps 2,8.

68,29 *verheyschen* = verheißen (typologische Deutung Abrahams).

68,30 *gebenedeyet* = gesegnet.

68,31 Vgl. 1. Mos 17,4 ff.; 22,18; 15,5.8.

68,33 *richtschnur* – s. o. zu 53,31.

69,4 *stucken* = Stücken (d. h. verblaßt für ›Dingen‹).

69,5 Lk 3,22.

69,10 *funiculus* = dünnes Seil, Schnur.

Der hebräische Text ist an der vorliegenden Psalmenstelle schwierig zu deuten. Was Luther mit ›Richtschnur‹ übersetzt, heißt im Hebräischen ›kawwam‹ und ist ein ungewöhnliches Wort, das offenbar schon bald nicht mehr verstanden worden ist, denn die Septuaginta hat ›phthóngos‹, also ›Schall, Laut, Ton‹ (was auf hebräisch ›kolam‹ zurückginge, d. h. auf die Veränderung nur eines Buchstabens), die Syrische Bibel ›échos‹, die Vulgata ›sonus‹. Die moderne Luther-Bibel hält an der Übersetzung ›Schnur‹ fest, die Züricher Bibel setzt ›Klingen‹, stützt sich also auf die Varianten, die dem Psalmen-Stil mit seinen Doppelungen gut entsprechen; es läge dann in den Versen 4 u. 5 ein zweifacher Parallelismus vor. Agricolas Übersetzung von ›kawwam‹ mit ›Teilung‹ ist kaum erklärlich. Da die Vulgata an der vorliegenden Stelle nicht, wie Agricola vorgibt, ›funiculus‹ hat, sondern ›sonus‹, muß man annehmen, daß Agricola von Luthers Übersetzung aus ins Lateinische zurückübersetzt hat. Erst so kann er nämlich 5. Mos 32,9 als Parallele heranziehen, wo es im Lateinischen tatsächlich ›funiculus‹ heißt und wo auch im Hebräischen das Wort für ›Meßschnur‹ steht (‹chebel‹). – Für hilfreiche Auskünfte bin ich Herrn Wilkens und Herrn Michel in Berlin zu Dank verpflichtet.

69,13 5. Mos 32,9.

69,24 Joh 1,9.

69,26 Eph 1,7 ff.?
Kol 1,13 ff. – s. o. zu 49,15.

69,28 *forhyn* – s. o. zu 62,13.

69,30 *gesetze Gottes* – s. o. zu 61,10.

69,31 *helle* – s. o. zu 67,18.

69,32 *eytel* – s. o. zu 45,6.

69,34 2. Petr 1,19.

69,36 Lk 1,78.

70,8 *ausgang* = Hervortreten, Erscheinen.

70,10 ff. Ps 23,5 (22,5).

70,15 Joh 3,29.

70,18 *benedeyung* = Segnung.

70,18 f. *gebenedeyet* – s. o. zu 68,30.

70,19 Eph 1,3.

70,21 *ausgang* – s. o. zu Z. 8.

70,28 *reym* = Vers (d. h. ›Merk-, Kennzeichen‹).

70,28 f. Ps 110,2 (109,2) – hier genau nach der Vulgata zitiert.

70,30 *rute* = Gerte (als Züchtigungsinstrument; metonymisch gebraucht).

70,31 1. Sam 3,11.

70,32 Jes 40,10.

70,33 *nachdrucken* = nachsetzen, nachdrängen (aus der Militärsprache: ›nachrücken nach begonnenem Angriff‹ GrWb).

71,14 Lk 3,16.

71,17 ff. Zusammenfassung der allegorischen Auslegung; dazu o. zu 66,30 ff.

71,21 Lk 24,46 f.

71,23 Vgl. ApG 2,3.

71,28 f. Ps 147,18 (146,18).

71,23 *albern* – s. o. zu 48,17.

71,34 *fruchte* = Früchte (d. h. ›Ergebnisse, Wirkungen, Folgen‹).

71,37 *zugewarten* = zu erwarten (das Objekt steht in Z. 34 f.: ›hulff und beystand‹).

71,39 f. Ps 31,20 (30,20).

72,8 *eytel* – s. o. zu 45,6.

72,10 *sitten* – s. o. zu 66,14.

72,11 Röm 13,10.

72,13 Ps 1,1 f.

72,16 *Gewonen* = gewohnt werden, pflegen.

72,18 *gesetz* – s. o. zu 61,10.15; an der vorliegenden Stelle hebt Agricola – gegenüber etwa 63,27 ff.; 64,1 ff. – hervor, daß auch nach Christi Sühnetod das ›Gesetz‹ unverändert weitergilt, aber die für die Rechtfertigung entscheidende Funktion verloren hat, weshalb es dann nicht mehr ›schrecklich‹, sondern ›lieblich und süß‹ ist; zwar erfährt der Mensch nach wie vor seine ›Sündhaftigkeit‹ angesichts der Gebote, weiß sich aber durch Christus gleichzeitig schon gerechtfertigt (das ›simul iustus et pecator‹ Luthers). Vgl. dazu etwa Christian Maurer: Die Gesetzeslehre des Paulus. Zollikon/Zürich 1941; Günther Bornkamm: Das Ende des Gesetzes. München 1952 (Beiträge zur evangelischen Theologie Bd. 16).

72,21 Gal 3,19.

72,22 Röm 4,15.

72,24 *unstrefflich* – s. o. zu 55,5.

72,26 *feylt* – s. o. zu 18,21.

72,28.29 *albern* – s. o. zu 48,17.

72,29 Wahrscheinlich meint Agricola hier 1. Kor 1,18ff. (vgl. Röm 1,16).

72,30 *schlecht* – s. o. zu 50,33.

72,32 Joh 7,32 ff.

73,4 *ausserhalb* – s. o. zu 45,14; 62,25 f.

73,5 Ps 78 (77), bes. V. 31 ff., 56 ff.

73,8 *Item* = desgleichen, ferner.

73,10 *kör* = auserlesen, vorzüglich (›kür‹, Adj. zu ›kiesen‹).

73,13 Eph 1,8; ›phrónesis‹ ist in der Vulgata mit ›prudentia‹ übersetzt; das Synonym ›cautio‹, das Agricola hier anführt, deckt keineswegs den Bedeutungsgehalt von ›phrónesis‹, welches an der zitierten Stelle ›Klugheit‹, ›vernünftige Einsicht‹ meint.

73,14 *benedeyung* – s. o. zu 70,18.

73,32 *die propheten* – Gemeint sind hier Müntzer und die ›Schwärmer‹. Vgl. o. 61,20 ff.

73,33 *gesetz* – s. o. zu 61,10; 72,18.

74,4 *leugken* = leugnen.

74,12.19 *sitten* – s. o. zu 66,14.

74,13 *beruff* – s. o. zu 59,27.

74,14 Phil 2,12.

74,18 *gesetz* – s. o. zu 72,18.

74,23 f. Mt 13,44 (Par).

74,25 *fürsichtig* – s. o. zu 66,17.

74,29 *halde* = meine, glaube, behaupte.

74,30 *fursichtikeyt* = Voraussicht, Vorsicht, Klugheit.
geleret = gelernt.

74,32 *vergeltung* = Bezahlung, Belohnung.

74,34 1. Mos 15,1.
sitten – s. o. zu 66,14.

74,35 *uberkomet* – s. o. zu 47,37.

75,1 *feyle* – s. o. zu 66,19.

75,4 *fursichtickeyt* – s. o. zu 74,30.
vergeltung – s. o. zu 74,32.
umberkomet = bekommt.

75,6 Lk 1,77.

75,8 ff. Gebetston: Vom Redenden (Schreibenden) an Gott gerichtet.

75,12.15 *behalt* – s. o. zu 66,21.

75,17 *stucke* – s. o. zu 69,4.

75,18 *grosacht* = für groß, bedeutend hält.

75,26 *den balcken yrhes hertzen* – Vgl. ›der Balken in deinem Auge‹, Mt 7,3 ff. (Par).

75,27 Joh 16,8.

75,29 *gutt werck* – s. o. zu 44,22.

75,34 *uberkomen* – s. o. zu 47,37.

75,36 *fursichtikeyt* – s. o. zu 74,30.

76,1 *rechen* – s. o. zu 55,30.

76,4 *mottig* = mutig, ermutigt.

76,8 *David* – Vgl. Ps 19,1 (18,1): »Ein Psalm Davids« (Agricola hatte sonst immer vom ›Propheten‹ als dem Verfasser gesprochen – vgl. nur Z. 13).

76,10 f. Jes 29,13.

76,17 *anstössen* = Hindernisse, Ärgernisse; ›Dinge, an die man stößt und an denen man sich schädigt‹ (GrWb) – vgl. das biblische ›Stein des Anstoßes‹, das ›skándalon‹ überhaupt (Röm 9,32 f.; 1. Petr. 2,8, nach Jes 8,14).

76,19 ff. Der Brief Müntzers an Melanchthon, den Agricola hier anhängt, steht in keinem Zusammenhang mit dem Vorhergehenden; er stammt aus dem Jahre 1522 (s. zu Z. 21 ff.) und weist zwar auf ersthafte theologische Differenzen mit den Wittenbergern hin, zeigt aber andererseits, daß Müntzer sich zu dieser Zeit (über Müntzers Tätigkeit in diesem Zeitraum s. o. zu 3,11.12) noch um eine Verständigung mit Melanchthon und indirekt mit Luther bemüht – weshalb Agricola in seinem angehängten Kommentar auch die von Müntzer deklarierten Gemeinsamkeiten (vgl. Z. 23 ff.) übergehen und Müntzers Widerspruch zu Luther in bestimmten theologischen Einzelfragen als Ausdruck der ›Teufelsbesessenheit‹ interpretieren muß, wobei er gerade die sich abzeichnenden prinzipiellen Unterschiede im theologischen Ansatz verfehlt (vgl. bes. 78,29 ff.).

76,21 ff. Drucknachweise des Briefes in Schriften (Franz), S. 379 ff. Franz datiert den Brief auf den 27. März 1522; er vermutet, daß in der Angabe ›quinta Annuntiationis‹ (78,14 f.) ein eingeschobenes ›post‹ ausgefallen ist (a.a.O., S. 379 Anm. 1). Der Brief bezieht sich auf die Wittenberger Unruhen von 1522 (vgl. zu 3,11) und wird daher allgemein für dieses Jahr angesetzt.

Dem Brief wird in der Forschung als einem Dokument des aufbrechenden Gegensatzes zwischen Müntzer und den Wittenbergern erhebliche Bedeutung beigemessen; vgl. etwa Schmidt, Selbstbewußtsein, S. 31; Ebert, Theologie, S. 75; Maron, Thomas Müntzer, S. 199 f.; Bensing, Thomas Müntzer (1965), S. 44, bezeichnet ihn gar als »Abschiedsgesang an das Wittenberger Lager«; vgl. auch Smirin, Volksreformation, S. 107 ff., 113; Elliger, Thomas Müntzer (1960), S. 29; Steinmetz, Deutschland 1476–1648, S. 119,

Die Erläuterungen folgen weitgehend Franz, Schriften, a.a.O., S. 379 ff.

76,24 Vgl. Ps 91,3 (90,3); 124,7 (123,7).

76,25 ff. Die hier angesprochene Frage bezieht sich auf Vorgänge in Wittenberg Ende 1521 / Anfang 1522, die unter anderem zur Durchbrechung des Zölibats führten (vgl. dazu auch Luthers ›De votis monasticis iudicium‹ von 1521, WA 8,573 ff., bes. 583 ff. ›De virginitate‹); s. Smirin, Volksreformation, S. 107 ff.; Franz, Schriften, a.a.O., S. 379 Anm. 1.

76,27 *mutuum* – statt ›mutum‹ (so Franz, Schriften, a.a.O., S. 380 Anm. 3; dort der Verweis auf die Unterschrift zur längeren deutschen Fassung des ›Prager Manifests‹: »Thomas Muntzer wil keynen stümmen, sunder eynen redenden Got anbethen.«, a.a.O., S. 505, und auf die Vorrede zur ›Ausgedrückten Entblößung‹, a.a.O., S. 269).

76,32 ff. Zu Müntzers Offenbarungsverständnis und dem Schriftprinzip bei ihm s. o. zu 3,25 ff.

76,32 f. 5. Mos 8,3; Mt 4,4 (Par).

77,2 f. Nach Jer 8,8 (so Franz, Schriften, a.a.O., S. 280 Anm. 5).

77,3 Jer 23,30.

77,4 f. Bezug auf 1. Kor 14,1 (so Franz, Schriften, a.a.O., S. 280 Anm. 6a).

77,6 Anspielung auf Jer 23,23.

77,8 *viventis* – ergänze ›Dei‹ (so Franz, Schriften, a.a.O., S. 280 Anm. 8); vgl. 2. Mos 31,18; 5. Mos 9,10.

77,10 Vgl. Hebr 14,3.

77,13 Vgl. 1. Thess 4,3.

77,13 f. Vgl. Joel 2,28.

77,18 f. Vgl. 1. Kor 7,29.

77,19 f. Vgl. 1. Kor 7,3.

77,23 f. Off 16,4.

77,26 Franz (Schriften, a.a.O., S. 381 Anm. 15) setzt ›aperiri‹ im Text.

77,28 Vgl. Lk 17,34.

77,29 f. Vgl. 1. Kor 1,11.

77,30 ff. Auch diese Frage steht im Zusammenhang mit den Wittenberger Unruhen im Winter 1521/22 (s. o. zu 76,25 ff.).

77,33 f. Joh 4,36; vgl. Mt 6,16.

77,37 Vgl. dazu Müntzers spätere Liturgie-Anweisungen in ›Ordnung und Berechnung des Deutschen Amtes zu Allstedt‹ von 1523, Schriften, a.a.O., S. 213.

77,38 Franz, Schriften, a.a.O., S. 381 Anm. 22, verweist auf Ps 119,125 (118,125).

77,39 ff. Das Folgende bezieht Franz, Schriften, a.a.O., S. 379 Anm. 1, auf Luthers ›Invocavit-Predigten‹ März 1522, in denen die Rücknahme der ›Neuerungen‹ unter anderem mit der Rücksicht auf die ›Schwachen‹ begründet wird (vgl. WA 10/III, S. 1 ff., bes. S. 6 ff., 17 ff.).

78,1 Vgl. Jes 65,20.

78,3 *merhen* = trödeln, zögern (dialektal: sächs.).

78,3 f. Vgl. Mt 24,32.

78,4 f. Vgl. 1. Thess 2,13.

78,5 f. Vgl. 2. Tim 2,14; später hat Müntzer gegen Luther massiv den Vorwurf erhoben, er ›schmeichele‹ den Fürsten, vgl. ›Hochverursachte Schutzrede, Schriften, a.a.O., S. 328 f., 332 ff.

78,10 f. Vgl. Off 1,4?; 3,1; 4,5; 5,6?

78,12 ff. Vgl. o. zu 5,17 ff.

78,14 f. S. o. zu 76,21 ff.

Franz, Schriften, a.a.O., S. 382, gibt anschließend Unterschrift und Nachschrift »Thomas Muntzer, nuntius Christi. Nolite consulere deum

Accoron, Langium vestrum; est enim reprobus, qui persecutus est ser-
vum domini ex superbia sua immortali.«
Zu ›Accoron‹ vgl. 2. Kön 1,2 (der »Gott zu Ekron« ist der Götze
Baal-Sebub).
78,19 ff. Vgl. 1. Kor 7,7 ff. (5,1 ff.).
78,20 ff. 1. Kor 7,3 f. (s. o. zu 77,19 ff.).
78,28 f. 1. Kor 7,9.
78,31 f. Vgl. Neh 13,24 f.?

Zu ›Ein nutzlicher Dialogus‹

Die Schrift erschien wohl schon im Juni 1525 bei Hans Lufft in Wittenberg.
Seit Boehmer, Studien (S. 2 f., 18 f.) wird Johann Agricola als Verfasser
angenommen. Daß die Schrift aus dem engsten Mitarbeiterkreis Luthers
stammt, belegen die an Luther erinnernden Formulierungen sowie die
wiedergegebenen Informationen (z. B. 83,19 ff.; 83,24 f.); die »sprachlichen
Besonderheiten, die sie aufweist, zeigen, daß der Verfasser aus dem Mansfeld'schen Teile von Thüringen stammte, der Stil, daß er ein großer Freund
sprichwörtlicher und bildlicher Redeweise war, der Inhalt, daß er dem
Grafen Albrecht von Mansfeld und Luther nahe stand, und über Müntzer
und seine Bundesgenossen besonders gut unterrichtet war, endlich der Ort
des Druckes, daß er zu den Wittenberger Druckern gut Beziehungen hatte.
Diese Indizien weisen alle auf Agricola.« (Boehmer, a.a.O., S. 2; Belege
S. 19).

Ein zweiter Druck aus dem Jahr 1525 ist ohne Angabe von Ort und
Drucker erschienen (auf der Titelseite des Exemplars der Staatsbibliothek
München steht zwischen Titel und Jahreszahl mit Handschrift eingetragen
›Von Hans Sachs‹): »Ain nützlicher Dialogus oder ge- ‖ sprechbüchlein /
zwischen ainē Münze- ‖ rischen Schwermer vñ ainē Euā ‖ gelischē frümen
Bauern / Die ‖ straff der auffrürischen ‖ Schwermer zu ‖ Francken- ‖
hausen ‖ geschlagen / belangende. ‖ M.D.XXV.«
Über Neudrucke s. Steinmetz, Müntzerbild (1971), S. 80 f. Anm. 23 (zu-
erst: G. Theodor Strobel: Beyträge zur Litteratur, besonders des 16. Jahrhunderts. Bd. 2, 1. Stück. Nürnberg und Altdorf 1785. S. 59–64 [Auszug];
ders.: Leben, Schriften und Lehren Thomae Müntzers. Nürnberg und Altdorf 1795. S. 58–61 [Auszug]; Gustav Droysen (Hrsg.); Peter Haarers
Beschreibung des Bauernkrieges 1525. Nebst einem Anhang: Zeitgenössisches über die Schlacht bei Frankenhausen. Halle/Saale 1881. S. 16 f.
[Auszug]). Vollständiger Neudruck jetzt bei: Klaus Kaczerowsky (Hrsg.):
Flugschriften des Bauernkrieges. Reinbek b. Hamburg 1970 (rororo-Klas-
siker Nr. 526/27). S. 199–214 (nach dem Erstdruck von Hans Lufft).

Zur Interpretation vgl. Steinmetz, a.a.O., S. 80 ff.; Kaczerowsky, a.a.O.,
S. 261 f. Dort die Formulierung: »Es ist besonders infam, daß Agricola
die Dialogform dazu benutzt, den geknechteten Stand aufzuspalten und

damit Solidarität zu hintertreiben: Auf der einen Seite konstruiert er ehrbare Bauern mit ›evangelisch-frommen‹ Ansichten – auf der anderen eine radikale Minderheit von ›Schwärmern‹.« (S. 262).

80,1 Zur Tradition der Gesprächbüchlein vgl. Gottfried Niemann: Die Dialoglitteratur der Reformationszeit nach ihrer Entstehung und Entwicklung. Diss. Leipzig 1905 (= Probefahrten Bd. 5); R. J. Joda: The Form and Function of Dialogues in Germany during the Humanistic Period 1400–1524. Diss. Northwestern Univ. 1968.

80,2 *Schwermer* – s. o. zu 7,38.

80,4 *belangende* – Partizipialkonstruktion nach dem Lateinischen.

80,8 *von Franckenhausen* – s. o. zu 34,4 f.; auch 34,8 f.; 39,36 f.; 34,10 ff., 33 ff.

80,9 *gesaltzens angesicht* – Der Ausdruck ist schwer zu erklären; Müntzer selbst gebraucht einmal die Formulierung ›ein saltzricht angesicht‹ im Sinne von ›eine Leidensmiene‹ (Ausgedrückte Entblößung, Schriften (Franz), S. 305). Es könnte dann hier gemeint sein, daß die Müntzer-Anhänger ständig eine asketische, weltabgewandte Haltung durch den ›leidenden Gesichtsausdruck‹ hätten zur Schau tragen wollen – wogegen sich Müntzer an der erwähnten Stelle jedoch gerade wendet. Möglich wäre hier auch ein ironischer Bezug auf die Stelle Ezech 16,4, wo vom Einreiben der Neugeborenen mit Salz die Rede ist, so daß Agricola einen angeblichen Biblizismus der Müntzer-Anhänger lächerlich zu machen suchte (s. o. zu 30,14).
langen barth – bezieht sich auf Müntzers angebliches Gebot, nach alttestamentlicher Vorschrift sich den Bart nicht zu scheren; s. o. zu 30,14.
ich hallt = ich glaube.

80,10 *gestern* – Der Dialog soll also am Tage nach der Schlacht, d. h. dem 16. 5. 1525, spielen.
Aus dieser Zeile ließe sich entnehmen, daß einige wenige der Aufständischen dem Gemetzel entkommen sind; zu ihnen gehört auf alle Fälle der spätere Täuferführer Hans Hut (vgl. Bensing, Thomas Müntzer (1966), S. 225; Zschäbitz, Wiedertäuferbewegung, S. 31).

80,13 f. S. o. zu 34,10 f.; 39,27 ff.

80,17 *schlothern* = Schlotheim; s. o. zu 41,21 f.; s. u. zu 103,10.

80,18 ff. Wer bei Müntzers Verhören in Heldrungen (s. o. zu 40,21 ff., 29 f., 38 f.) anwesend war, läßt sich nicht sicher ausmachen (Bensing, a.a.O., S. 230 Anm. 81). Es ist sehr wohl möglich, daß sich die vorliegende Stelle auf die entsprechende Passage des ›Glaubwürdigen Unterrichts‹ bezieht (s. u. 102,19 ff.) und deren Aussagekraft abschwächen soll: Da bei der Folterung nur die katholischen Fürsten anwesend gewesen seien, habe man eine ›Rückkehr‹ zum katholischen Glauben ohne Einspruch erzwingen können (vgl. Boehmer, Studien, S. 3). Ein solcher Bezug würde bedeuten, daß Agricola den ›Unterricht‹ bereits gekannt hat, als er den ›Dialogus‹ verfaßte, diesen also nach dem

13. 6. 1525 abgeschlossen haben müßte (s. o. S. LI; s. u. S. 200, 212). Aus diesem Umstand und Agricolas Reisen im Juni 1525 datiert Boehmer die Niederschrift auf die Zeit zwischen 17. 6. und 19. 7.; Agricola habe »die kleine Schrift ... noch unter dem frischen Eindruck der Dresdner Zeitungen, wie es seine Art war, rasch hingeworfen ...« (Studien, S. 3).

80,21 *andern herschafft* – Gemeint sind hier vor allem Landgraf Philipp v. Hessen und Herzog Heinrich v. Braunschweig.

80,22 *untter einerlei gestalt* = nach katholischem Ritus; s. o. zu 41,25 ff. *es hat ym der orth nicht anders gedeihen mugen* = er hat dort keinen Erfolg, kein Glück gehabt; es konnte ihm dort nicht anders ergehen.

80,23 Hier sieht Boehmer, Studien, S. 3, einen der klarsten Belege dafür, daß Agricola sich gegen die Dresdner Darstellungen wendet. Zu den Berichten über die Haltung des hessischen Landgrafen zu Müntzer s. o. zu 41,25 ff..

80,24 f. Vgl. o. zu 40,21 ff.

80,28 *seins gefallens* = nach seinem Belieben, Gutdünken (GrWb).

80,29 f. Hier wird die Behauptung, Müntzer habe sich allein auf das Alte Testament gestützt (s. o. zu 55,29 ff.), ins Negative gewendet und zu dem Vorwurf der ›Leugnung‹ der Evangelien, das heißt: der alles entscheidenden Rolle Christi, gesteigert. Dies korrespondiert der Behauptung, Müntzer habe die ›Mittlerfunktion‹ Christi bestritten (s. o. zu 47,2 f.; 15,29).

80,31 ff. Hier wird bestätigt, daß der Sieg der Fürsten in der Schlacht von Frankenhausen auf den Bruch des Waffenstillstands während der Verhandlungen zurückgeht (s. o. zu 37,9; 39,17 ff., 19, 20; 34,33); Bensing, Thomas Müntzer (1966), S. 227, weist darauf hin, daß hier keine Widerlegung des Vorwurfs, den der ›Schwärmer‹ erhebt, von seiten des Bauern erfolgt, sondern nur ein Rechtfertigungsversuch für den Überfall. Ob ein regelrechter Waffenstillstand allerdings vertraglich vereinbart wurde, ist nicht erwiesen. Auf alle Fälle waren die Aufständischen ›guten Glaubens‹, während der Verhandlungen werde nicht angegriffen (s. o. zu 37,9).

80,33 *glawben hiellten* = ihre Zusage, Versicherung, ihren Eid, ihr gegebenes Wort hielten.

80,34 f. S. u. zu 101,31.

81,2 *helt* = verhält.

81,4 f. Zu Herzog Heinrichs Beteiligung s. o. zu 34,10 f.

81,5 f. Bezieht sich auf den Brief Albrechts vom 10. 5. 1525, s. o. zu 22,1 ff.

81,9 *verkummen* = verhütet (hätten), zuvorgekommen (wären).

91,9 ff. S. o. zu 37,9 ff.; s. u. zu 85,14. Hier wird also die von Melanchthon verbreitete Verleumdung wiederholt und ausgestaltet – vom ›blutigen Brief‹ war bisher nicht die Rede (s. o. zu 37,9 ff.).

81,14 *Capitaner* – s. o. zu 56,22.

81,16 *hertmutigkeit* = Verstocktheit.

81,19 ff. Hier bezieht sich Agricola auf den Bericht, den Johann Rühl an Luther sandte; s. o. zu 40,21 ff.

81,24 *felschen* – Der Vorwurf lautet also, Müntzer habe durch seine Auslegung den Sinn der Heiligen Schrift verfälscht, nicht etwa ihren Wortlaut.

81,24 f. Damit wird Müntzer auch bewußter Betrug nachgesagt, wodurch seine ›teuflische Art‹ noch stärker hervorgehoben werden soll; vgl. o. 18,21 f.; 44,11.

81,25 f. Von einem solchen ›Bekenntnis‹ Müntzers läßt sich weder aus dem Verhörsprotokoll noch aus Briefen der direkt oder indirekt Beteiligten etwas erschließen, im Gegenteil, Luther etwa entrüstet sich über Müntzers ›Verstockung‹ (s. o. zu 41,16 ff.).

81,26 f. Vgl. den ›Abschiedsbrief‹ an die Mühlhäuser v. 17. 5. 1525, Schriften (Franz), S. 474.

81,32 f. *entgellten* = büßen.

81,34 f. Vgl. dazu bei Müntzer etwa ›Auslegung‹, Schriften, a.a.O., S. 257 ff.; Brief an Kurfürst Friedrich, 4. 10. 1523, a.a.O., S. 395 ff.; Brief an die Sangehäuser, Mitte Juli 1524, a.a.O., S. 411 ff.; Brief an Hans Zeiß, 22. 7. und 25. 7. 1524, a.a.O., S. 416 ff., 421 ff.

81,35 *ferwar* = fürwahr.
   lose = leichtfertig.

81,36 *leiplichem* – s. o. zu 62,25 f.

81,37 f. Vgl. Luthers Argumentation o. 10,5 ff.

81,37 *fratzen* – Possen.

81,40 ff. Mt 26,51 ff. (Par).

82,3 f. 2. Kor 10,4.

82,4 *wappen* = Waffen.
   fleischlich – im Sinne von ›zur gegenständlichen Existenz gehörig‹, s. o. zu 62,25 ff.; 36,24.

82,5 Eph 6,16.

82,8 f. Vgl. Luthers Argumentation in ›Eine treue Vermahnung . . .‹, WA 8, S. 680.

82,10 2. Tim 2,19.

82,13 Jer 17,9 f.

82,14 *er* – d. h. Gott.

82,15 *losen* – s. o. zu 81,35.
   fratzen – s. o. zu 81,37.

82,16 *furgebt* = zur Schau tragt.

82,17 *sode* – eigentlich ›Brühe, Soße‹.

82,19 *vorgeben* = Behauptung (mit dem Nebensinn von ›Vorwand‹ – bezieht sich hier also zurück auf den Satz des ›Schwärmers‹).

82,21 *zufallen* = (auf die Leute) losstürzen (GrWb).

82,22 f. Zu diesem Vorwurf s. o. zu 33,1 f.

dorffte = brauchtet, müßtet.

82,24 Agricola versucht hier also, den von Müntzer gegen Fürsten, ›Pfaffen‹ und ›Schriftgelehrte‹ erhobenen Vorwurf (s. o. zu 3,12; 9,18) nun umzuwenden und gegen Müntzer zu kehren – wobei er in Kauf nehmen muß, mit genau gegenteiligen Behauptungen, wie sie etwa Melanchthon erhoben hat (s. o. 30,9 ff.), zu kollidieren. Während der Plünderung von Klöstern und Schlössern ist es vorgekommen, daß die Aufständischen die Wein- und Biervorräte austranken, sich an den Speisen gütlich taten u. dgl. (z. B. Schadensverzeichnis des Klosters Volkenroda, AGBM II, S. 523 f.). Aber ›Völlerei‹, gar ›Spielen und Hurerei‹ als Ziel der Aufstandsbewegung hinzustellen und indirekt Müntzer als Inhalt seines theologischen und politischen Konzepts zu unterstellen, ist freie Erfindung und böswillige Verleumdung.

82,25 *gemein* = gemeinsam, allen gleichermaßen zugehörig, zum allgemeinen Eigentum (s. o. zu 28,24).

82,25 ff. Die Schriftstelle, auf der das Programm des Allstedter ›Bundes‹ beruhte, s. o. zu 32,39.

82,26 *kolkamer* = Kohlenschuppen.

82,27 *Rauchloch* – s. o. zu 19,29 f.

82,28 S. o. zu 32,39.

82,31 ff. Agricola geht auf die Begründung der Gleichheits-Forderung selbst gar nicht ein und erörtert ihre Verwirklichung nicht, sondern sucht auch hier der müntzerischen Argumentation dadurch zu begegnen, daß er ihr einen falschen Inhalt als durch Fakten bewiesen unterstellt. Der Vorwurf des ›Räuberkommunismus‹ s. o. 33,1 ff. bei Melanchthon.

82,34 f. *Annas Pilatus, Caiphas odder Herodes* – vgl. Mt 26,57 (Par); 27,11 ff. (Par); Lk 23,7 ff.; Mk 6,14 ff.; Lk 3,1 f.; ApG 4,6. Die weltlichen und religiösen Herrscherfiguren der Zeit Jesu dienen hier als Beispiel für die ›Reichen‹ zur Zeit der Urgemeinde.

82,36 *gemein* – s. o. zu Z. 25.

82,39 Dieser Vorwurf soll sich wohl auf die Plünderung von Schlössern und Klöstern beziehen. S. u. zu 87,4.

83,2 Daß Müntzer gesagt habe, er wolle seine Anhänger ›frei machen‹, ist nirgends bezeugt und widerspricht auch prinzipiell Müntzers Anschauung, daß die Christenheit ›frei‹ werden müsse, indem Gott dem ›Volk‹, d. h. den Auserwählten, die Macht gebe. Müntzer selbst sah sich lediglich in der Funktion eines Werkzeugs Gottes und nicht in der eines ›Befreiers des Volkes‹.

83,3 ff. Erneut wird hier Müntzer Zynismus und Falschheit unterstellt; s. o. zu 81,24 f.

83,4 *Schlangen* = Feldschlangen, d. h. Feldgeschütze.

83,10 *falscher Prophet* – s. o. zu 28,6 f., 11; 2,18.

83,11 Vgl. Mk 8,18.

83,14 Mt 4,6 ff.

83,17 *einiges* – s. o. zu 10,33.

83,18 f. Zu diesem Vorwurf s. o. zu 55,29 ff.

83,19 ff. Hier nimmt Agricola offensichtlich Luthers Argumentation aus ›Ein Brief an die Fürsten zu Sachsen‹ auf, s. o. 11,1 ff.

83,20 *leiplich* – s. o. zu 62,25 f.

83,21 *sonderlichen* = besonderen.

83,22 f. Auch damit wiederholt Agricola Luthers Auslassungen, s. o. 11,13 f.

83,27 Gal 5,1; 1 Petr 2,15 f.

83,29 *knechtisch ioch* – Vgl. Gal 5,1.

83,30 ff. Vgl. o. zu 62,25 f. (s. auch Luthers ›Ein Sendbrief an den Papst Leo X. Von der Freiheit eines Christenmenschen‹ von 1520, WA 7, 3 ff., bes. S. 21 f.).

83,32 *der gutten gewissenn* – Der lutherische Begriff des ›Gewissens‹ meint nicht im aufklärerischen Sinne eine Art moralischer Instanz des Menschen vor sich selbst, sondern den ›Ort‹ im Menschen, an dem der Mensch seine Existenz ›coram Deo‹ (dazu s. o. zu 62,24) erfährt und daher auch sein Sünder-Sein wie seine Rechtfertigung aus Gnade; ein ›gutes Gewissen‹ hat daher der an seine Rechtfertigung durch Christus Glaubende. Dazu Gerhard Ebeling: Luther. Ein Einführung in sein Denken. Tübingen 1964. S. 190 f., 217, 220 ff., 232 f.

83,34 f. *die gewissen belangend* = die Erfahrung der Sündhaftigkeit und die Gewißheit der Rechtfertigung auf Glauben hin angehend.

83,37 S. o. zu Z. 32.

an = ohne.

83,40 *schandtdeckel* = Deckmantel, Verschleierung.

84,3 Joh 8,32.

84,5 Zu Karlstadt s. o. zu 28,11.

Rotten geister – s. o. zu 18,9.

loser – s. o. 81,35.

buben = Spitzbuben, Schurken.

84,6 S. o. zu 18,10.

84,7 f. S. o. zu 83,32.

84,10 *uberkumpt* – s. o. zu 47,37.

84,12 Joh 8,32.

84,17 *schoß* = Abgabe, Steuer.

84,17 f. Agricola unterstellt hier, Müntzer habe das Ziel gehabt, die Befreiung von Steuern und Zinsen zu erreichen und darin die Verwirklichung ›christlicher Freiheit‹ gesehen. Wo Müntzer – teilweise mit außerordentlicher Schärfe – gegen die starken Belastungen der Bauern und Bürger durch Steuern und Abgaben argumentiert, ist die Aufhebung des Drucks immer Mittel, nie Endzweck: Es geht um die Ermöglichung eines christlichen Lebens, um die Beseitigung der Hindernisse, die sich dem wahren Glauben und damit der Aufrichtung der wahren Christenheit entgegenstellen. Der Kampf gegen die materielle Unterdrückung, das Abpressen hoher Steuern und Abgaben soll die sozialen Voraussetzungen dafür schaffen, daß das Volk zum Glauben kommen kann – zum Beispiel überhaupt erst möglich machen, daß der ›gemeine Mann‹ die Bibel liest (z. B. Ausgedrückte Entblößung, Schriften (Franz), S. 275, 283; Hochverursachte Schutzrede, S. 328 ff.). Vgl. Nipperdey, Theologie, S. 273 ff.; Goertz, Innere und äußere Ordnung, S. 134 ff.; Ebert, Theologie, S. 85 f. Zur Problematik, wie die ideologische Form eines solchen theologischen Konzeptes mit den Interessen der Aufständischen und gar mit den objektiven Klassengegensätzen zu vermitteln sei (vgl. die Interpretation Smirins, Volksreformation, S. 310 ff., gegenüber Bensing, Thomas Müntzer (1966), S. 45 ff., und dann Zschäbitz, Wiedertäuferbewegung, S. 36 ff.) s. die Bemerkungen o. S. XX ff.

84,20 f. Zum Gegensatz ›geistlich-fleischlich‹ s. o. zu 62,25 f.

84,22 f. S. o. 58,25 ff. (Boehmer führt diese Stelle als einen der Belege für die Vorliebe des Autors für sprichwörtliche Redensarten an: Studien, S. 19 Anm. 10).

84,25 *schelten* = tadeln (aber auch im Sinn von ›schimpfen‹ – wie ›schelten‹ selbst ja früher mit doppeltem Obj. –, daher im nächsten Satz die Koppelung mit ›fluchen‹).

84,28 *Ein hur auff dem sande* – Der Ausdruck war nicht nachzuweisen. Sprichwörtlich gelten jedoch Huren als ›Lästermäuler‹, vgl. Friedrich Wilhelm Wander: Deutsches Sprichwörter-Lexikon. 2. Bd. Darmstadt 1964 (Neudruck v. Leipzig 1870). Sp. 926 ff.; dort auch die Zusammenstellung von Huren und ›Bäckerknechten‹.

84,29 *holl hippentrager* – Eine ›Hippe‹ oder ›Hohlhippe‹ ist eine dünne, gebogene Waffel; diese Backwaren wurden von Angehörigen der ärmsten Schichten ausgerufen und verkauft, meistens von Knaben. Der Ausdruck ›Hippenträger‹ wird daher zum Synonym für ›Gassenjunge‹ und ›Lästermaul‹ (GrWb; Götze).

84,31 *biderman* = ehrbarer Bürger.

gescholten – hier ›beschimpft‹.

ascherbath – Mischung aus Kalk und Asche zum Gerben (GrWb); jemand mit der nach dem Gerbevorgang übelriechenden Flüssigkeit zu übergießen, muß eine Art Bestrafung gewesen sein. Der Brauch war nicht nachweisbar.

84,33 *schentlichen* = schmählichen, unehrenhaften.

84,35 *füchschwentzt* = schmeichelt (vgl. o. zu 78,5 f.).

84,40 *wo es strefflich ist* = wo etwa zu strafen, tadeln ist.

85,4 f. Luthers ›Von weltlicher Obrigkeit, wie weit man ihr Gehorsam schuldig sei‹ von 1520, WA 11,245 ff., und ›Contra Henricum Regem Angliae‹ von 1522, WA 10/II, S. 180 ff. (vgl. Einleitung, S. 175 ff.). Die deutsche Fassung ›Antwort deutsch auf König Heinrichs Buch‹, a.a.O., S. 227 ff.

85,7 *kerth . . . die leuse ab* = liest ihnen die Leviten.

85,8 *vertzelt yhn yhre arth* = nimmt sie sich ordentlich vor.

85,9 *schentlich* – s. o. zu 84,33.

85,10 S. o. zu 81,9 ff.

85,14 Gemeint ist wohl Matern v. Gehofen (s. o. zu 37,9 ff.; über die späteren Auseinandersetzungen um den Vorrang und über die Sühneverhandlungen vgl. AGBM II, S. 738 ff., 887 ff., 894 f., 914).

85,19 *rutthen* = Rute, Gerte.

85,23 Hos 8,4; Hiob 34,19 ff.

85,24 Lk 22,25.

85,25 ff. Die Argumentation folgt der Luthers in ›Ermahnung zum Frieden . . .‹, WA 18, S. 303 ff., 315.

85,25 *gewalt* = Macht, Befugnis, Vollmacht.

85,26 Röm 13,1 ff.

85,29 *rutthen* – s. o. zu Z. 19.

85,30 *steupen* = züchtigen.

85,32 *gewaltig* = mächtig.

85,34 *sehrer* = mehr, stärker (vgl. Boehmer, Studien, S. 19 Anm. 9).

85,35 *gewalt* – s. o. zu Z. 25.

85,36 Mt 3,9.

85,40 *weil* = solange.

85,40 f. S. o. zu 82,34 f.

86,2 *merterer* – s. o. zu 2,18.

86,2 f. Unter Claudius (41–54) fanden noch keine Christenverfolgungen statt, unter Nero (54–68) beschränkten sie sich noch auf Rom (64–68); unter Diokletian (284–305) gab es, vor allem 303–305, und unter Maximinus (305–311) im Osten des römischen Reiches bis 311 die letzten großen Christenverfolgungen. Maximianus Herculius wurde 285 von Diokletian zum Caesar, 286 zum Augustus der westlichen Reichshälfte ernannt; er dankte 305 mit Diokletian ab. 307 gab es sechs Augusti: Galerius, Maximinus, Konstantin, Licinius, Maximianus, Maxentius. Vgl. den Überblick und die Literaturangaben bei Karl Heussi: Kompendium der Kirchengeschichte. Tübingen [12]1960. S. 43 ff., 59 ff., 87 f.

86,5 *gewalt* – s. o. zu 85,25.

86,7 *leiplich waffen* – s. o. zu 62,25 f.

86,6 ff. Vgl. 2. Mos 5 ff.

86,9 f. *langtten sie Gott an* = baten sie Gott.

86,10 *mitler* – Hier wird Mose typologisch auf Christus hin gedeutet (zu ›Mittler‹ s. o. zu 15,29; 47,2 f.).

zuversicht = Hoffnung (Erwartung des Erwünschten – GrWb) – hier steht ›Hoffnung‹ metonymisch für das Erhoffte, nämlich das Land, in das Mose die Israeliten füren würde (Luther spricht in diesem Zusammenhang noch davon, daß Gott ihnen das Land ›versehen‹, d. h. ›ausersehen, bestimmt‹ hatte – Paul).

86,11 *halt* – s. o. zu 80,9.

86,13 *ungelt* = Auflagen, Aufschläge, Abgaben (die nicht zu den eigentlichen Pflichtabgaben gehören – GrWb).

86,14 *geleid* = Abgabe für schützendes Geleit.

Über die reale wirtschaftliche Lage der Bauern vgl. die Literaturhinweise o. zu 38,16 ff.

86,15 *zeitlich* = vergänglich (im Gegensatz zu ›ewig‹).

86,17 Mt 6,31 ff.

86,20 Kol 3,1 f.

86,22 ff. Hier folgt Agricola wieder Luthers Argumentation (vgl. ›Von weltlicher Obrigkeit . . .‹, WA 11, S. 263 ff.).

86,24 f. *gewissen* – s. o. zu 83,32.

86,27 Vgl. ApG 5,29.

86,29 *schoss* – s. o. zu 84,17.

gleid – s. o. zu Z. 14.

86,31 *einicherlei* = irgendeiner.

86,32 ff. Mt 22,17 ff.

86,36 *gewalt* – Hier ›Macht‹ wohl mit dem Nebensinn des modernen ›Gewalt‹.

86,37 ff. Abermals gibt hier Agricola Luthers Ausführungen wieder (vgl. ›Von weltlicher Obrigkeit . . .‹, WA 11, S. 250 ff.).

87,3 *Eissfeld* – Zum Zug über das Eichsfeld s. o. zu 19,36.

87,4 *gemordt* – Diese Behauptung ist unwahr: s. o. zu 18,10 (vgl. aber Luthers Argumentation in ›Ein Sendbrief von dem harten Büchlein . . .‹, WA 18, S. 392 f.).

Zur Plünderung der Klöster und Schlösser vgl. die zu 82,24 genannten Schadensverzeichnisse.

87,5 f. Zur Teilnahme am Aufstand ›gezwungen‹ wurden im wesentlichen nur einige Angehörige des niederen Adels. S. u. zu 99,16 f.

87,7 Agricola stellt hier die ›Weinsberger Bluttat‹ – die Aufständischen zwangen am 16. 4. 1525 den Grafen Ludwig von Helfenstein bei Weinsberg in Württemberg, zusammen mit einigen seiner Untergebenen ›durch die Spieße zu laufen‹ (s. Franz, Bauernkrieg, S. 191 f.) – als ein wiederholtes Ereignis und ein übliches Vorgehen dar. In Wahrheit ist diese Tötung die einzige gewesen, die von seiten der Aufständischen – außerhalb der direkten Kampfhandlungen – vorgekommen ist; sie wurde auch von mehreren Bauernführern scharf verurteilt. Wesentlich auf die Nachricht von diesem Vorfall hin schrieb Luther seine Schrift ›Wider die räuberischen und mörderischen Rotten der Bauern‹ (vgl. WA 18, S. 344 f.).

87,13 f. Röm 13,4; 1. Petr 2,13 ff.

87,15 f. Diese Behauptung ist unwahr; s. o. zu 52,25; 32,4.

87,19 *Gedeon* – S. o. zu 21,34.

87,21 *trewm* – S. o. zu 31,15 ff.

87,21 f. Zum Vorwurf, Müntzer habe ›das Evangelium verleugnet‹, indem er sich ausschließlich auf das Alte Testament gestützt habe, s. o. zu 55,29 ff.

87,23 *felschet* – s. o. zu 81,24.

87,25 f. Hier widerspricht Agricola direkt der Darstellung, die er selbst o. 81,29 f. gegeben hat; aus solchen Ungereimtheiten läßt sich ersehen, daß es gar nicht um die Mitteilung des wirklichen Sachverhalts geht, sondern um eine effektvolle Darstellung innerhalb eines sehr begrenzten, nur jeweils wenige Sätze umfassenden Argumentationszusammenhanges.

87,27 5. Mos 13,2 ff.

87,28 f. Vgl. o. zu 31,15 ff.

87,31 *treumischen Propheten* = Prophet, der sich auf Träume und Gesichte beruft.

87,33 *do beiß dich mit* = damit setze dich auseinander.

87,35 f. Verhört am 1. 8. 1524 in Weimar (s. o. S. 108). Müntzer war zusammen mit dem Schösser Hans Zeiß, den Bürgermeistern und dem Rat von Allstedt vorgeladen.

Unmittelbares Resultat des Verhörs war lediglich ein Tadel für Müntzer und das – ihm nicht einmal direkt mitgeteilte – Verbot, weiterhin einen eigenen Drucker zu beschäftigen (s. o. zu 20,1). Die Allstedter wurden entlassen, nachdem man ihnen die Kontaktnahme mit Auswärtigen untersagt und sie auf ihre Gehorsamspflicht gegenüber dem Landesfürsten hingewiesen hatte. Im einzelnen s. Hinrichs, Luther, S. 77 ff.

›Bestraft‹ wurde Müntzer also tatsächlich nicht, die erteilten Auflagen und die entstandene Spannung zum Rat veranlaßten ihn aber schließlich zur Flucht (s. o. S. 120 u. zu 32,15; vgl. Hinrichs, a.a.O., S. 90 ff., 126 ff.; Bensing, Idee und Praxis, S. 465 f.).

87,36 Von den Regenten war nur Herzog Johann am Verhör beteiligt; Kurfürst Friedrich hielt sich in Lochau auf (vgl. den Briefwechsel bei Förstemann, Neue Mitteilungen, S. 185 ff.). Möglicherweise ist Johanns Sohn, Kurprinz Johann Friedrich, in Weimar beim Verhör anwesend gewesen.

87,39 »Das Protokoll aber zeigt uns, daß Müntzer ruhig und fest seinen Standpunkt vertreten und sich keineswegs etwas vergeben hat.« (Hinrichs, a.a.O., S. 78; das Protokoll in Förstemann, a.a.O., S. 182 ff.).

87,40 f. Zu dieser Technik des ›Augenzeugen-Beweises‹ s. o. zu 54,20.

88,2 f. »Die Tendenz, Müntzer auch bei Gelegenheit des Weimarer Verhörs als Maulhelden darzustellen, der sich im Ernstfalle[!], als Feigling entpuppt, ist deutlich zu erkennen.« (Hinrichs, a.a.O., S. 78).

88,5 *were wol bestanden* = hätte standgehalten, hätte sich gut gehalten.

88,6 Schösser Hans Zeiß, Schultheiß Nickel Rückert; der letzte und die Ratsmitglieder Bosse und Reichart eröffneten Müntzer am 2. 8. auf dem Allstedter Schloß die erteilten Auflagen, Müntzer hat sie daraufhin als Verräter und Rückert als ›Erzjuden Ischarioth‹ bezeichnet (Entwurf A des Briefs an die Allstedter, Mitte August 1524, Schriften (Franz), S. 433; vgl. Hinrichs, a.a.O., S. 91; Bensing, Idee und Praxis, S. 466).

Aus dem Protokoll geht deutlich hervor, daß Schösser und Rat versuchten, bei dem Verhör Schuld und Beteiligung an den Unruhen von sich abzuwälzen und Müntzer als den eigentlichen Anstifter hinzustellen, der die Einwohner aufgewiegelt habe, so daß der Rat gezwungen gewesen sei, sich dem ›Bund‹ anzuschließen (Förstemann, a.a.O., S. 184 f.). Vgl. auch Müntzers Darstellung in ›Hochverursachte Schutzrede‹, Schriften, a.a.O., S. 342.

88,8 f. Hinrichs, a.a.O., S. 78 f., weist darauf hin, daß hier eine wichtige Tatsache indirekt mitgeteilt werde: Schösser, Schultheiß und Räte sind getrennt von Müntzer verhört worden.

88,11 S. o. zu Z. 2 f.

88,12 f. Diese Behauptung wird eindeutig durch den Schluß der ›Hochverursachten Schutzrede‹ widerlegt: »Do ich heymkam von der Verhörung zu Weynmar, meynte ich zu predigen das ernste wort Gottes.« (Schriften, a.a.O., S. 342). In Weimar selbst zeichnete sich für Müntzer also keineswegs die Konsequenz ab, seine Tätigkeit in Allstedt beenden zu müssen, erst die in Allstedt eröffneten Auflagen und die Haltung des Rats nötigten ihn zu diesem Schluß (s. o. zu 87,35 f.). Vgl. auch den Brief an Kurfürst Friedrich vom 3. 8. 1524, wo von einem Weggang aus Allstedt keinerlei Rede ist (Schriften, a.a.O., S. 430 ff.).

88,15 *gescholten* – s. o. zu 84,25.

88,16 *bestanden* – s. o. zu Z. 5.

Vermutlich liegt auch in dieser Darstellung eine Übertreibung, obwohl sie Müntzers Überzeugung, in Weimar seinen Standpunkt behauptet zu haben, richtig voraussetzt.

88,19 f. Hier versucht Agricola sogar, den früheren Freund als der Bibel unkundig hinzustellen, obwohl er doch allein schon aus dem persönlichen Briefwechsel sehr genau wußte, wie belesen und in theologischen Fragen gelehrt Müntzer war. Bei der Diffamierung des toten Widerparts schreckt Agricola also vor kaum einer verleumderischen Erfindung zurück, so unglaubwürdig diese auch im Rahmen der gesamten lutherischen Kampagne gegen Müntzer sein mochte (vgl. z. B. o. 28,18 u. Erläuterungen dazu).

thor boden – wohl statt ›Torbogen‹.

88,21 *erstummet* = verstummte.

88,25 Lk 21,15.

88,26 *aussreden* = Beredsamkeit (vgl. Boehmer, Studien, S. 18 Anm. 9).

88,27 f. Mt 10,20.

88,30 *Thumherren* = Domherren, Chorherren (Canonici – GrWb).

88,31 *belachten yhn* = lachten ihn aus.

88,32 *Schlungkenhagen* – wohl fiktiver Ort (Boehmer, Studien, S. 19

Anm. 10, rechnet den Ausdruck zu den sprichwörtlichen Redensarten).
kirben = Kirchweih(fest).

88,37 *schaffhausen* – Deutliches Wortspiel zu Z. 34.

88,38 S. o. zu 87,21 f.

88,39 *schal* = unlustig, fade, kümmerlich.

88,40 *ein bein schutteln* – Könnte sich auf die Stelle Mt 10,14 beziehen. Als Redensart nicht nachzuweisen.

89,1 *bossen gerissen* = einen üblen Scherz treiben (eigentl. ›getrieben haben‹).

89,2 *wol bestanden* – s. o. zu 88,5.

89,2 ff. Eine neuerliche ›Schauergeschichte‹ Agricolas, diesmal erhöhter Glaubwürdigkeit wegen dem ›Schwärmer‹ in den Mund gelegt (vgl. Steinmetz, Müntzerbild (1971), S. 84 f.).

89,3 *auff dem thurm* – Müntzer wohnte ›angeblich‹ im Turm der St.-Wigberti-Kirche in Allstedt (Bensing, Thomas Müntzer (1965), S. 49).

89,6 ff. Agricola spinnt deutlich lutherische Unterstellungen bei Müntzers Offenbarungsverständnis aus (s. o. zu 3,25 ff., 33 f.; 31,2 ff.; 52,15 ff.).

89,11 f. Vgl. o. 31,2 ff.

89,12 ff. S. o. zu 3,15 ff., 32; 42,2 f.

89,15 Hebr 1,1 f.

89,17 *leher* = Lehre.

89,19 f. *verwunderung* – s. o. zu 45,2.

89,20 *studirung* – s. o. zu 45,2.
langweil – s. o. zu 45,2 f.
Hier ist die Übereinstimmung mit Agricolas ›Auslegung des 19. Psalm‹ so offenkundig, daß die Annahme der Autorschaft Agricolas für die vorliegende Schrift stark gestützt wird.

89,21 f. Die sog. ›Fürstenpredigt‹, s. o. zu 11,21 ff.; 4,6 ff.; bes. 14,25. »Es ist uns keine Zeile darüber überliefert, welchen unmittelbaren Eindruck Müntzer mit seiner für fürstliche Ohren gewiß merkwürdigen Predigt auf seine Zuhörer gemacht hat. ... Gewiß scheint jedenfalls, daß kein Wort der Mißbilligung gefallen ist.« (Hinrichs, Luther, S. 64).

89,22 *gescholtten* – s. o. zu 84,25.

89,23 *seltzam* = selten (also: ›es geschieht den Fürsten nicht selten‹).

89,25 *auf selbig mall* = bei dieser Gelegenheit, sofort.

89,25 f. *kalck in die kurschen geben* = Kalk in die Pelzröcke streuen (im Sinne von ›hart zusetzen, scharfe Worte ins Gesicht sagen‹).

89,26 f. Vgl. Auslegung, Schriften (Franz), S. 261.

89,29 f. *ein zechen borgen* = etwas anstehen lassen (d. h. hier: ›die Vergeltung aufschieben‹).

89,33 ff. S. o. zu 38,10 ff., 13 ff.

89,34 *schendet* = schmäht; verleumdet.

89,35 f. 2. Mos 22,28.

89,36 *uneher* = Unehre, Kränkung, Schmach.

89,37 *reverentz* = Verehrung, Ehrerbietung.

89,38 *administration* = Verwaltung ihres Amtes, ihrer Aufgabe (die ihnen von Gott übertragen ist).

89,39 *zulegen* = zugeben, zugestehen, in ... zustimmen.

89,40 *halt* – s. o. zu 80,9.

90,2 *gehalten* = verhalten.

90,3 ff. Die Episode ist durch nichts belegt; Müntzer floh am 7. 8. 1524 aus Allstedt (s. o. zu 32,15).

90,4 *krebs* = Brustharnisch.
helbarthen = Hellebarde, Spieß mit Beilschneide.

90,9 Zu der angeblichen Charakterisierung der ›Schwärmer‹ durch ›lange Bärte‹ s. o. zu 30,14.

90,13 *altvetter* = Patriarchen.

90,15 Ri 16,17.

90,15 f. *Semper sane* – Könnte den Sinn von ›nur immerzu‹ haben oder auch eine Verstärkung von ›sane‹ = ›allerdings, fürwahr‹ sein.

90,21 *gan* = gönnt.

90,23 Zum Allstedter ›Bund der Auserwählten‹ s. o. S. 108.
halt – s. o. zu 80,9.

90,26 *nachsagen* = weitersagen, (hinter eines Rücken) verbreiten.

90,27 *heindt* – s. o. zu 21,28.
Indirekt sucht Agricola auch noch den Eindruck zu erwecken, als seien Müntzers Anhänger bestechlich; das soll natürlich auf Müntzer zurückfallen.

90,28 ff. Die Namen stimmen nur zum Teil mit den im Verhörsprotokoll von Müntzers Vernehmung aufgeführten überein. Dort werden genannt: Barthel Krumpe, Barthel Zimmermann, Peter Wermut (Warmuth), Niklas Rukker, Andreas Krumpe, Bischof zu Wolferode; Hans Rodemann, Peter Schütz (Schutze), Peter Behr, Tilo Fischer, Tilo Banse, Peter Rodemann (Schriften (Franz), S. 548. Über die Einschätzung dieser Angaben s. o. zu 41,13 f. Zu Barthel Krumpe s. Bensing, Thomas Müntzer (1966), S. 254; zu Peter Behr s. AGBM II, S. 453, 470; zu Barthel Schramm s. AGBM II, S. 470.

90,32 S. o. zu 30,14.

90,33 *weil das wasser vber die körbe wolt gehen* – weil die Not groß wurde (Götze).

90,34 *furgeben* – s. o. zu 82,16.

90,35 f. *ynns werck fürhen* = in die Tat umsetzen.

90,37 *stock narren* = Erzdummköpfe (Götze).

90,38 *ansteth* = zum Stand kommt, stillsteht (GrWb) (im Sinne ›das zu nichts führt‹?).

91,2 f. Hier eine indirekte Bestätigung für die Niedermetzelung der Aufständischen bei und in Frankenhausen und für die Verfolgung bzw. Hinrichtung der meisten Entkommenen sowie der mittelbar Beteiligten (vgl. die Verhörsprotokolle in AGBM II, S. 452 f., 464, 470, 651 f., 713 f., 718 f., 752 ff., 757 f., 761 ff., 827 f. 828 f. u. ö.).

91,3 Zu Bastian Lorenz vgl. die Notiz AGBM II, S. 726, und Bensing, Thomas Müntzer (1966), S. 254.

91,4 Zu Barthel Schramm vgl. o. zu 90,28 ff.

91,6 *sie hatten nißwurtzel gessen* – ›Nieswurz(el)‹ (von Helleborus und Veratrum) wurde gepulvert als starkes Niesmittel genommen und sollte gegen ›Wahnsinn‹ gehlfen, wurde außerdem als Brech- und Purgiermittel gegeben, unter anderem gegen ›Melancholie‹ (GrWb).

91,7 *schnauden* = Schnupfen (vgl. Boehmer, Studien, S. 18 Anm. 9).

91,8 f. Noch am 19. 6. 1525 berichtete der Befehlshaber in Allstedt, Bernhard Walde, an die kursächsischen Räte: »Es [ist] hoech von nöten, straeff vorzuwenden, den Munczers geist regirt noch gwaldig. Whu dem mit gesteuert, ist zu besorgen, das di letzten ding so irig werden als di ersten.« (AGBM II, S. 495).
Zu Luthers Zeugnissen über das Fortleben des ›Müntzerischen Geistes‹ vgl. Steinmetz, Müntzerlegende, S. 41 ff.; ders., Müntzerbild (1971), S. 27 ff.

91,10 *reder* = Räder (bezieht sich auf die Hinrichtung durchs Auf-Das-Rad-Flechten).

91,11 f. Der Schösser Hans Zeiß hatte an Herzog Johann berichtet, beim Aufruhr in Allstedt am 13. 6. 1524 seien auch »etlich durstig Weiber sambt Jungfrauen« bewaffnet gewesen »mit Mistgabeln und dergleichen«. Müntzer habe aber den Befehl dazu nicht gegeben. (Franz, Quellen, S. 486; dazu Hinrichs, Luther, S. 26 f.).

91,16 *noch* = dennoch.

91,18 *gemeinen man* = gewöhnlichen Leuten, Volk.

91,19 *grossen Hansen* – s. o. zu 22,16.

91,20 *grob* – s. o. zu 31,11.
Der Vorwurf, Müntzer habe sich mit dem ›Pöbel‹ eingelassen, schon bei Luther (s. o. 4,10 ff.) und dann bei Melanchthon (s. o. 31,21 ff.; 32,25 ff.). Die theologische und vor allem die historische Interpretation von Müntzers Hinwendung zum ›Volk‹ ist umstritten – s. o. S. XXII ff.

91,23 ›Schriftgelehrte‹ ist der pejorative Ausdruck Müntzers für die Prediger und Theologen, die sich an die Bibel als die abgeschlossene Offenbarung halten (s. o. zu 19,7; 9,18; 63,16; 31,6). Spillmann, Wortschatz, S. 192, zählt 47 Belege (vgl. S. 65, 70, dort einige Stellenangaben.

91,23 f. S. o. zu 89,21 f.

91,24 *lernt* – s. o. zu 46,16.

91,25 f. Hier soll der Eindruck entstehen, Müntzer habe durch seine ›teuflische Verführungskunst‹ seine Anhänger dazu gebracht, wider besseres Wissen ihm zu folgen.

91,31 f. *Schlunckenhausen* – s. o. zu 88,32.

91,32 f. Die Verleumdungen sollen um so glaubwürdiger wirken, weil sie nun der ›Schwärmer‹ vorbringt. Müntzer ›Trunkenheit‹ vorzuwerfen, ist angesichts seiner Vorwürfe gegen die Pfaffen und falschen Prediger mit ihrem ›Saufen‹ ziemlich grotesk (vgl. o. zu 9,18; 62,4).

91,38 *fressige* = gefräßige (d. h. ›voller Wohlleben‹).

91,38 f. *schleiffet* = (heran)schleppt.

92,1 ff. Zum Vorwurf, Müntzer habe auf Kosten der Allgemeinheit ein Wohlleben geführt, s. o. zu 33,1 f., 22 f.; 32,32.

92,2 *halt* – s. o. zu 80,9.

92,3 Wie der ›Wagenknecht auf dem Weimarer Schloß‹ in Allstedt die angebliche Völlerei Müntzers gesehen haben will, ist eine der vielen Ungereimtheiten in Agricolas Erfindungen (s. o. zu 87,40 ff.; vgl. auch Steinmetz, Müntzerbild (1971), S. 85).

92,5 f. Vgl. Müntzers Briefe an die Hallenser, 19. 3. 1523, Schriften (Franz), S. 387 f., und an Christoph Meinhard, Nov. 1524, a.a.O., S. 449 f.

92,7 f. Dies steht in krassem Widerspruch zu Müntzers Bestrebungen, wie sich zum Beispiel aus dem Vorwurf Müntzers an die Mühlhäuser erkennen läßt, der Aufstand sei gescheitert, weil »eyn yder sein eygen nutz mehr gesucht dan dye rechtfertigung der christenheyt.« (17. 5. 1525, Schriften, a.a.O., S. 473).

92,9 Zum ›Zug durch das Eichsfeld‹ s. o. zu 19,36.

92,10 Daß der ›Schwärmer‹ sich hier selbst widerspricht (s. o. Z. 2)., ist ein erneuter Beleg dafür, wie hier die ›Fakten‹ zur Verleumdung Müntzers zusammengedichtet werden. Die Achtlosigkeit kann auch Boehmers These stützen, Agricola habe die Schrift, »wie es seine Art war, rasch hingeworfen« (Studien, S. 3).

92,13 *ließ ym . . . nach* = gestand ihm . . . zu.

92,15 *kaseln* = Meßgewänder.
Vgl. die Fragen in den Verhörsprotokollen verschiedener am Aufstand Beteiligter, AGBM II, S. 713 f., 718 f., 757 f., 761 ff., 827 ff. u. ö. – in keinem der Protokolle findet sich auch nur eine Andeutung davon, daß Müntzer Beutegut für sich behalten habe. Die hier Müntzer nachgesagten ›Bereicherungen‹ sind teilweise für andere Aufständische in den Protokollen belegt.

92,16 *koller* = westenartige Oberkleider, Jacken (Götze).

92,17 f. S. o. zu 82,24; 87,3 (Verzeichnis einiger Klöster in AGBM II, S. 512 ff., 523 ff.).

92,20 *Scharpffenstein* – Scharfenstein (Kreis Worbis), in der Nähe des Klosters Reifenstein auf dem Eichsfeld. Heinrich Pfeiffer, zunächst Mönch in Reifenstein (s. o. zu 33,24), hatte 1521 das Kloster verlassen und war Kaplan auf dem Schloß geworden (Franz, Bauernkrieg, S. 250). Über die Plünderung Scharfensteins ist in AGBM kein Dokument vorhanden.

92,30 Über die Behauptung vom ›Mordbrennen‹ s. o. zu 18,10; Textparallelen z. B. 11,15 ff.; 14,21 ff.

92,32 *schlangen buchssen* – s. o. zu 83,4.

gesteubt – wohl von ›stäupen‹ = ›strafen, züchtigen, treffen‹.

92,36 f. Im Verlauf des Aufstandes wurden vielfach auch die Viehbe-
stände der Klöster zum Beutegut genommen (z. B. Kloster Volkenrode,
wo im Schadensverzeichnis behauptet wird, die Bauern hätten »2000
Schafe mit der Wolle« genommen, AGBM II, S. 524; ähnlich Kloster
Beuren, Kloster Worbis, a.a.O., S. 526). In Mühlhausen war nach der
Einsetzung des ›Ewigen Rates‹ im März 1525 (s. o. S. 119 f.) die Schä-
ferei des Klosters Pfaffenrode konfisziert worden; die Schafe wurden
verteilt (Bensing, Thomas Müntzer (1966), S. 79 f.).

92,39 S. o. zu 83,11.

sichtlichen = sehenden.

93,1 ff. Der Stadtrat von Mühlhausen finanzierte u. U. aus dem Erlös des
Beuteguts die Versorgung der Armen in der Stadt (Bensing, a.a.O.,
S. 80). Von einem ›Fonds‹, den Müntzer hätte anlegen lassen, ist nichts
bekannt.

93,4 ff. Erneut soll hier Müntzer, als dem ›falschen Propheten‹ mit seinen
›teuflischen Verführungskünsten‹, die gesamte Schuld am Aufstand zu-
geschoben werden. S. o. zu 28,1.

93,10 *gegrundet ist* = festen Grund hat (in).

93,12 *vor yhm* = für sich.

93,12 f. S. o. zu 81,24.

93,14 f. Müntzer wurde 1514 vom Rat der Altstadt von Braunschweig
für eine Altarpfründe an der St.-Michaels-Kirche vorgeschlagen. Damals war Müntzer in Halberstadt als Pfarrer tätig (Wehr, Thomas
Müntzer, S. 18; Bensing, Thomas Müntzer (1965), S. 23). Ob Müntzer
in Braunschweig selbst sich längere Zeit aufgehalten hat, ist unsicher.
»Lediglich aus einer Quelle könnte geschlossen werden, daß Thomas
Müntzer 1518 bis zum Frühjahr 1519 an der Martinsschule in Braunschweig gewirkt hat, mit deren Rektor er im Juni 1517 korrespon-
dierte. Auch aus Braunschweig soll er vertrieben worden sein.« (Ben-
sing, a.a.O., S. 25 f.; vgl. Schriften (Franz), S. 553, 347 f.).
Über Müntzers Aufenthalt in Zwickau s. o. zu 3,11.
In Prag hielt sich Müntzer Juni 1521 bis gegen Ende dieses Jahres auf;
Markus Stübner (s. o. zu 3,11) begleitete ihn auf der Reise. Müntzer
hat in Prag gepredigt und im November das ›Prager Manifest‹ in vier
Fassungen geschrieben (vgl. Schriften, a.a.O., S. 491 ff.), »von denen
allerdings nicht bekannt ist, ob sie jemals veröffentlicht worden sind.«
(Bensing, a.a.O., S. 41). Kurz darauf wurde Müntzer aus der Stadt
verwiesen (s. Bensing, a.a.O., S. 39 ff.; weiterhin Vaclav Husa: To-
máš Müntzer a Čechy. In: Rozpravy Československe Akademie Ved.
Ročnik 67,11. 1957 (mit deutscher Zusammenfassung S. 107–121)).

93,15 Zu Müntzers Tätigkeit in Halle s. o. zu 41,6 f.

93,16 *ertzbube* = übler Schurke, Übeltäter.

Die Gründe für Müntzers Vertreibungen oder den freiwilligen Ortswechsel waren sehr unterschiedlicher Art; bis 1521 wurde er mehrfach vertrieben, weil er einen lutherischen Standpunkt vertrat, danach wohl auch wegen der zunehmenden Differenzen mit den Wittenbergern und deren Anhängern (vgl. Bensing, a.a.O., S. 25 ff., 43 ff.).

93,17 f. ApG 9,25.

93,18 *geliden* = gelitten (zu Mützers ›Leidenstheologie‹, s. o. zu 3,21 ff., 33 f.; das ›Leiden um des Evangeliums willen‹ wird von Müntzer in einem viel zu wenig beachteten Brief an die verfolgten Christen zu Sangershausen von Mitte Juli 1524 behandelt, wo sich überraschend ›lutherische‹ Passagen finden – Schriften, a.a.O., S. 411 ff.).

93,23 f. Die Müntzerische Hochachtung vor der ›Empfindlichkeit‹ der ungelehrten Leute kehrt hier, paradox gegen Müntzer gewendet, wieder (s. o. zu 56,20; 84,17 f.; vgl. die Stelle 91,17 ff.).

93,32 ff. S. o. zu 86,22 ff.

93,36 Röm 13,2.

93,37 Lk 12,4 f.

94,2 *den den den* = denn den, den (emphatische Verdoppelung).

94,4 *gewissen* – s. o. zu 83,32.

94,4 ff. S. o. zu 86,22 ff.

94,9 *zeitliche* – s. o. zu 86,15.

94,20 *toppeln* = Würfelspiel, Glücksspiel spielen.

94,22 *zeuge* = auf meine Kosten anschaffe, mir verschaffe.

94,24 *pireth* = Barett.

mit muscheln – Zu denken ist entweder an ›metallenen‹ Zierrat‹ (GrWb ›muschel‹ 3 a), der auf das Barett aufgenäht war, oder an wertvolleren Stoff, in den das Bild von Muscheln eingewebt oder aufgedruckt war (Muschelatlas, Muscheltaffet) und aus dem das Barett verfertigt war (vgl. GrWb ›muschel‹ 3 g). Letztes liegt näher, da es dem ›dritten Stand‹ verboten war, Baretts aus wertvolleren Materialien zu tragen (s. die Lit. u. zu Z. 27 ff.). Nicht in Frage kommt der ›Muschelhut‹, an dem zum Zeichen der Pilgerschaft eine Muschel befestigt war (GrWb).

94,25 *mit bunten ermeln* – Dies dürfte sich auf die nach 1520 aufgekommene Mode beziehen, die Ärmel von Jacken usw. aufzuschlitzen und mit farbigen Stoffen zu unterlegen; in der Regel wurde dazu bunte Seide verwandt. Der Gebrauch eines derartigen Stoffes war dem ›dritten Stand‹ generell verboten (s. u. zu Z. 27 ff.); mit der Reichsordnung von 1530 wurde den Bürgern und Bauern auch ausdrücklich untersagt, geschlitzte und farbig unterfütterte Kleidungsstücke zu tragen. L. Bartsch: Sächsische Kleiderordnungen aus der Zeit von 1450–1750. Bericht über die Königliche Realschule I.O. nebst Progymnasium zu Annaberg. Nr. 39, Annaberg 1882. S. 1–28, und Nr. 40, Annaberg 1883, S. 1–40. Hier Nr. 39, S. 15 f. Noch in der sächsischen Kleiderordnung von 1612 wurde den Bauern verboten, Ärmel aus anderem Tuch als das Kleidungsstück im übrigen zu tragen: »So sollen sie sich auch ingleichen der weiten schwäbischen odern andern zeugs Ermel enthalten.« Policey Vnd Kleider Ordnung / Des Durchlauchtigsten / Hochgebornen Fürsten vnd Herrn / Herrn JOHANNS GEORGEN / Hertzogen zu Sachsen / . . . Leipzig 1612. fol. f iij[r].

94,26 *gemeinen* – s. o. zu 91,18.

94,27 ff. In den Kleiderordnungen des Spätmittelalters und der Neuzeit war den Mitgliedern der Gesellschaft sehr geanu vorgeschrieben, was sie tragen und womit sie sich schmücken durften. Mit Beginn des 16. Jahrhunderts werden auch die zu verwendenden Stoffe angegeben; daß dabei die Masse der Bevölkerung ausdrücklich auf heimische Tuche verwiesen wird, hat unmittelbar wirtschaftliche Gründe. Vgl. dazu Mechthild Curtius / Wulf D. Hund: Mode und Gesellschaft. Zur Strategie der Konsumindustrie. Frankfurt/M. 1971 (Modelle für den politischen und sozialwissenschaftlichen Unterricht 12). S. 27 ff.; dort auf S. 32 der Verweis auf Liselotte Constanze Eisenbart: Kleiderordnungen der deutschen Städte zwischen 1350 und 1700. Berlin/Frankfurt/M. 1962, wo der angedeutete Sachverhalt ausgeführt ist.

In den Kleiderordnungen noch des 16. Jahrhunderts wird die Bevölkerung in drei ›Stände‹ eingeteilt, wobei der Adel und die Gelehrten ausgeklammert sind. In den ersten Stand gehören »Amptsvorweser . . ./ Schösser / Schultheiß / Gleitzleute / Zehender / Bürgermeister / Richter / Schöppen / Ratspersonen / müntz und Bergkmeister / . . . Stadschreiber / Schulmeister / . . . Buchdrücker« (Des Churfürsten zu Sachssen etc. Vnd Burggrauen zu Magdeburg / LandsOrdenung: Von vbermessiger Kleidung / geschmuck / vnd beköstigung der Hochzeiten / Kindtauffen / vnd anderer Gastereien halben. [o.O. 1546] fol. A ij[r]). Dem zweiten Stand werden zugeordnet »gemeine Bürger / Handwercksleute / Kramer / Einwohner / Baccalaurien ausserhalb der Universitet / Buchdruckers Gesellen / Steinmetzen / Vorstedter« usw. (a.a.O., fol. A iij[v]). Den dritten Stand machen aus: »Pawern / Taglöner / sampt jhren Weibern / Kindern / Knechten / und Megden.« (a.a.O., fol. A iij[v]). Diesem letzten Stand nun ist vorgeschrieben: »Der dritte Stand / sol kein ander Tuch oder gewand zu Röcken / Hosen / Wammes / oder andern kleidungen tragen / denn das in unsern / und unsers freundlichen lieben Vettern und Bruders / Herrn Moritzen / Herrn Johans Ernsten / und Herrn Augusten / Hertzogen zu Sachssen / etc. Landen gemacht wird. Darzu mögen sich auch von grober leinwand kittel tragen. Unnd sollen die Röck und kittel dieses Baurn Stands / nicht mehr denn drey oder vier falten / haben.« (a.a.O., fol. A iij[v] f.). Und über die Baretts heißt es: »Der dritte Stand / Sol keine auslendische Pareth oder Schleplein tragen / Aber ein gering wüllen Schleplein / uber drey groschen nicht wirdig / auch ein scheffene Mützen / Filtz oder Schaubhut / Und nichts höhers mögen sie wol tragen.« (a.a.O., fol. A iv[r]). Vgl. auch Otto Clemen: Eine Leipziger Kleiderordnung von 1506. In: Neues Archiv für sächsische

Geschichte und Altertumskunde. Dresden 1907. S. 305–320. Hier bes. S. 309.

Der Vorwurf der zu teuren Kleidung, den der Bauer in Agricolas Text erhebt, bezieht sich also auf die genauen Wertangaben für die zugelassenen Kleidungsstücke, wie sie in den Kleiderordnungen vorgeschrieben waren. Verstöße wurden übrigens mit empfindlichen Geldstrafen geahndet.

94,27 *billich* = gerechterweise, verdientermaßen.

94,28 f. *scheffel drescher* – (›Scheunendrescher‹) ein Mann, der größere Mengen Getreide drischt, als gewöhnlich ist (GrWb).

94,30 ff. Die Bestätigung der sozialen Schichtung durch die Kleidung wird vom Altertum an so selbstverständlich vorausgesetzt, daß sie immer wieder zur Verdeutlichung der gesellschaftlichen Hierarchie überhaupt benutzt wurde, zum Beispiel in der Begründung der rhetorischen und poetischen Stillehre – bis ins 18. Jahrhundert hinein erläutern die Rhetoren und Poetiker immer wieder die Entsprechung von Stilhöhe und Publikum, behandelten Figuren oder dramatis personae durch die Konkretisierung der Standesunterschiede in der Kleidung. Vgl. dazu etwa Ludwig Fischer: Gebundene Rede. Dichtung und Rhetorik in der literarischen Theorie des Barock in Deutschland. Tübingen 1968 (Studien zur deutschen Literatur Bd. 10). S. 99 ff.

94,30 *vergleichet* = gleich macht, gleichstellt.

94,32 *itzlicher* = jeglicher.

pöffel – Hier Sing., also ›einfacher, kleiner Mann‹.

94,33 *ein puntten ermel* – s. o. zu Z. 25.

94,36 *zu fall* – s. o. zu 82,21.

verhanden hab = bei der Hand ist(?), sich damit zu schaffen macht(?) (= ›vorhanden‹); beabsichtigt, in Sicht hat(?) (= ›fürhanden‹).

94,38 *auffsehen* = Obacht.

94,39 f. Hiob 12,21.

95,2 *eines fingers lang* – die Länge eines Fingers, so lang wie ein Finger. *nach gibt* = zugibt, zugesteht.

95,4 ff. Auch hier wiederholt Agricola Luthers Argumentation, vgl. ›Von weltlicher Obrigkeit . . .‹, WA 11, S. 250 ff.

95,5 *dorffen* = bedürfen, brauchen.

95,10 1. Sam 8,10 ff.

95,15 f. Vgl. bei Müntzer ›Ausgedrückte Entblößung‹, Schriften (Franz), S. 275, 289; auch den Brief an Zeiß, 2. 12. 1523, a.a.O., S. 398.

95,17 *gemein* – s. o. zu 91,18.

95,18 *schirmen* = parieren (beim Fechten), verteidigen. Nach Boehmer, Studien, S. 19 Anm. 10, sprichwörtlich, ebenso wie die folgende Sentenz.

95,19 *vorhin* – s. o. zu 4,5. *böse* = schlecht, schlimm.

95,19 f. *yn die augen stauben* – Bildlich besonders vom Teufel, der ›Mord und Blindheit in die Augen staubt‹ (GrWb).

95,23 *new Testament* – Bezieht sich wohl auf Luthers Übersetzung, die zuerst im September 1522 erschien und im Laufe von zwei Jahren 14 Auflagen in Wittenberg und 66 Nachdrucke an anderen Orten erfuhr.

95,24 *doctor Lang* – Johann Lang (ca. 1483–1548), Pfarrer in Erfurt, Freund Luthers; ehemals Prior der Augustiner-Eremiten in Erfurt. Lang heiratete 1524 »die Witwe des Weißgerbers Heinrich Mattern« (Franz, Schriften, S. 406 Anm. 1); im Zusammenhang damit schrieb ihm Müntzer einen Brief, was darauf schließen läßt, daß die beiden Männer miteinander bekannt waren (vgl. auch Brief an Zeiß, 22. 7. 1524, Schriften, a.a.O., S. 420; der Brief an Lang ca. 25. Juni 1524, a.a.O., S. 406 f.).

95,27 S. o zu 80,10.

95,28 *barbirer* – Der ›Barbier‹ war zugleich Wundarzt. Ein hübscher Beleg findet sich z. B. in »Eygentliche Beschreibung aller Stände auff Erden / ... Durch den weitberümpten Hans Sachsen ...« Frankfurt/M. 1568: »Der Balbierer.

> Ich bin beruffen allenthalb /
> Kan machen viel heilsamer Salbn /
> Frisch wunden zu heiln mit Gnaden /
> Dergleich Beinbrüch vnd alte Schaden /
> Frantzosen heyln / den Staren stechn /
> Den Brandt leschen vnd Zeen außbrechn /
> Dergleich Balbiern / Zwagen vnd Schern
> Auch Aderlassen thu ich gern.«   fol. O iij^v

Den Hinweis verdanke ich Herrn Escherig in Berlin.

95,29 *einigen* – s. o. zu 10,33.

95,31 *herbrig* = Herberge, Gasthaus.

95,36 *widder thun* = meinerseits (für dich) tun.

Zu ›Ein glaubwürdig und wahrhaftig Unterricht‹

Die Schrift ist am 12. Juni 1525 bei Wolfgang Stöckel in Leipzig in den Druck gegangen (s. das Datum am Schluß, 105,10 ff.; dazu Steinmetz, Müntzerbild (1971), S. 89 Anm. 3 – dort weitere Literaturverweise). Sie stammt aus dem Umkreis der Kanzlei des Herzogs Georg von Sachsen, also aus dem katholischen Lager, und ist nicht nur gegen die ›Schwärmer‹ und die aufständischen Bauern, sondern indirekt auch gegen die Wittenberger gerichtet. »Kaum daß Müntzer besiegt und hingerichtet war, eröffnete auch das katholische Lager den publizistischen Feldzug. Der Schlag gegen den Aufrührer Müntzer sollte und mußte den Erzketzer von Wittenberg treffen.« (Steinmetz, a.a.O., S. 89). Dies zeigt sich deutlich an mehreren Stellen (etwa 102,19 ff.; 105,4 f.).

Am 11. September 1525 wurde ein zweiter Druck der Schrift fertiggestellt, womöglich in Straßburg (s. Steinmetz, a.a.O., S. 90 Anm. 3 – dort die Belege): »Ein glaubwirdige vn̄ war ‖ hafftige vnderricht Wie die Düringschē ‖ buwern vor Frankenhausen / vmb ir ‖ mißhandlung gestrafft / vn̄ bei ‖ de stett. Mülhusen vnnd ‖ Frankenhusen ero- ‖ bert wordē. 1525.« Abgesehen von Veränderungen im Lautstand folgt dieser Druck dem ersten sehr genau und enthält nur ganz wenige kleine Abweichungen (z. B. 98,25; 104,26).

Ein auszugsweiser Neudruck der Schrift findet sich bei Gustav Droysen (Hrsg.): Peter Haarers Beschreibung des Bauernkriegs 1525. Nebst einem Anhang: Zeitgenössisches über die Schlacht bei Frankenhausen. Halle/Saale 1881. S. 10–15 (s. Steinmetz, a.a.O., S. 90 Anm. 3).

Die Kanzlei Herzog Georgs dürfte auch der Herkunftsort von Müntzers ›Bekenntnis‹ sein, das »Ende Mai oder Anfang Juni 1525 von Wolfgang Stöckel in Leipzig oder Eilenburg gedruckt wurde.« (Steinmetz, a.a.O., S. 96 – auf den folgenden Seiten ausführliche Darstellung und Diskussion der Forschungsliteratur; der Text in Schriften (Franz), S. 544 ff., S. 543 f., die Drucknachweise und weitere Erläuterungen).

98,2 *umb* = um ... willen, wegen.

98,6 Hier zitiert der Verfasser aus den pseudo-catonischen Disticha, die seit dem Ende des 15. Jahrhunderts in vielen Übersetzungen verbreitet waren. Ich zitiere den fraglichen Vers nach »Catho in Latein: durch Sebastianum Brant geteuscht.« Nürnberg (Hieronymus Hölzel) 1507. fol. A iiijᵛ:

> »Rara fides ideo est: quia multi multa loquuntur
>
> ...
>
> Selten ist glaub / er felt bey weyl
> Dann vil leüt müssen reden vil.«

Den Hinweis verdanke ich Herrn Worstbrock in Berlin.

98,7 f. *zu zulegen* = hinzuzufügen.

98,8 *abzubrechen* = abzuziehen, wegzunehmen.

98,9 Hier dürfte ein Hinweis auf den Zeitpunkt der Abfassung der Schrift vorliegen; sie wäre demnach in der ersten Juliwoche geschrieben, da die Schlacht am 15. 5. stattfand (s. o. zu 34,33).

98,11 f. Zu dieser Stelle vgl. Steinmetz, Müntzerbild (1971), S. 90.

98,14 *unchristlichen* – Der zweite Druck hat hier ›christlichen‹, was sicher ein Druckfehler ist.

98,15 *versprechen* = tadeln, schmähen.

98,21 ff. Möglicherweise ist hier ein Hinweis darauf enthalten, daß Herzog Georg, der an der Schlacht beteiligt war (s. o. zu 34,10 f., 26 f.), die Abfassung nicht nur veranlaßte, sondern selbst zumindest die Grundzüge skizzierte.

98,23 *gedechtnis* = Erinnerung.

handel = Angelegenheit, Vorfall, Ereignis, Auseinandersetzung.

98,25 *Örstlich* = erstens, zuerst.

Montzer – Hier schiebt der zweite Druck hinter ›Müntzer‹ eine Klammer ein: »(nest predicāt gewesen zu mülhausen)«.

98,28 f. S. o. zu 3,11; 93,14 f.; 41,6 f.; ferner S. 107 f. u. 120. Die Reihenfolge der Orte stimmt mit Müntzers Weg nicht überein; ob er aus Halle ›vertrieben‹ wurde, ist nicht festzustellen (s. o. zu 41,6 f.).

98,32 *geredt* = beredet, überredet.

98,34 *abgeworffen* = abgeschafft.

Daß diese Behauptung unwahr ist, läßt sich leicht an Müntzers liturgischen Schrift ablesen (vgl. o. zu 31,22 f.). Offensichtlich wird hier die Veränderung des katholischen Ritus – zum Beispiel im Abendmahl – mit der Verwerfung jeglichen Gottesdienstes gleichgesetzt.

98,35 f. Zu den Vorgängen in Mühlhausen s. o. zu 32,26 ff., 31, 32; 33,1. 32 ff.

99,1 ff. Sittich v. Berlepsch, Amtmann zu Langensalza, hatte am 26. 9. 1524 an Herzog Georg berichtet, während der Unruhen in Mühlhausen habe ›die gemeyne … in allen kyrchen und cloestern die altaria ganz spoliert, alle tafeln und altartucher weggenommen und die reliquien, wue sye die darinne befunden, herausgenomen und schmelich gehandelt.« (Geß I, S. 748 f.).

Am 9. 1. 1525 schrieb Berlepsch an Herzog Georg über die erneuten Unruhen in Mühlhausen: »Darnegst hat der gemeyne hauf, dem alle mutwillige, die andern enden verwirkt und hineingelofen sind, anhangen, closter und kyrchen zun barfüßern, predigern und das jungferncloster, ufm Brugkenhoff genant, ufgestoßen, tore, tafeln, bilde und sunst alle gezierde samt den altarien zuslagen, zurbrochen und ganz vorwüst und, was darinne befunden, zu grunde weggenomen. Sollen auch mit dem h.hochwirdigen sacrament und den reliquien unchristlich, frevelhaftig, das grausam zu horen, gehandelt haben.« (Geß II, S. 7).

Die Mühlhäuser Chronik berichtet über den Bildersturm und die Plünderung der Klöster in den Weihnachtstagen 1524, weiß aber – obwohl die Darstellung außerordentlich parteiisch ist – nichts von einer ›Schändung des Sakraments‹ (vgl. den Abdruck bei Brandt, Thomas Müntzer, S. 96 f.).

Z. 2 ff. dürften also reine ›Ausschmückung‹ sein (vgl. auch das Bekenntnis des Johann Laue, AGBM II, S. 764).

99,7 Die Behauptung, die Aufständischen hätten gemordet, ist hier weit weniger als ›theologisches Axiom‹ anzusehen als in den lutherischen Pamphleten (s. o. zu 11,21 ff.; 14,23 f., 25; 18,10, 21 f.; 45,38 f.).

99,8 *nhome* = Wegnahme, Übergriff (Götze, dort ›nem(e)‹).

99,9 *sechswocherin* – Frau in den ersten sechs Wochen nach der Geburt; Kindbetterin.

99,9 f. Steinmetz, Müntzerbild (1971), S. 91, schreibt, es sei dieser Satz »nichts als eine infame Niedertracht«.

99,10 f. Daß man den Aufständischen Habsucht nachsagte, ist ein durchgehender Zug. Gewiß haben die Aufständischen Beutegut mitgenommen (s. o. zu 33,22 ff.), und gerade innerhalb des Mühlhäuser Haufens gab es schwere Auseinandersetzungen wegen der ›Lokalborniertheit‹ und des ›Eigennutzes‹ bestimmter Kräfte (s. o. zu 33,32 ff.; 34,8 f.). Müntzer hat sich stets gegen eine bloß materielle Zielsetzung des Aufstandes gestemmt, deswegen sogar die Spaltung der Mühlhäuser Insurgenten in Kauf genommen und nach der Niederlage deren Ursache eben im ›Eigennutz‹ der meisten gesehen (s. o. zu 92,7 f., 15).

99,12 Über den Allstedter ›Bund der Auserwählten‹ s. o. S. 108.

99,13 f. Über die angeblichen Schäden und Verluste der Klöster geben die Schadensverzeichnisse Auskunft; sie lassen auch Rückschlüsse auf die tatsächlichen Verwüstungen zu, obwohl die Forderungen fast stets überhöht waren (vgl. dazu Geß II, S. 245 f., gegenüber AGBM II, S. 524; s. o. zu 92,36 f.; 82,24).

99,16 f. Diese drei Grafen waren unter denjenigen, die sich mehr oder weniger gezwungen dem Aufstand anschlossen und sich deshalb später vor dem Landesfürsten Georg v. Sachsen verantworten mußten (dazu Bensing, Thomas Müntzer (1966), S. 201 f.; dort auch der Verweis auf die Aktenstücke, bes. AGBM II, S. 334, 377, 432 f.; Seidemann, Neue Mitteilungen, S. 533 ff.; Geß II, S. 155, 227, 334 ff.; Müntzers Briefe an Günther von Schwarzburg, 4. 5. 1525 und 12. 5. 1525, Schriften (Franz), S. 459, 467). Nach Niederschlagung des Aufstandes forderten die Grafen Entschädigung von den Städten und Dörfern (vgl. AGBM II, S. 434, 818, 826).

99,18 *gemeynen Adel* = niederer Adel (zumeist lehnsabhängig von den Landesfürsten).

99,19 *bestricken* = binden.

99,20 *dringen* = nötigen, zwingen.
Über die Vorgänge s. o. zu Z. 16 f.

99,21 ff. Über den ›Zug durchs Eichsfeld‹ s. o. zu 19,36; weiterhin: Reinhard Jordan: Pfeiffers und Müntzers Zug in das Eichsfeld und die Verwüstung der Klöster und Schlösser. In: Zeitschrift für Thüringische Geschichte und Altertumskunde. Bd. 14. 1904. S. 36 ff.
Schlotheim, nordöstlich v. Mühlhausen; Ebeleben, ebenfalls nö. v. Mühlhausen; Bissingen = Freienbessingen, östl. v. Schlotheim; Allmenhausen, südl. Ebeleben; Seebach, nordwestl. v. Langensalza (auch Schloß südöstl. v. Eisenach); Arnsburg, südwestl. v. Frankenhausen. Vgl. jeweils die Dokumente in AGBM II, passim.

99,23 *Eyszweld* – Eichsfeld, s. zu Z. 21 ff.

99,25 *pflucht* = Pflicht.

99,26 *guldin Bulla* = Goldene Bulle von 1356, Gesetz zur Regelung der

Wahl des deutschen Kaisers durch die Kurfürsten; hier als allgemeine Rechtsgrundlage angeführt, wie das folgende ›Keyserlicher Maiestat‹ zeigt.

99,27 f. *gemeynen* – s. o. zu 37,16.

99,28 f. *crafft beider rechten* = nach den gültigen Gesetzen des römischen und des kanonischen Rechts. Vgl. Heinrich Mitteis: Deutsche Rechtsgeschichte. München 1956; Friedrich Carl v. Savigny: Geschichte des Römischen Rechts im Mittelalter. Darmstadt 1956; Guido Kisch: Studien zur humanistischen Jurisprudenz. Berlin / New York 1972.

99,29 *acht und aberacht* – Durch die ›Reichsacht‹ wurde der von der Verfügung Betroffene im ganzen deutschen Reich für ›vogelfrei‹ erklärt, womit er jeglichen Rechtsschutz verlor; auch die Tötung des ›in die Acht‹ Getanen stand jedermann frei. Die ›Aberacht‹ war die zweite, abermalige Acht, schärfer und von höheren Instanzen ausgefertigt (vgl. Dt. Rechtswörterbuch, passim).

eyngefallen – im Sinne von ›(in die Acht) erklärt‹.

99,34 *Görigen* = Georg (s. o. zu 34,10 f., 26 f.; 98,21 ff.; s. auch S. 200 f.).

100,2 *tzuvoraus* = vor allem, an erster Stelle (GrWb).

100,4 *erhaben* = erhoben (d. h. ›aufgemacht‹, ›aufgebrochen‹).

100,4 ff. Georg begab sich in den ersten Maitagen 1525 von Dresden nach Leipzig; schon seit Anfang des Jahres hatte er versucht, Widerstand gegen die Aufstandsbewegung zu organisieren. Dies schlug nicht nur bei den eigenen Lehnsrittern und Amtsleuten fehl, sondern auch die Verhandlungen zwischen den albertinischen und den ernestinischen Räten anläßlich der Unruhen in Mühlhausen führten zu keinem Ergebnis (s. o. zu 34,10 f.; vgl. auch die Dokumente in Geß II, etwa S. 27 f., und in AGBM II, etwa S. 64 f.). Im April rief Georg erneut Lehnsadlige und Amtsleute sowie Prälaten zusammen und erreichte auch neue Verhandlungen mit den Ernestinern (vgl. Bensing, Thomas Müntzer (1966), S. 90 f.), aber erst mit der bedrohlichen Lage Anfang Mai und nach dem Tode des Kurfürsten Friedrich (4. 5.) kam es zur Annäherung und zu aufeinander bezogenen militärischen Vorbereitungen. Georg ließ am 4. 5. ein Ausschreiben an die thüringische Ritterschaft drucken (Geß II, S. 160 f.) und berief sie gerüstet für den 8. 5. nach Heldrungen. Die Werbung von Söldnern verlief schleppend und wurde im Hinblick auf den Loyalitätskonflikt der Bauern und Bürger schwierig. In einem erneuten Ausschreiben vom 8. 5. mußte Georg nochmals zur Abwehr des Aufstandes aufrufen (AGBM II, S. 237 ff.). Am 11. Mai brach Georg mit einem recht kleinen Heer aus Leipzig auf (s. o. zu 34,10 f.; vgl. Bensing, a.a.O., S. 212 ff.).

100,6 f. Bezieht sich auf die Verhandlungen mit Philipp v. Hessen, Georgs Schwiegersohn, und den Ernestinern. Zu Philipps Maßnahmen vgl. Bensing, a.a.O., S. 206 ff.; dort weitere Verweise. Bereits Mitte bzw. Ende April hatte Philipp einen ›Ratschlag‹ betreffs Maßnahmen gegen Mühlhausen gehalten (AGBM II, S. 85 f.). Anfang Mai wird die ›strategische‹ Korrespondenz dichter (s. Geß II, passim; Bensing, a.a.O., S. 208 f.).

An den Vorbereitungen der Kriegshandlungen war auch Georgs Sohn, Herzog Johann d. J., beteiligt (vgl. die Vorwürfe Georgs wegen ungenügender Werbungserfolge, Geß II, S. 182 f.).

100,8 *ungewegert* = ohne Weigerung (GrWb – Götze: ›unweigerlich‹); hier im Sinne von ›unverzüglich‹? oder nur ›freiwillig‹?
auffs furderlichst = schleunigst.

100,10 ff. S. o. zu 34,10 f.

100,12 f. D. h. 14. 5. 1525.

100,13 *nechst verschinen* = jüngst vergangen (d. h. ›am letzten Sonntag Cantate‹).

100,13 ff. Steinmetz, Müntzerbild, S. 91: »... nun folgt ein Bericht in echtem Jägerlatein.«
Georg traf erst am Vormittag des 15. Mai bei Frankenhausen ein. Das ›Scharmützel‹ hatte das hessisch-braunschweigische Heer am 14. mit den Aufständischen (s. o. zu 34,26 f.).
Es ist jedoch fraglich, ob mit ›F. G.‹ an dieser Stelle Georg v. Sachsen und nicht eher Philipp v. Hessen gemeint ist, da unten Z. 17 Georgs Ankunft richtig für den folgenden Tag angegeben ist. Steinmetz wäre dann zu korrigieren.

100,14 Zur Zahl der Aufständischen s. o. zu 34,4 f., 8 f., 26 f.

100,17 Also am 15. 5., dem eigentlichen Schlachttag.

100,18 *dis orts* – D. h. bei Frankenhausen.

100,19 f. *sticklichen* = steilen

100,20 f. Die Bauern hatten ihre Wagenburg auf dem ›Schlachtberg‹, einem Ausläufer des Kyffhäuser nördlich der Stadt, aufgeschlagen, und zwar schon vor dem 14. Mai (s. o. zu 34,26 f.). »Völlig abwegig ist die Version, wonach der Berg erst unmittelbar vor der Schlacht am 15. Mai eingenommen worden sei.« (Bensing, Thomas Müntzer (1966), S. 219).

100,21 f. Bensing schreibt (a.a.O., S. 219), der ›Unterricht‹ versuche »verständlicherweise« den Eindruck zu erwecken, »erst nach Georgs Eintreffen habe sich der Bauern Angst bemächtigt.«
Über den Verlauf der Verhandlungen s. o. zu 34,33; 37,9.

100,23 ff. Der – angeblich – genaue Wortlaut des Briefes ist nur hier überliefert; über weitere Referate, die den Inhalt bestätigen, s. o. zu 34,33.

100,24 Der Schriftverweis ist unklar; ein Bezug zur Austreibung der Händler und Wechsler aus dem Tempel läßt sich schwer herstellen (Joh 2,14 ff.). Möglicherweise ist der zweite Brief des Johannes gemeint, wo in V. 7 die Bekenntnisformel auftaucht.

100,27 *nichtzit* = nichts (im zweiten Druck ›nichtz‹).

100,31 ff. Der Brief ist ebenfalls nur hier überliefert; Landgraf Philipp referiert den Inhalt in seinem Schreiben an den Erzbischof v. Trier, 16. 5. 1525 (AGBM II, S. 305). Franz nimmt, nach Boehmer/Kirn, beide Schreiben in den Müntzer-Briefwechsel auf (Schriften, a.a.O., S. 472 f.).

100,33 *ewers felschers* – Bezieht sich wohl auf Müntzer (vgl. die Vorwürfe Luthers und seiner Freunde, o. 8,6 ff.; 24,1 ff.; 28,22 ff.; 44,19; 81,24 u. ö.).

100,34 S. o. zu 99,7.

100,35 *mißbietung* = Lästerung, Verunglimpfung.

101,2 f. *das schwert bevolhen* = die richterliche Gewalt gegeben und die Aufrechterhaltung der Ordnung anvertraut (s. o. zu 10,11).

101,5 *dafuer halten* = der Ansicht sind, meinen.

101,6 *bößlich* = böswillig, niederträchtig; verderblich, übel, schlimm.

101,7 *falschen Propheten* – s. o. zu Z. 33; vgl. zu 28,11.

101,8 *heraus antwortet* = ausliefert, überantwortet.

101,9 ff. Den Bauern wurden also keinerlei Zusicherungen gemacht; sie sollten sich der Willkür der Fürsten unterwerfen. Außerdem hatten die Aufständischen Grund, generell der Vertragstreue der Fürsten zu mißtrauen. »Müntzer hat deshalb mit Recht vor Gutgläubigkeit gewarnt.« (Bensing, Thomas Müntzer (1966), S. 225 – Verweis auf die Aussage Hans Huts vom 26. 11. 1525, AGBM II, S. 897, Müntzer habe gesagt, ». . . si solten inen kainen gelauben geben, dann si wurden inen kainen glauben halten . . .«).

101,13 ff. Die Haltung der Bauern war vermutlich keineswegs so eindeutig und einheitlich, wie hier der Eindruck erweckt werden soll. S. o. zu 34,4 f., 8 f., 14 f., 26 f., 33, 34 f.; 37,9.

101,17 f. Steinmetz, Müntzerbild (1971), S. 92, bemerkt zu dieser Passage: »So echt die Stelle von der Ablehnung des fürstlichen Ultimatums auch klingen mag, die Verheißung hat hinterher, wie sie hier gebracht wird, überhaupt keinen Sinn. Sie wirkt so, als habe Müntzer zum Dank für seine Rettung vor der Auslieferung den Bauern versprochen, die Geschosse des Feindes in seinen Ärmeln aufzufangen. Wahrscheinlich ist die Stelle der ›Schrecklichen Geschichte‹ nachgebildet, um nicht hinter dem Wittenberger Bericht zurückzustehen.« Über Müntzers angebliches Versprechen s. o. zu 24,13 f., 14 f., 16 f.

101,18 *widerteyls* = Gegners, Feindes.

101,19 *getzeld* = Zeltlager.

treyben = schießen, schicken.

101,20 ff. Die Umgehung der Wagenburg am Vormittag des 15. Mai wird hier also zeitlich einigermaßen richtig eingeordnet; sie fand während der Beratung der Aufständischen und während der Predigt Müntzers statt. S. o. zu 34,33.

101,21 *reysigen tzeug* – s. o. zu 37,14; 39,29.

101,22 *örstlich* – s. o. zu 98,25.

101,25 ff. Ob eine erneute Botschaft aus dem Lager der Aufständischen den Fürsten zugesandt wurde, ist nicht sicher zu ermitteln. Eine dritte

Verhandlungsphase (s. o. 34,33) dürfte es keinesfalls gegeben haben (vgl. Steinmetz, a.a.O., S. 92).

101,25 f. Caspar v. Rüxleben – war nach der Schlacht eine Zeitlang inhaftiert; vgl. das Entlassungsschreiben v. 7. 6. 1525, AGBM II, S. 450 (s. auch die Verhandlungen mit Frankenhausen, a.a.O., S. 819).

101,31 Wolf v. Stolberg – Sohn Botho v. Stolbergs (s. o. zu 99,16 f.); auch für ihn gilt die in der vorst. Anm. erwähnte Inhaftierung und Entlassung (vgl. auch Botho v. Stolberg an Herzog Georg, 4. 5. 1525, AGBM II, S. 196 f.; ders. an Eberhard zu Königstein, 3. 6. 1525, a.a.O., S. 432 f.; Ernst v. Mansfeld an Botho v. Stolberg, 26. 5. 1525, a.a.O., S. 377). Der Bericht über die Entsendung Wolf v. Stolbergs findet sich auch im Brief des stolbergischen Dieners Bleichenrod an seinen Bruder (nach 29. 5. 1525, a.a.O., S. 396 f.): »Uf montag darnach haben die fursten uf nechste zu den purn gezogen. Da das die purn haben gesehen, haben sie grave Wolffen mit etlichen vom adel zu den fursten geschickt, daß sies wollen zu gnaden nemen. Da die fursten haben gesehen, das grave Wolff us dem huffen komen ist, haben sie von stund an ir geschutz lassen ind purn gon und haben sie uf der stund geschlagen.« (S. 397).

Hieraus ließe sich erstens entnehmen, daß Stolberg und Rüxleben gemeinsam von den Aufständischen abgesandt wurden (so auch Steinmetz, Müntzerbild (1971), S. 93 Anm. 11), zweitens, daß die Fürsten die Antwort der Aufständischen gar nicht mehr abwarteten, sondern das Feuer in dem Augenblick eröffneten, »als die adligen Gesandten in Sicherheit waren.« (Bensing, Thomas Müntzer (1966), S. 224). S. o. zu 34,33.

101,33 *bestrickt* = gefesselt, gefangengenommen (s. o. zu Z. 25 f., 31; 99,16 f.).

101,34 *in keynen weg* = auf keinen Fall.

101,35 *zu vorn* = zuvor, vorher.

uberwunden – D. h. ›in einem Streitgespräch widerlegt‹. »Hier ist die einzige Stelle, wo davon die Rede ist, daß die Bauern eine Disputation verlangt hätten, von deren Ausgang die Auslieferung Müntzers abhängig gemacht worden wäre.« (Steinmetz, a.a.O., S. 93).

101,35 ff. Eine erneute Botschaft der Fürsten hat es mit Sicherheit nicht gegeben (s. o. zu Z. 25).

»Hans von Werther war Hauptmann des Stifts Halberstadt; von seiner Anwesenheit vor Frankenhausen ist nichts bekannt. Vielleicht liegt eine Verwechslung mit Sr. Dietrich von Werther, Rat Herzog Georgs, vor.« (Steinmetz, a.a.O., S. 93 Anm. 12). Die Angabe eines falschen Namens, der jedoch bekannt vorkommt, ließe sich aber auch als Hinweis darauf deuten, daß die Mitteilung unwahr ist und zur nachträglichen Rechtfertigung des fürstlichen Vorgehens dient, da die Namen im übrigen sehr genau wiedergegeben sind.

101,37 *tzu embotten* = wissen lassen, bestellt, mitgeteilt. S. o. zu Z. 35.

101,38 *abnhemen* = (daraus) schließen, entnehmen.

101,39 *ane not* = unnötig.

102,2 f. Bezug auf Röm 13,1 f. (s. o. zu 4,24 ff., 28).

102,5 ff. Auch hier versucht der Bericht, den Überfall der Fürsten zu vertuschen. Die Bauern befanden sich gerade nicht im Kampfbereitschaft bei ihren Stellungen. S. o. zu 37,9; 39,17 ff., 19, 20.

102,7.13 *whöre* = Wehr.

örstlich – s. o. zu 98,25.

102,8 ff. Über den Verlauf des Schlachtgeschehens s. o. zu 37,9; 39,17 ff.

102,9 *iren vorteil* – D. h. ›ihre strategisch günstige Stellung‹.

ubergeben = aufzugeben.

102,14 *auffhalter* = Unterstützung Gewährende.

102,15 f. Zur Zahl der Getöteten s. o. zu 18,18.

102,17 *wunderberlich* = auf wunderbare Weise, durch eine wunderbare Fügung.

102,17 ff. S. o. zu 39,37 ff.; 40,3, 4, 5 ff., 10 ff.

102,19 ff. Diese Darstellung stimmt mit den anderen Berichten durchaus nicht überein und ist ganz offensichtlich so geformt, um dem katholischen Lager den eigentlichen ›Erfolg‹ zuzuschanzen (s. o. zu 40,21 ff.; 41,25 ff.; Bensing, Thomas Müntzer (1966), S. 230; Steinmetz, Müntzerbild (1971), S. 93 – Steinmetz verweist auf den Brief Georgs an den Nürnberger Rat, in dem ebenfalls von der Rückkehr Müntzers zum katholischen Glauben – angezeigt im Empfang lediglich des Brotes – berichtet wird (Geß II, S. 299).

102,22 f. Reichung des Abendmahls und Hinrichtung Müntzers sind hier zeitlich falsch placiert; Müntzer wurde erst nach der Einnahme Mühlhausens im fürstlichen Lager geköpft (s. o. zu 41,24, 31 f.).

102,25 ff. Ein Verzeichnis namentlich bekannter Teilnehmer am Aufstand, die nach der Niederlage hingerichtet wurden, gibt Bensing, a.a.O., S. 265 ff. Danach wurden bei Mühlhausen außer Müntzer und Pfeiffer mindestens vier Männer geköpft, wahrscheinlich aber beträchtlich mehr (vgl. a.a.O., S. 243 Anm. 166 f.).

102,29 *umb* – s. o. zu 98,2.

verhandlung = Missetat (Götze).

102,31 f. Diese Formel – im Anschluß an Röm 13,3 – sowohl bei Luther und Melanchthon (s. o. zu 4,28; 37,26 ff.) als auch bei Müntzer (z. B. an Herzog Johann, 7. 6. 1524, Schriften (Franz), S. 405; Auslegung, a.a.O., S. 258, 259). Über die unterschiedliche Interpretation bes. Hinrichs, Luther, S. 32 ff.

102,33 Landgraf Philipp schrieb an den Erzbischof v. Trier über die Niedermetzelung der Bauern am 16. 5. 1525: »haben auch alsbald mit den unsern die statt mit dem sturme angangen, die auch erobert und was darin von mansperonen befunden, alles erstoichen, die statt geplündert und also mit der hilf gottes dies dages sieck und uberlage erlangt, des wir dem allmechtigen billich dankbar sein sollen, in verhoffen, damit ein gut werck ausgericht und vollbracht zu haben ...« (AGBM II, S. 305).

103,1 ff. Über die Aktionen gegen Mühlhausen und zur Kapitulation der Stadt vgl. Bensing, Thomas Müntzler (1966), S. 234 ff.; dort die einzelnen Angaben und Belege sowie Literaturverweise.

103,4 f. Über den Zuzug Kurfürst Johanns v. Sachsen s. o. zu 41,21 f.

103,5 *tzu embotten* – s. o. zu 101,37.

103,8 f. *unbillichen* = unangemessenen, unziemlichen.

103,9 f. Vgl. Brief Georgs v. Sachsen, Philipps v. Hessen und Heinrichs v. Braunschweig an Kurfürst Johann, 16. 5. 1525 (AGBM II, S. 302 f.), worin sie ein kursächsisches Heer unter Führung des Kurprinzen Johann Friedrich für den 22. 5. nach Mühlhausen erbitten; Antwort Johanns v. 18. 5. 1525 (a.a.O., S. 321), er wolle selbst von Weimar aus nach Mühlhausen kommen.

103,10 Schlotheim, ca. 10 km östlich von Mühlhausen (s. o. zu 41,21 f.).

103,10 f. Der Bericht gibt hier in ›verkehrter Form‹ die Tatsache wieder, daß es nach der Niederlage der Aufständischen bei Frankenhausen nicht nur und nicht einmal in erster Linie um die endgültige Zerschlagung des letzten Aufstandszentrums in Thüringen ging, sondern um das Erreichen von Machtpositionen, was zu Auseinandersetzungen zwischen dem katholischen und dem evangelischen Lager führte – »es ging um die Vorherrschaft der einen oder anderen Feudalfraktion am strategisch wichtigsten Punkt Thüringens.« (Bensing, a.a.O., S. 235 – dort auf den folgenden Seiten die ausführliche Darstellung der Ereignisse um die Einnahme der Stadt).

103,12 Rat und Achtmänner zu Mühlhausen an Kurfürst Johann, 18. 5. 1525 (AGBM II, S. 327), mit der Bitte, sich bei Herzog Georg und Landgraf Philipp für die Stadt zu verwenden.
Johann empfahl daraufhin den Fürsten, die Bitten der Mühlhäuser zu »bewegen und betrachten, was inen darauf andwort anzuzeigen.« (19. 5. 1525, a.a.O., S. 333). Am gleichen Tag jedoch kündigten alle drei Fürsten der Stadt ihren Schutz auf (a.a.O., S. 332 f.). Dazu Bensing, a.a.O., S. 235 f.

103,13 f. Die Mühlhäuser hatten sich mit der Bitte um Vermittlung an den Rat von Erfurt und von Nordhausen gewandt (vgl. die Ablehnung der Erfurter vom 18. 5. 1525, AGBM II, S. 327 f., und das Ersuchen der Mühlhäuser an die Fürsten Georg, Philipp und Heinrich, die Vermittlung anzunehmen, 21. 5. 1525, Geß II, S. 236 f.; am 22. 5. schrieben dann die Erfurter doch an die Fürsten, zusammen mit Nordhausen vermitteln zu dürfen, AGBM II, S. 350; am 24. 5. teilte auch der Rat der Stadt Nürnberg den Mühlhäusern mit, man habe bei den Fürsten Schonung zu erwirken versucht, AGBM II, S. 394 f.). Dazu Bensing, a.a.O., S. 236, 238 ff. (dort auch zu den Auseinandersetzungen innerhalb Mühlhausens, die schließlich zur Flucht Pfeiffers und seiner Anhänger führten).

103,17 f. S. o. zu 41,21 ff.

103,18 f. Bensing, a.a.O., S. 234, gibt 4000 Reiter und 8000 Knechte an.

103,20 *notturfft* = Notwendigem.

103,22 Auffällig ist das Gewicht, daß hier auf die ›Einigkeit‹ der Fürsten gelegt wird (vgl. o. zu Z. 10 f.).

103,23 *whör* – s. o. zu 102,7.

103,24 f. Zu Müntzers Zug nach Frankenhausen s. o. zu 34,8 f.

103,25 ff. Zunächst, wohl am 24. 5., zogen Mühlhäuser Frauen und Mädchen – es sollen an die 1200 gewesen sein – nach Schlotheim zum Lager der Fürsten, überreichten einen Bittbrief (24. 5. 1525, AGBM II, S. 366 f.) und suchten mit einem Fußfall um Gnade nach. »Wie der gut informierte Wolf von Schönburg berichtete, hätten die Frauen nichts ausgerichtet, weil gleichzeitig Vertreter Nordhausens mit den Fürsten verhandelten.« (Bensing, a.a.O., S. 242; vgl. Wolf v. Schönburg an Kardinal Albrecht v. Brandenburg, 24. 5. 1525, AGBM II, S. 365 f.).
Die hier im Bericht erwähnte Übergabe der Stadt erfolgte am 25. Mai, nachdem die Fürsten ihr Lager näher an die Stadt heran verlegt hatten.

103,30 Bezieht sich darauf, daß Mühlhausen freie Reichsstadt war und damit direkt dem Kaiser unterstand.

103,33 *unabbruchlich* = unbeschadet.

103,34 *gerechtigkeit* = Gerechtsame; Privilegien.
Die Fürsten konnten nicht beliebig mit der Stadt verfahren, da sie sonst befürchten mußten, mit dem Reichsregiment in Konflikt zu geraten. Kurfürst Johann hatte dies bereits in seinem Brief vom 18. 5. 1525 zu bedenken gegeben (AGBM II, S. 323). Der Kaiser hat den Sühnebrief Mühlhausens gegen die Fürsten (Geß II, S. 248 ff.) nie bestätigt, sondern verlangt, »Mühlhausen aus dem Vertragsverhältnis zu entlassen.« (Bensing, a.a.O., S. 242).

103,35 f. Die Verhandlungen der Mühlhäuser untereinander müssen vor der Übergabe der Stadt erfolgt sein, wie die Verkoppelung mit der Flucht Pfeiffers zeigt, die am 23. oder 24. Mai geschah (s. Bensing, a.a.O., S. 239).

103,37 Zu Pfeiffer s. o. S. 120 u. zu 33,24.32ff.

103,38 Daß Pfeiffer ›Statthalter‹ Müntzers in Mühlhausen gewesen sei, ist frei erfunden; im Gegenteil, die Spannungen zwischen beiden hatten sich im Verlauf des Frühjahrs 1525 so zugespitzt, daß es Ende April zum Bruch zwischen beiden kam, weshalb auch Müntzer mit nur wenigen Anhängern nach Frankenhausen zog, während Pfeiffer mit dem Großteil der Insurgenten in der Stadt blieb (s.o. zu 33,32ff.). Müntzer sah in der ›Lokalborniertheit‹ Pfeiffers und seiner Gefolgsleute einen Verrat an der Zielsetzung des Aufstandes. Das auch sonst gut belegte Zerwürfnis zwischen beiden (vgl. Müntzer an den Rat von Mühlhausen, 8. 5. 1525, Schriften (Franz), S. 462; dazu Bensing, a.a.O., S. 184 f.) wird durch die Mitteilung Herzog Georgs bestätigt, Müntzer habe auf Pfeiffers Verhaftung hin »ein sundere fraud entpfangen, mit den worten, es sey gut, das der pfeiffer gfangen, do mit dy bosheit zcu sturt werd« (an Bürgermeister und Rat zu Nürnberg, Anfang Juni 1525, Geß II, S. 298).

hinder im verlassen = (hinter sich) zurückgelassen.

103,39 f. Auseinandersetzungen zwischen radikalen und gemäßigten Kräften haben in Mühlhausen vor der Übergabe der Stadt zweifellos stattgefunden (vgl. Bensing, a.a.O., S. 238 f.).

104,2 *bösen* = Übeln.

104,3 *gekieset* = gewählt.

104,6 ff. S. o. zu 41,22 ff.; 102,25 ff. Vgl. auch Chronik der Stadt Mühlhausen, im Abdruck bei Brandt, Thomas Müntzer, S. 101 f.; Literatur bei Bensing, a.a.O., S. 239 Anm. 10. Die Chronik spricht von dreihundert Flüchtigen – »kamen ihrer wenige davon« (Brandt, a.a.O., S. 102).

104,10 ff. Diese ›Wiederholung‹ des Fußfalls der Mädchen und Frauen ist zeitlich an der richtigen Stelle placiert, gibt also den eigentlichen Ablauf wieder. Die ursächliche Verbindung mit der Reaktion auf die Flucht Pfeiffers und seiner Leute dürfte erfunden sein (vgl. Bensing, a.a.O., S. 241).

104,11 *hör* = Heer (d. h. ›Heerlager‹).

104,13 *verhör* = Anhörung.

104,14 *werbung* = Ersuchen, Anliegen; Botschaft, Antrag.

104,17 f. *in grund tzuschleyffen* = dem Boden gleichzumachen.

104,19 ff. Auch dieser Abschnitt ist eine Wiederholung, die nicht den Tatsachen entspricht (s. o. 103,25 ff.).

104,23 f. Bensing vermutet, daß Konspiratoren – unter Umständen sogar der Stadtsyndikus Dr. Johann v. Otthera, der von den Fürsten wenig später als Schultheiß eingesetzt wurde – die Flucht Pfeiffers verraten hatten, weshalb die Fliehenden so rasch (schon am nächsten oder übernächsten Tag) eingeholt werden konnten (a.a.O., S. 240).

104,26 *verbogen* – Der zweite Druck hat ›verbiegen‹; dies wäre dann eine Verkürzung von ›den Weg verbiegen‹ = ›den Weg verstellen‹ (GrWb).

104,33 Vgl. den Bericht in der Mühlhäuser Chronik (Abdruck bei Brandt, Thomas Müntzer, S. 103 ff.): Die Gefolgsleute der Fürsten bezogen »in den besten Häusern« Quartier; den vor dem Aufstand geflohenen Bürgern wurden Besitz und Recht zurückgegeben; von der Plünderung kaufte sich die Stadt mit 40000 Gulden los (a.a.O., S. 108), die Vorräte und Wertsachen wurden dennoch aus der Stadt geführt; die gesamte Bewaffnung wurde entfernt, die »Wälle und Festungen« eingerissen (ebda.). Im ›Sühnebrief‹ (Geß II, S. 248 ff.) wurden weitere Entschädigungen an den Adel fixiert. Vgl. auch Reinhard Jordan: Der Sühnebrief von 1525 und die Festungswerke der Stadt Mühlhausen. In: Mühlhäuser Geschichtsblätter. Jg. 4, 1903/04. S. 63 ff.

104,34 *gerechtickeit* – s. o. zu 103,34.

104,35 *oblawt* = oben angeführt, gesagt.
       unabbruchlich – s. o. zu 103,33.
104,36 ff. S. o. zu 102,25 ff.; 104,23 ff. Herzog Georg schreibt an die Nürn-
       berger (s. o. zu 102,19 ff.), man habe »nahend bey eyssenach bey hun-
       dert gfangen, dorunder der pfeiffer als principal eyner gwest; dy sein
       ins her nach bey molhausen bracht, der och ob funfczig mit dem swert
       gricht . . .«.
105,2 ff. Dies wird wohl betont, um dagegen die angebliche ›Bekehrung‹
       des eigentlichen Ketzers und Aufrührers Müntzer um so deutlicher ab-
       zuheben (s. o. 102,19 ff.); vgl. Steinmetz, Müntzerbild (1971), S. 94.
105,4 *erfaren* = erlebt worden, bekannt geworden, vernommen worden ist.
       Apostata = Abtrünniger, vom Glauben Abgefallener.
105,4 f. Hier wird noch einmal ganz deutlich, daß sich die Argumentation,
       der alle ›Fakten‹ untergeordnet sind, indirekt auch gegen Luther und
       seine Anhänger richtet, die ja aus katholischer Sicht ebenfalls ›Ab-
       trünnige‹ sind (s. o. den Einleitungsabschnitt S. 200 f.).
105,6 f. *tzu ewiger gedechtnis dis handels* – s. o. zu 98,23.
105,10 ff. 12. Juni 1525.

Literaturverzeichnis

In das Literaturverzeichnis sind nur die diejenigen Werkausgaben, Quellensammlungen, Abhandlungen und Nachschlagewerke aufgenommen, die für Einleitung und Erläuterungen mehrfach benutzt wurden und dort mit Kürzeln angegeben sind. Titel, auf die in den Anmerkungen nur verwiesen wird und die dort vollständig genannt werden, sind hier nicht noch einmal aufgeführt.

Eine zusammenfassende Bibliographie des Schrifttums über Müntzer gibt es nicht. Ausführliche Literaturverzeichnisse finden sich bei Bensing, Thomas Müntzer (1966), S. 267 ff.; Steinmetz, Müntzerbild (1971), S. 441 ff.; Wehr, Thomas Müntzer, S. 147 ff.; zur weiteren Ergänzung Franz, Schriften, S. 13 ff. Einführend zur Bauernkriegsforschung das Literaturverzeichnis bei Rainer Wohlfeil (Hrsg.): Reformation oder frühbürgerliche Revolution? München 1972. S. 307 ff.; einführend zur Reformationsgeschichte: Stupperich, Geschichte, S. 277 ff.; Ritter, Neugestaltung, S. 427 ff., Steinmetz, Deutschland 1476–1648, S. 392 ff., enthält eine Zusammenstellung vornehmlich marxistischer Literatur über den Gesamtkomplex der ›frühbürgerlichen Revolution‹. Bei Ritter und Steinmetz sind auch die zusammenfassenden Bibliographien zum Reformationszeitalter aufgeführt.

Abkürzungen

AGBM II Akten zur Geschichte des Bauernkrieges in Mitteldeutschland. Bd. II. Hrsg. v. Walther Peter Fuchs. Aalen 1964 (Neudruck der Ausgabe Jena 1942). (Schriften der Sächsischen Kommission für Geschichte).

Geß I, II Akten und Briefe zur Kirchenpolitik Herzog Georgs von Sachsen. Hrsg. v. Felician Geß. Bd. 1. Leipzig 1905; Bd. 2. Leipzig und Berlin 1917 (Schriften der Sächsischen Kommission für Geschichte).

Götze Alfred Götze: Frühneuhochdeutsches Glossar. Bonn ²1920 (Kleine Texte für Vorlesungen und Übungen Nr. 101).

GrWb Deutsches Wörterbuch von Jacob und Wilhelm Grimm. Bd. 1 ff. Leipzig 1854 ff.

MEW Karl Marx / Friedrich Engels: Werke Hrsg. v. Institut für Marxismus-Leninismus beim ZK der SED. Bd. 1 ff. Berlin (DDR) 1956 ff.

Paul Hermann Paul: Deutsches Wörterbuch. Bearb. v. Werner Betz. Tübingen ⁵1966.

RGG Religion in Geschichte und Gegenwart. 1. Aufl. Hrsg. Friedrich Michael Schiele. Bd. 1 ff. Tübingen 1909 ff.; 2. Aufl. Hrsg. Her-

mann Gunkel. Bd. 1 ff. Tübingen 1927 ff.; 3. Aufl. Hrsg. Kurt
Galling. Bd. 1 ff. Tübingen 1957 ff.

ThWb Theologisches Wörterbuch zum Neuen Testament. Hrsg. v. Gerhard Kittel. Bd. 1 ff. Stuttgart 1933 ff.

WA D. Martin Luthers Werke. Kritische Gesamtausgabe. Bd. 1 ff.
Weimar 1883 ff.

Verkürzt zitierte Titel

Robert Baerwald: Die Schlacht bei Frankenhausen 1525. Mühlhausen ²1925.

Georg Baring: Hans Denck und Thomas Müntzer in Nürnberg 1524. In:
Archiv für Reformationsgeschichte. Jg. 50, 1959. S. 145–181.

Harold S. Bender: Die Zwickauer Propheten, Thomas Müntzer und die
Täufer. In: Theologische Zeitschrift. Jg. 8, 1952. S. 262–278.

Manfred Bensing: Idee und Praxis des ›Christlichen Verbündnisses‹ bei
Thomas Müntzer. In: Wissenschaftliche Zeitschrift der Karl-Marx-Uni-
versität Leipzig. 14. Jg., 1965. Gesellschafts- und Sprachwissenschaftliche
Reihe. S. 459–471.

– Thomas Müntzer. Leipzig 1965.

– Thomas Müntzer und der Thüringer Aufstand 1525. Berlin 1966 (Leipziger Übersetzungen und Abhandlungen zum Mittelalter. Reihe B, Bd. 3).

Ernst Bloch: Thomas Münzer als Theologe der Revolution. Frankfurt/M.
1960 (Bibliothek Suhrkamp 77).

Heinrich Boehmer: Studien zu Thomas Müntzer. In: Zur Feier des Refor-
mationsfestes und des Übergangs des Rektorats. Leipzig 1922 (Univer-
sitätsprogramm). S. 1–30.

– Thomas Müntzer und das jüngste Deutschland. In: H. B.: Gesammelte
Aufsätze. Gotha 1927. S. 187–222.

Karl Brandi: Die deutsche Reformation. Leipzig 1941.

Otto H. Brandt: Thomas Müntzer. Sein Leben und seine Schriften. Jena
1933.

Klaus Ebert: Theologie und politisches Handeln. Thomas Müntzer als Mo-
dell. Stuttgart/Berlin/Köln/Mainz 1973 (Urban Taschenbücher 602).

Walter Elliger: Thomas Müntzer. Berlin 1960 (Erkenntnis und Glaube.
Schriftenreihe der Evangelischen Akademie Ilsenburg. Bd. 16).

– Thomas Müntzer. In: Theologische Literaturzeitung. 90. Jg., 1965.
Sp. 7–18.

G. R. Elton: Europa im Zeitalter der Reformation 1517–1559. Bd. 1.
Hamburg 1971.

Friedrich Engels: Der deutsche Bauernkrieg. In: MEW 7, Berlin 1960.
S. 327 ff.

Carl Eduard Förstemann (Hrsg.): Zur Geschichte des Bauernkriegs im
Thüringischen und Mansfeldischen. Halle/Nordhausen 1869 (Neue Mitteilungen aus dem Gebiet historisch-antiquarischer Forschungen. 12. Bd.).

Günther Franz: Der deutsche Bauernkrieg. Bad Homburg ⁸1969.
- Artikel ›Thomas Müntzer‹. In: RGG. 3. Aufl. Bd. 4. Tübingen 1960. Sp. 1183 f.
- (Hrsg.): Quellen zur Geschichte des Bauernkrieges. München 1963 (Ausgewählte Quellen zur deutschen Geschichte der Neuzeit. Freiherr vom Stein-Gedächtnisausgabe. Bd. 2).
(Franz, Schriften: s. Müntzer).
Hayo Gerdes: Luthers Streit mit den Schwärmern um das rechte Verständnis des Gesetzes Mose. Göttingen 1955.
Hermann Goebke: Thomas Müntzer – familiengeschichtlich und zeitgeschichtlich gesehen. In: Die frühbürgerliche Revolution in Deutschland. Berlin (DDR) 1961 (Tagung der Sektion Mediävistik der Deutschen Historiker-Gesellschaft vom 21. – 23. 1. 1960 in Wernigerode. Bd. II). S. 91–100.
Hans Jürgen Goertz: Innere und äußere Ordnung in der Theologie Thomas Müntzers. Leiden 1967 (Studies in the History of Christian Thought. Bd. 2).
Gritsch, Eric W.: Reformer without a Church. The Life and Thought of Thomas Muentzer. Philadelphia 1967.
Carl Hinrichs: Luther und Müntzer. Ihre Auseinandersetzung über Obrigkeit und Widerstandsrecht. Berlin ²1962 (Arbeiten zur Kirchengeschichte. Bd. 29).
Karl Holl: Luther und die Schwärmer. In: K. H.: Gesammelte Aufsätze zur Kirchengeschichte I. Luther. Tübingen ⁷1948. S. 420–467.
Erwin Iserloh: Zur Gestalt und Biographie Thomas Müntzers. In: Trierer Theologische Zeitschrift. 71. Jg., 1962. S. 248–253.
- Die ›Schwärmer‹ Karlstadt und Müntzer. In: Handbuch der Kirchengeschichte. Hrsg. v. Hubert Jedin. Bd. IV: Reformation, katholische Reform und Gegenreformation (Erwin Iserloh, Josef Glazik, Hubert Jedin). Freiburg/Basel/Wien 1967. S. 118–139.
Reinhard Jordan: Thomas Müntzers Witwe. In: Zur Geschichte der Stadt Mühlhausen i. Th. Beilage zum Jahresbericht des Gymnasiums in Mühlhausen. Mühlhausen 1902. S. 27–31.
- Das Ende Thomas Müntzers. In: Zur Geschichte der Stadt Mühlhausen i. Th. Beilage zum Jahresbericht des Gymnasiums in Mühlhausen. Mühlhausen 1911. S. 14–23.
- Zur Gefangennahme Thomas Müntzers. In: Mühlhäuser Geschichtsblätter. Jg. 12, 1911/12. S. 133.
- Die Züge des sog. Mühlhäuser Haufens nach Osten (1525). In: Mühlhäuser Geschichtsblätter. Jg. 12, 1911/12. S. 47–96.
Klaus Kaczerowsky (Hrsg.): Flugschriften des Bauernkrieges. Reinbek b. Hamburg 1970 (Rowohlts Klassiker der Literatur und der Wissenschaft 526/27).
Gustav Kawerau: Johann Agricola von Eisleben. Ein Beitrag zur Reformationsgeschichte. Berlin 1881.

Franz Lau: Die prophetische Apokalyptik Thomas Müntzers und Luthers Absage an die Bauernrevolution. In: Beiträge zur historischen und systematischen Theologie. Gedenkschrift für D. Werner Elert. Hrsg. v. Friedrich Hübner. Berlin 1955. S. 163–170.

Annemarie Lohmann: Zur geistigen Entwicklung Thomas Müntzers. Leipzig u. Berlin 1931 (Beiträge zur Kulturgeschichte. Bd. 47).

Bernhard Lohse: Auf dem Wege zu einem neuen Müntzer-Bild. In: Luther. Zeitschrift der Luther-Gesellschaft. Jg. 41, 1970. S. 120–131.

– Thomas Müntzer in marxistischer Sicht. In: Luther. Zeitschrift der Luther-Gesellschaft. Jg. 43, 1972. S. 60–73.

Joseph Lortz / Erwin Iserloh: Kleine Reformationsgeschichte. Freiburg/Basel/Wien ²1971 (Herder-Bücherei 342).

Gottfried Maron: Thomas Müntzer als Theologe des Gerichts. Das ›Urteil‹ – ein Schlüsselbegriff seines Denkens. In: Zeitschrift für Kirchengeschichte. Jg. 83, 1972. S. 195–225.

Otto Merx: Thomas Müntzer und Heinrich Pfeiffer. Teil 1 (1523–1525). Göttingen 1889.

Alfred Meusel: Thomas Müntzer und seine Zeit. Berlin (DDR) 1952.

Walter E. Meyer: Reformator und Revolutionär: Thomas Müntzer. In: Reformation. Zeitschrift für evangelische Kultur und Politik. Jg. 22, 1973. S. 342–354.

Thomas Müntzer: Schriften und Briefe. Kritische Gesamtausgabe. Unter Mitarbeit v. Paul Kirn hrsg. v. Günther Franz. Gütersloh 1968 (Quellen und Forschungen zur Reformationsgeschichte. Bd. 33).
[Wo aus Müntzers Texten zitiert wird, ist die Ausgabe mit ›Schriften (Franz)‹ bezeichnet, wo auf die Erläuterungen des Herausgebers verwiesen wird, mit ›Franz, Schriften‹].

– Die Fürstenpredigt. Theologisch-politische Schriften. Hrsg. v. Günther Franz. Stuttgart 1967 (Reclams Universal-Bibliothek Nr. 8772/73).

– Die Fürstenpredigt und andere politische Schriften. Hrsg. v. Siegfried Streller. Leipzig 1956 (Reclams Universal-Bibliothek Nr. 8331–33 C).

– Schriften und Briefe. Hrsg. v. Gerhard Wehr. Frankfurt/M. 1973 (Fischer Taschenbuch 1378).

Thomas Nipperdey: Theologie und Revolution bei Thomas Müntzer. In: Wirkungen der deutschen Reformation bis 1555. Hrsg. v. Walther Hubatsch. Darmstadt 1967 (Wege der Forschung. Bd. 203). S. 236–285. [Zuerst in: Archiv für Reformationsgeschichte. Jg. 54, 1963. S. 145–179].

– Der manipulierte Müntzer. In: Luther als Bühnenheld. Hrsg. v. Friedrich Kraft. Hamburg 1971 (Zur Sache. Kirchliche Aspekte heute. Heft 8). S. 60–74.

Gerhard Ritter: Die Neugestaltung Deutschlands und Europas im 16. Jahrhundert. Die kirchlichen und staatlichen Wandlungen im Zeitalter der Reformation und Glaubenskämpfe. Frankfurt/M./Berlin 1967. (Deutsche Geschichte. Ereignisse und Probleme. Bd. 2/1 + 2. Ullstein Buch Nr. 3842/42a).

Rupp, Gordon: Thomas Müntzer – The Reformer as Rebel. In: G. R.: Patterns of Reformation. London 1969. S. 157–353.

Martin Schmidt: Das Selbstbewußtsein Thomas Müntzers und sein Verhältnis zu Luther. Ein Beitrag zu der Frage: War Thomas Müntzer Mystiker? In: Theologia viatorum 6. Jahrbuch der Kirchlichen Hochschule Berlin 1954–58. Berlin 1959. S. 25–41.

(Schriften (Franz): s. Müntzer).

Johann Karl Seidemann (Hrsg.): Das Ende des Bauernkrieges in Thüringen. Halle/Nordhausen 1878 (Neue Mitteilungen aus dem Gebiet historisch-antiquarischer Forschungen. Bd. 14).

M. M. Smirin: Die Volksreformation des Thomas Müntzer und der große Bauernkrieg. Berlin (DDR) 1956.

Hans Otto Spillmann: Untersuchungen zum Wortschatz in Thomas Müntzers deutschen Schriften. Berlin/New York 1971 (Quellen und Forschungen zur Sprach- und Kulturgeschichte der germanischen Völker. Neue Folge Bd. 41).

Max Steinmetz: Zur Entstehung der Müntzer-Legende. In: Beiträge zum neuen Geschichtsbild. Zum 60. Geburtstag v. Alfred Meusel. Hrsg. v. Fritz Klein u. Joachim Streisand. Berlin (DDR) 1956. S. 35–70.

– Das Müntzerbild in der Geschichtsschreibung von Luther und Melanchthon bis zur französischen Revolution. Jena 1956 (Habil.schr. Masch.).

– Philipp Melanchthon über Thomas Müntzer und Nikolaus Storch. In: Philipp Melanchthon. Humanist, Reformator, Praeceptor Germaniae. Berlin (DDR) 1963 (Philipp Melanchthon 1497–1560. Bd. I). S. 138–173.

– Deutschland von 1476–1648 (Von der frühbürgerlichen Revolution bis zum Westfälischen Frieden). Berlin (DDR) 1967 (Lehrbuch der deutschen Geschichte (Beiträge), Teil 3).

– Das Erbe Thomas Müntzers. In: Zeitschrift für Geschichtswissenschaft. 17. Jg., 1969. S. 1117–1129.

– Das Müntzerbild von Martin Luther bis Friedrich Engels. Berlin (DDR) 1971 (Leipziger Übersetzungen und Abhandlungen zum Mittelalter. Reihe B, Bd. 4).

Robert Stupperich: Geschichte der Reformation. München 1967 (dtv 413).

Adolf Waas: Die Bauern im Kampf um Gerechtigkeit 1300–1525. München 1964.

Paul Wappler: Thomas Müntzer in Zwickau und die ›Zwickauer Propheten‹. Gütersloh 1966 (Schriften des Vereins für Reformationsgeschichte Nr. 182, Jg. 71). (Neuausgabe von Zwickau 1908).

Gerhard Wehr: Thomas Müntzer in Selbstzeugnissen und Bilddokumenten. Reinbek b. Hamburg 1972 (Rowohlts Monographien Nr. 188).

Ernst Werner: Messianische Bewegungen im Mittelalter. Teil II. In: Zeitschrift für Geschichtswissenschaft. 10. Jg., 1962. S. 598–622.

Gerhard Zschäbitz: Zur mitteldeutschen Wiedertäuferbewegung nach dem großen Bauernkrieg. Berlin (DDR) 1958 (Leipziger Übersetzungen und Abhandlungen zum Mittelalter. Reihe B, Bd. 1).

Verzeichnis der Druckfehlerkorrekturen in den Textvorlagen

Im folgenden sind sämtliche Druckfehler aufgeführt, die gegenüber den Textvorlagen für den Neudruck korrigiert wurden (die Ziffern geben Seiten- und Zeilenzahl an). In allen zweifelhaften Fällen blieb die Druckform der Vorlagen unverändert. Ausgelassene Satzzeichen (Punkte) der Vorlagen – mehrfach am Rand des Satzspiegels – wurden stillschweigend eingefügt.

1. Luther, Eyn brieff . . .
   6,5 disputiren] dispn = tiren
2. Luther, Ein Sendbrieff . . .
   14,16 wär] wir
3. Luther, Eyn Schrecklich geschicht . . .
   20,3 underricht] undrericht 20,5 dran / dieweyl] drand weyl
4. (Melanchthon) Die Histori . . .
   28,9 Doktor Luther] und der Luther 34,10 Sechsischen] Sechschischen
5. Agricola, Auslegung
   45,11 Christo] Chhisto 45,37 genug] ge- genug 46,24 yderman] derman 48,13 nichts] nichs 49,14 bevohlen] beůlen 50,21 zwingen] ziwngen 50,28 sprechen] sprehen 52,25 unterrichten] un/ terrichten 53,4 teufels] Kustos der vorhergehenden Seite (der teuff-) nicht am Seitenanfang aufgenommen 53,16 außdruckt] außdrucht 55,18 vom] vem 55,27 verwunderung] verwunderug, 55,36 Mcxxv] Mxcxxv 55,38 gangen /] gangen) 56,15 sichtiklich /] sichtiklich) 57,15 Evangelio] Evangelo 58,20 dampff] damffp 57,22 Coloss.] Colss. 58,27 schreit] schriet 58,29 flammen] flamnen 58,36 begegnung] begegung 60,19 bedarff] bdarff 61,17 Gottes] Gotttes 65,12 beladen] bladen 66,30 eygentlich] eygentlick 67,34 die wunder / die] die / wunder die 70,28 schreybt] schrebyt 70,38 verborgen] vreborgen 71,35 den] gen 72,4 schrecklich] srchecklich 73,22 entspringet] entspinget 73,25 Evangelion] Enangelion
6. (Agricola) Ein nutzlicher Dialogus
   81,7 Albrechts] Alberchts 85,26 S. Paulus] S.a Paulus 86,7 Pharao] Pharo 88,27 Matthei] Mat/ thei 95,26 wo mir] wo wir
7. Ein gloubwirdig . . . underricht . . .
   98,31 mit seynem] seynem 100,11 Durchlauchten] Durchlau- lauchten